Zus

LISA KLEYPAS

Zus

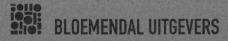
BLOEMENDAL UITGEVERS

Alle personages, organisaties en gebeurtenissen in deze roman zijn gefingeerd.

Copyright © 2012 Lisa Kleypas
Oorspronkelijke titel: *Rainshadow Road*
First published in the United States of America by St. Martin's Griffin, New York
Nederlandse editie © 2014 Bloemendal Uitgevers, Amersfoort
Nederlandse vertaling: Ammerins Moss voor Imago Mediabuilders, Amersfoort
Redactie: Janneke Jansen
Omslagfoto: Shutterstock/Diana Koryakovtseva

ISBN 978 90 77462 84 3
NUR 343/344

Voor Jennifer Enderlin,

Dank je voor je inzicht, je geduld en je aanmoedigingen – jij bent een geschenk dat ik nooit voor lief neem.

Hou van je, L. K.

❧ Een ❧

Toen Lucy Marinn zeven jaar oud was, gebeurden er drie dingen: haar zusje Alice werd ziek, ze moest haar eerste natuurkundeproject bedenken en maken voor op school en ze ontdekte magie. Of beter gezegd, ze ontdekte dat ze kon toveren. De rest van haar leven zou Lucy zich ervan bewust zijn dat het voor haar maar een kleine stap was van de normale wereld naar een speciale wereld vol betovering.

Maar het was niet het soort kennis dat iemand overmoedig of brutaal maakt. In Lucy's geval zeker niet. Het maakte haar juist behoedzaam. Geheimzinnig. Als bekend werd dat je magische krachten had, zeker als het krachten waren waar je geen controle over had, dan was je namelijk gelijk 'anders'. En zelfs een meisje van zeven begreep wel dat je niet aan de verkeerde kant van de scheidslijn wilde staan tussen wat normaal en wat 'anders' was. Je wilde ergens bij horen. Het probleem was alleen dat hoe hard je ook probeerde om je geheim geheim te houden, het feit dat je een geheim had al genoeg was om anders te zijn.

Ze wist niet waarom ze ineens magische krachten had, waardoor het was gekomen, maar het begon allemaal op de dag dat Alice wakker was geworden met een stijve nek, koorts en felrode uitslag. Zodra Lucy's moeder Alice zag, riep ze dat haar vader de dokter moest bellen.

Geschrokken van alle commotie bleef Lucy in haar nachtpon op een keukenstoel zitten, waar ze met bonzend hart toekeek hoe haar vader de telefoon zo haastig neerlegde dat het ding weer van de haak stuiterde.

'Pak je schoenen, Lucy. Opschieten.' Haar vaders stem, anders altijd zo kalm, brak bij dat laatste woord. Hij was lijkbleek.

'Wat is er aan de hand?'

'Je moeder en ik gaan met Alice naar het ziekenhuis.'

'Ga ik mee?'

'Jij gaat naar mevrouw Geiszler.'

Toen ze de naam hoorde van hun buurvrouw – die altijd begon te schreeuwen als Lucy op haar fiets over haar gazon reed – kwam ze in verzet: 'Dat wil ik niet. Ze is eng.'

'Nu niet, Lucy.' Hij keek haar aan met een blik waar ze direct stil van werd.

Ze waren in de auto gestapt; haar moeder op de achterbank, met Alice als een baby in haar armen. De geluiden die Alice maakte, waren zo alarmerend dat Lucy haar handen over haar oren hield. Ze maakte zich zo klein mogelijk; het vochtige plastic van de zitting plakte aan haar benen. Nadat haar ouders haar bij mevrouw Geiszler hadden afgezet, reden ze zo snel weg dat de minibus zwarte bandensporen achterliet op de oprit.

Mevrouw Geiszler keek Lucy aan met zulke diepe fronsen dat haar voorhoofd op een plisségordijn leek en beet haar toe dat ze nergens aan mocht komen. Het huis stond vol met antiek. In de kamer hing een geur van muffe oude boeken en citroenfrisse meubelwas. Het was muisstil; geen achtergrondgeluiden als televisie en radio, geen muziek, stemmen of rinkelende telefoons.

Terwijl ze stilletjes op de brokaten bank ging zitten, tuurde Lucy naar een theeservies dat netjes op de salontafel was uitgestald. Het servies was gemaakt van een soort glas dat Lucy nog nooit had gezien. De kopjes en schoteltjes glinsterden als een regenboog, en het glas zelf was versierd met flamboyante goudkleurige krullen en bloemen. Lucy ging op haar knieën voor de tafel zitten, gefascineerd door hoe de kleuren steeds veranderden. Ze kantelde haar hoofd eerst naar links en daarna naar rechts.

Mevrouw Geiszler stond in de deuropening en lachte krakend; haar stem klonk als ijsblokjes waar water overheen wordt gegoten. 'Dat is kunstglas,' zei ze. 'Uit Tsjechië. Het servies is al meer dan honderd jaar in de familie.'

'Hoe komen die regenbogen erin?' vroeg Lucy schuchter.

'Door metaal en kleuren door gesmolten glas te mengen.'

Lucy stond versteld. 'Hoe smelt je glas?'

Maar mevrouw Geiszler was moe. 'Kinderen en hun vragen ook altijd,' mompelde ze, waarna ze weer naar de keuken liep.

Al snel leerde Lucy het woord voor de ziekte die haar vijfjarige zusje had. Hersenvliesontsteking. Het hield in dat Alice verzwakt en moe was, dat Lucy een stoere meid moest zijn en moest helpen, voor haar moest zorgen en geen rommel moest maken. Het hield ook in dat Lucy geen ruzie mocht maken met Alice en niets mocht doen waar ze overstuur van kon raken. 'Niet nu,' was iets wat Lucy vaak van haar ouders te horen kreeg.

De lange, stille zomer verliep heel anders dan normaal, zonder de gebruikelijke speelafspraakjes, zomerkampen en limonadeverkoop in de voortuin. De ziekte van Alice had ertoe geleid dat zij de centrale planeet was geworden waar de andere familieleden voorzichtig en omzichtig omheen cirkelden. In de weken nadat ze uit het ziekenhuis was ontslagen, groeiden de stapels nieuw speelgoed en nieuwe boeken in haar kamer elke dag. Ze mocht tijdens het eten om de tafel heen rennen en hoefde geen 'alsjeblieft' en 'dankjewel' te zeggen. Alice was nooit tevreden, ook al kreeg zij het grootste stuk taart en mocht ze langer opblijven dan alle andere kinderen. Voor een meisje dat al te veel had, was niets ooit genoeg.

De Marinns woonden in de wijk Ballard in Seattle, waar oorspronkelijk veel Scandinaviërs hadden gewoond, van oudsher werkzaam in de zalmvisserij en de conservenfabriek. Hoewel er nu veel minder Scandinaviërs woonden en Ballard was gegroeid en veranderd, had de wijk nog steeds dat typisch Scandinavische sfeertje. Lucy's moeder maakte nog de gerechten die haar voorouders hadden meegebracht naar Amerika: *gravlax*, rauwe, ingelegde zalm met een mosterd-dillesaus; varkensrollade met gember en pruimen en *krumkake*, kardemomwafeltjes die om de steel van een pollepel tot perfecte hoorntjes werden gerold. Lucy vond het heerlijk om haar moeder te helpen in de keuken, vooral ook omdat Alice totaal geen interesse had in koken en hen dus nooit stoorde.

De zomer ging voorbij, de eerste herfststormen kondigden zich aan en de school begon weer, maar thuis was er nog niets veranderd. Ook al was Alice weer beter, toch leek het hele gezin nog steeds te functioneren volgens dezelfde regels als tijdens haar ziekte: doe niets wat haar overstuur kan maken. Geef haar wat ze wil. Als Lucy klaagde, werd haar moeder nu vaak boos, iets wat vroeger nooit gebeurde.

'Hoe *durf* je jaloers te zijn. Je zusje was bijna doodgegaan. Ze had zo'n pijn. Je hebt zo veel, *zo veel* geluk gehad dat het jou niet is overkomen.'

Lucy bleef zich daarna dagenlang schuldig voelen, en deze cyclus herhaalde zich als een hardnekkige griep. Tot haar moeder zo tegen haar was uitgevallen, had Lucy nooit dat gevoel kunnen benoemen dat haar diep vanbinnen zo verstikte. Maar het was jaloezie. Hoewel ze geen idee had hoe ze dit gevoel kon laten verdwijnen, wist ze wel dat ze er nooit over mocht praten.

Ondertussen kon Lucy niets meer doen dan wachten tot alles weer werd zoals vroeger. Maar dat gebeurde niet. En ook al zei haar moeder dat ze van haar beide dochters evenveel hield maar dan op andere manieren, toch bleef Lucy het gevoel houden dat haar moeder meer van Alice hield dan van haar.

Lucy adoreerde haar moeder; ze bedacht altijd leuke spelletjes voor als het regende en vond het niet erg als Lucy haar hoge hakken aantrok tijdens verkleedpartijtjes. Haar moeders speelse aandacht en liefde leek echter een droef randje te hebben gekregen. Zo nu en dan zag Lucy hoe ze voor zich uit zat te staren, met een verloren blik op haar gezicht.

Soms sloop Lucy 's ochtends vroeg op haar tenen naar de slaapkamer van haar ouders, om tegen haar moeder aan te kruipen tot haar voeten lekker warm waren. Haar vader vond het altijd vervelend als hij merkte dat ze bij hen in bed lag en gromde dat ze weer naar haar eigen kamer moest gaan. 'Nog eventjes,' mompelde haar moeder dan, om Lucy vervolgens lekker tegen zich aan te drukken. 'Dit is een heerlijk begin van de dag.' En Lucy nestelde zich dan nog even extra tegen haar moeder aan.

Als Lucy iets deed wat ze niet fijn vond, had dat helaas ook zijn consequenties. Als ze een briefje bij zich had van school, omdat ze had zitten praten in de les of een slecht cijfer had gekregen voor rekenen, of niet genoeg had geoefend op de piano, dan werd haar moeder kil en afstandelijk. Lucy begreep nooit waarom zij altijd zo hard moest werken om te verdienen wat Alice zomaar kreeg. Na haar bijna fatale ziekte werd Alice verwend en verpest. Ze was vreselijk onbeleefd, onderbrak mensen als ze zaten te praten, zat tijdens het eten met haar groente te spelen, pakte zomaar dingen af – en alles werd gewoon genegeerd.

Toen de Marinns op een avond uit eten wilden gaan en hun dochters bij de oppas achterlieten, huilde en brulde Alice net zolang tot ze het restaurant belden om de reservering af te zeggen. Ze lieten pizza bezorgen en aten aan de keukentafel, nog in hun chique kleren. De glinstering van haar moeders sieraden danste over plafond.

Alice pakte een stuk pizza en liep naar de woonkamer om televisie te gaan kijken. Lucy pakte haar bord en wilde ook naar de woonkamer lopen.

'Lucy,' zei haar moeder. 'Je mag niet van tafel voor je klaar bent met eten.'

'Maar Alice zit ook in de woonkamer te eten.'

'Zij is nog klein, ze weet niet beter.'

Verrassend genoeg bemoeide Lucy's vader zich ermee. 'Ze is maar twee jaar jonger dan Lucy. Ik kan me niet herinneren dat Lucy ooit onder het eten van tafel mocht.'

'Alice is na de hersenvliesontsteking nog niet op gewicht,' beet haar moeder terug. 'Lucy, kom aan tafel zitten.'

De oneerlijkheid was moeilijk te verkroppen. Lucy zette zo langzaam als ze kon haar bord weer op tafel. Ze vroeg zich af of haar vader het voor haar op zou nemen. Maar hij schudde alleen zijn hoofd en zei verder niets meer.

'Heerlijk,' zei Lucy's moeder vrolijk, terwijl ze in de pizza beet alsof het een zeldzame delicatesse was. 'Hier had ik echt zin in. Waarom zouden we ook naar een duur restaurant gaan? Het is hier net zo gezellig.'

Lucy's vader antwoordde niet. Hij at zijn pizza, zette zijn bord in de gootsteen en liep naar zijn studeerkamer.

'Ik moest dit aan je geven van de juf,' zei Lucy, terwijl ze haar moeder een stukje papier overhandigde.

'Nu even niet, Lucy. Ik ben aan het koken.' Cherise Marinn stond bleekselderij te hakken; met het mes sneed ze de stengels in dunne plakjes. Terwijl Lucy geduldig stond te wachten, keek haar moeder haar van opzij aan en zuchtte. 'Wat is er, schatje?'

'Een briefje over natuurkundeles. We hebben drie weken om een model te maken.'

Lucy's moeder was klaar met de selderijstengel en legde het mes neer. Ze pakte het papiertje, las het en fronste haar wenkbrauwen. 'Dat is veel werk. Doen alle kinderen hieraan mee?'

Lucy knikte.

Haar moeder schudde haar hoofd. 'Hebben die leerkrachten enig idee hoeveel tijd wij hier als ouders aan kwijt zijn?'

'Jij hoeft niets te doen, mama. Ik moet het doen.'

'Iemand moet toch naar de hobbywinkel om karton en andere spullen te halen. En erbij zijn als je het model test en je projectpresentatie gaat oefenen.'

Lucy's vader kwam de keuken in. Hij zag er zoals gebruikelijk vermoeid uit na een lange dag werken. Phillip Marinn had een drukke baan als astronomiedocent aan de Universiteit van

Washington en werkte daarnaast nog als adviseur bij NASA, zodat het eerder leek alsof hij zo nu en dan even thuis op bezoek kwam dan dat hij er woonde. Als het hem lukte om voor het avondeten thuis te komen, zat hij vaak in de woonkamer te bellen met collega's terwijl zijn vrouw en dochters zonder hem aten. De namen van de vriendinnetjes van zijn dochters, hun leerkrachten, voetbaltrainer, wat ze wanneer deden – hij had er geen enkele weet van. En daarom was Lucy zo verbaasd over wat haar moeder daarna zei.

'Lucy heeft je hulp nodig bij haar natuurkundeproject. Ik heb me net aangemeld als voorleesmoeder in de kleuterklas van Alice. Ik heb het te druk.' Ze drukte hem het papiertje in zijn handen en liet de selderijstukjes in de pan met soep zakken die op het fornuis stond.

'Mijn hemel.' Hij las met een diepe frons op zijn voorhoofd de informatie door. 'Hier heb ik echt geen tijd voor.'

'Dan maak je maar tijd,' zei haar moeder.

'Wat als ik een van mijn studenten vraag om haar te helpen?' stelde hij voor. 'Ik kan er punten voor geven.'

Haar moeder keek hem verbijsterd aan en zei boos: 'Phillip. Het idee dat je je eigen kind doorschuift naar een student...'

'Het was maar een grapje,' zei hij snel, hoewel Lucy daar niet helemaal zeker van was.

'Dus je gaat Lucy helpen?'

'Ik schijn geen keus te hebben.'

'Kunnen jullie eens gezellig iets samen doen.'

Hij keek Lucy onderzoekend aan. 'Wordt het gezellig?'

'Ja hoor, papa.'

'Prima. Heb je al een idee wat voor soort experiment je wilt gaan doen?'

'Ik wil een werkstuk maken,' begon Lucy, 'over glas.'

'Wil je niets iets doen met ruimtevaart? We zouden een model van het zonnestelsel kunnen bouwen, of beschrijven hoe sterren ontstaan...'

'Nee, papa. Glas.'

'Waarom?'

'Gewoon.' Lucy was gefascineerd geraakt door glas. Elke ochtend bij het ontbijt verbaasde ze zich over het doorschijnende materiaal waar haar sapglas van was gemaakt. Hoe perfect het was gevormd, hoe het warmte, kou en vibraties doorgaf.

Haar vader ging met haar naar de bibliotheek om te zoeken naar boeken voor volwassenen over glas en glaswerk, omdat volgens hem de kinderboeken over het onderwerp niet gedetailleerd genoeg waren. Lucy leerde dat als een materiaal bestond uit moleculen die als bakstenen op elkaar waren gestapeld, je er niet doorheen kon kijken. Maar als de moleculen in een materiaal willekeurig door elkaar lagen, als in water, gesmolten suiker of glas, dat het licht dan een weg vond door de ruimte tussen deze moleculen.

'Zeg eens, Lucy,' vroeg haar vader terwijl ze een diagram op het karton plakten, 'is glas een vloeistof of een vaste stof?'

'Het is een vloeistof die zich als een vaste stof gedraagt.'

'Je bent een slimme meid. Wat denk je, wil je later ook wetenschapper worden, net als ik?'

Ze schudde haar hoofd.

'Wat wil je dan worden?'

'Glaskunstenaar.' Lucy droomde er de laatste tijd vaak van om dingen te maken van glas. In haar slaap zag ze het licht glinsteren en breken in allerlei kleuren… glas dat zwierig bewoog, als exotische zeedieren, vogels, bloemen.

Haar vader keek bezorgd. 'Er zijn maar weinig mensen die kunnen rondkomen als kunstenaar. Alleen beroemde kunstenaars verdienen geld.'

'Dan word ik een beroemde,' antwoordde ze vrolijk, terwijl ze de letters op het kartonnen bord inkleurde.

Dat weekend was ze met haar vader naar een glasblazer in de buurt geweest, een man met een rode baard die haar had laten zien hoe hij glas maakte. Lucy had ademloos staan toekijken en was zo dichtbij gaan staan als haar vader maar toestond. Nadat de glasblazer in de oven het zand had gesmolten, had hij een lange metalen staaf in de oven gestoken om een klont gloeiend, rood, gesmolten glas te verzamelen. De geur van heet metaal, zweet, geschroeide inkt en as van de natte kranten die hij gebruikte om het glas met de hand te vormen, hing zwaar in de lucht.

Elke keer wanneer hij glas uit de oven haalde, werd de vurige oranje massa groter. Hij draaide die rond en bleef het glas in de oven verhitten. Hij strooide er blauw frit overheen, een keramisch poeder, en rolde de staaf met glas over een stalen tafel om de kleur te verdelen.

Lucy had met grote ogen staan kijken. Ze wilde alles weten over dit mysterieuze proces, elke manier om glas te knippen, mengen, kleuren en vormen. Er was nog nooit iets zo belangrijk voor haar geweest.

Voor ze wegging, had haar vader een handgeblazen ornament gekocht dat eruit zag als een heteluchtballon, met strepen in de kleuren van de regenboog. Het hing aan een raamwerkje van koperen draadjes. Lucy zou zich deze dag herinneren als de gelukkigste in haar hele jeugd.

Later die week, toen Lucy vroeg in de avond thuiskwam van voetbaltraining, scheen de hemel donkerpaars, met wolken die tegen de lucht drukten als een zilverkleurige zweem op een perzik. Met haar harde plastic scheenbeschermers en kniesokken nog aan beende ze de trap op naar haar kamer. Het lampje op het nachtkastje brandde. Alice stond ernaast en hield iets in haar handen.

Lucy keek nors. Ze had Alice vaak genoeg gezegd dat ze niet zonder toestemming haar kamer binnen mocht. Maar omdat Lucy's kamer verboden was, had hij voor Alice een nog grotere aantrekkingskracht gekregen. Lucy had al een vermoeden dat haar zusje zo nu en dan haar kamer binnensloop, omdat haar knuffels en poppen op andere plekken lagen dan waar ze ze had neergelegd.

Alice schrok en liet wat ze in haar handen had op de grond vallen. Allebei deinsden ze achteruit toen ze iets hoorden breken. Alice keek haar zus met een enorm schuldige blik aan.

Lucy staarde zwijgend naar de glinsterende scherven op de houten vloer. Het was het handgeblazen ornamentje dat haar vader voor haar had gekocht. 'Wat doe je hier?' brieste ze. 'Dit is *mijn* kamer. Dat was van *mij*. Rot op!'

Alice barstte in tranen uit en bleef tussen de scherven staan.

Haar moeder had het lawaai gehoord en kwam de kamer binnen rennen. 'Alice!' Ze stapte voorzichtig over het glas en tilde haar op. 'Lieverd, ben je gewond? Wat is er gebeurd?'

'Lucy liet me schrikken,' jammerde Alice.

'Ze heeft mijn glazen luchtballon stukgemaakt,' zei Lucy woedend. 'Ze is mijn kamer binnengeslopen en heeft hem stukgemaakt.'

Haar moeder aaide Alice over haar hoofd. 'Het belangrijkste is dat er niemand gewond geraakt.'

'Het belangrijkste is dat zij iets stuk heeft gemaakt wat van mij was!'

Haar moeder keek haar geïrriteerd en vermoeid aan. 'Ze was gewoon nieuwsgierig. Het was een ongelukje, Lucy.'

Lucy keek haar kleine zusje woest aan. 'Ik haat je. Waag het niet om hier nog een keer te komen, anders hak ik je hoofd eraf.'

Het dreigement deed Alice nog harder huilen. Haar moeder keek boos. 'Zo is het wel genoeg, Lucy. Ik verwacht dat je aardig doet tegen je zusje, zeker omdat ze zo ziek is geweest.'

'Ze is nu niet ziek meer,' zei Lucy, maar doordat Alice zo hard huilde, was daar niets van te horen.

'Ik neem je zus mee naar beneden,' zei haar moeder. 'En dan kom ik terug om het glas op te ruimen. Niks aanraken, het is scherp. Verdorie, Lucy, ik koop wel een nieuwe voor je.'

'Er was er maar een van,' zei Lucy pruilend. Maar haar moeder was al naar buiten gelopen, Alice in haar armen.

Lucy ging op haar knieën op de grond zitten, voor de glasscherven, die als tere zeepbelletjes vanaf de houten vloer naar haar omhoog lagen te glinsteren. Ze zakte in elkaar, veegde twee tranen weg en keek naar het gebroken ornamentje tot ze door de tranen heen niets meer kon zien. De emotie stroomde vanuit haar buik omhoog, via haar poriën naar buiten en omhoog de lucht in... woede, verdriet en een knagend, wanhopig verlangen naar liefde.

In het vage lamplicht zag ze allemaal lichtpuntjes om zich heen. Lucy slikte de tranen weg, sloeg haar armen om zichzelf heen en nam een diepe hap lucht. Ze knipperde een paar keer met haar ogen toen de lichtpuntjes opstegen en om haar heen begonnen te zweven. Verbaasd veegde ze haar ogen droog met haar handen en keek hoe de lichtjes ronddwarrelden en dansten. Eindelijk begreep ze wat ze zag.

Vuurvliegjes.

Magie, speciaal voor haar.

Elke glassplinter was veranderd in een levend sprankje licht.

Langzaam zweefden de vuurvliegjes naar het open raam, om in de nacht te verdwijnen.

Toen haar moeder een paar minuten later terugkwam, zat Lucy op de rand van haar bed naar het raam te staren.

'Wat is er met het glas gebeurd?' vroeg haar moeder.

'Weg,' antwoordde Lucy afwezig.

Het was haar geheim, deze magie. Lucy wist niet waar het vandaan was gekomen. Ze wist alleen dat het altijd op de juiste plek verscheen om nieuw leven te creëren, als bloemen die tussen de stoeptegels groeien.

'Ik zei toch dat je eraf moest blijven. Je had je vingers kunnen snijden.'

'Het spijt me, mama.' Lucy pakte een boek van haar nachtkastje. Ze sloeg het op een willekeurige plek open en staarde blind naar de pagina.

Ze hoorde haar moeder zuchten. 'Lucy, je moet meer geduld hebben met je kleine zusje.'

'Ik weet het.'

'Ze is nog steeds erg kwetsbaar na wat ze heeft meegemaakt.'

Lucy bleef naar het boek in haar handen staren en wachtte zwijgend tot haar moeder weer wegging.

Na een ongezellig halfuur aan tafel, met alleen het gekwetter van Alice om de stilte te doorbreken, hielp Lucy bij het afruimen. Ze was diep in gedachten verzonken. Haar emoties waren zo heftig geweest dat ze het glas hadden getransformeerd. Ze vermoedde dat het glas haar iets had willen vertellen.

Ze liep naar het kantoortje van haar vader, waar hij druk aan het bellen was. Hij vond het niet fijn om te worden gestoord, maar ze moest hem toch iets vragen. 'Papa,' begon ze aarzelend.

Ze zag aan zijn samengetrokken schouders dat hij geïrriteerd was. Maar terwijl hij de telefoon neerlegde, zei hij met zachte stem: 'Ja, Lucy?'

'Wat betekent het als je een vuurvliegje ziet?'

'O, vuurvliegjes zul je in de staat Washington niet zien, ben ik bang. Zo ver naar het noorden komen ze nooit.'

'Maar wat *betekent* het?'

'Symbolisch, bedoel je?' Hij dacht even na. 'Een vuurvliegje lijkt overdag een gewoon insect. Als je niet weet hoe hij eruitziet, zou hij amper opvallen. Maar 's avonds heeft hij zijn eigen inwendige lampje. De duisternis haalt het beste in hem naar boven. Het geschenk van het licht.' Hij glimlachte toen hij Lucy's grote ogen zag. 'Wat een talent voor zo'n klein beestje, niet?'

En vanaf dat moment werd Lucy geholpen door magie als ze dat het meest nodig had. En ook op momenten dat ze er totaal geen behoefte aan had.

Twee

'Ik heb moeite om me aan iemand te binden,' had Lucy tegen Kevin gezegd, kort nadat ze elkaar hadden ontmoet.

Hij had zijn arm om haar heen geslagen en gefluisterd: 'Niet bij mij.'

Ze woonde nu al twee jaar samen met Kevin Pearson en nog steeds kon Lucy amper bevatten hoeveel geluk ze had gehad. Hij was alles waar ze van had gedroomd, een man die wist hoe belangrijk de kleine dingen waren, zoals Lucy's favoriete bloem planten in de voortuin van hun huis, of haar overdag zomaar even bellen om haar stem te horen. Hij was sociaal en plukte Lucy regelmatig uit haar atelier om naar een feestje te gaan of te gaan eten bij vrienden.

Haar obsessie met haar werk was haar in vorige relaties vaak opgebroken. Hoewel ze verschillende dingen maakte, zoals mozaïeken, lampen en zelfs kleine meubels, was het maken van glas-in-loodramen echt haar passie. Lucy was nog nooit een man tegengekomen die net zo fascinerend was als haar werk, waardoor ze altijd een veel beter kunstenares was geweest dan vriendin. Kevin had dit patroon doorbroken. Hij had Lucy geleerd wat sensualiteit was, wat vertrouwen was, en ze hadden momenten gedeeld waarin Lucy had gevoeld dat ze meer van hem hield dan van wie ook. Maar toch bleef er een bepaalde afstand tussen hen bestaan, waardoor ze elkaar niet helemaal durfden leren kennen en vertrouwen.

De koele aprilwind dwarrelde door een halfopen raam naar binnen, de verbouwde garage in. Lucy's atelier stond vol met machines en gereedschap: een grote werktafel met ingebouwde lichtbak, een soldeerstation, rekken met glasplaten, een oven. Buiten aan de muur hing een vrolijk uithangbord van glas-in-lood, met daarop het silhouet van een vrouw op een ouderwetse schommel en een blauwe sterrenhemel als achtergrond. Eronder waren met krulletters de woorden *Schommelen tussen de sterren* geschreven.

Vanuit de naburige Friday Harbor kwamen geluiden: het opgewonden gekwebbel van de meeuwen, de misthoorn van een binnenvarende veerboot. Ook al hoorde het eiland San Juan officieel bij de staat Washington, toch was het een heel andere, eigen wereld. Het werd beschut door het Cascade-gebergte, dus zelfs wanneer het in Seattle grijs en druilerig was, scheen op het eiland nog de zon. Langs de kust lagen talloze stranden en landinwaarts stuitte je op dichte pijnboombossen. In het voorjaar en in de herfst waren boven het water vaak de damppluimen te zien van groepen orka's die op zalmjacht waren.

Voorzichtig legde Lucy de stukjes glas in een patroon neer, om ze daarna in het dunne specielaagje op het tafelblad te drukken. Het mozaïek was een mix van strandglas, gebroken servies, Murano en millefiori, geplaatst rond een uit glas gesneden krul. Ze was bezig met een verjaardagscadeau voor Kevin, een tafel met voor het blad een ontwerp dat ze een keer had geschetst en hij zo mooi had gevonden.

Ze was zo geconcentreerd aan het werk dat ze helemaal vergat om te lunchen. Halverwege de middag klopte Kevin op de deur en liep naar binnen.

'Hé,' zei Lucy met een brede glimlach. Ze legde snel een doek over het mozaïek zodat hij het niet kon zien. 'Wat doe jij hier? Gaan we samen een broodje halen? Ik rammel.'

Kevin gaf geen antwoord. Zijn blik was star en hij ontweek haar ogen. 'We moeten praten,' zei hij.

'Waarover?'

Hij zuchtte en zei wat aarzelend: 'Dit werkt zo niet voor mij.'

Uit zijn gelaatsuitdrukking maakte ze op dat er iets helemaal fout zat, en Lucy kreeg het plotseling koud. 'Wat... wat werkt niet voor jou?'

'Wij. Onze relatie.'

Van pure paniek werd het haar opeens zwart voor ogen. Ze had even tijd nodig om zich te vermannen. '... Het ligt niet aan jou,' zei Kevin. 'Echt, je bent geweldig. Ik hoop dat je je dat realiseert. Maar het is gewoon niet meer genoeg voor mij. Nee, "genoeg" is niet het juiste woord. Misschien ben je mij gewoon *te veel*. Alsof er niet genoeg ruimte is voor mij, alsof ik in de verdrukking kom. Snap je wat ik bedoel?'

Lucy's verbaasde blik viel op de stukjes glas op de werkbank. Als ze zich maar op iets anders concentreerde en niet op Kevin, dan zou hij misschien wel stoppen met praten.

'... Moet echt, *echt* duidelijk zijn, zodat ik straks niet de boeman ben. Niemand heeft hier schuld. Het is alleen zo vermoeiend, Lucy, om jou steeds maar weer te moeten vertellen dat ik deze relatie net zo belangrijk vind als jij. Als jij eens wist hoe ik me voelde, dan zou je je al snel realiseren waarom ik even weg moet. Weg van ons.'

'Je gaat niet even weg.' Lucy griste een glasschaar van tafel en doopte de punt in de olie. 'Je maakt het uit.' Ze kon haar oren niet geloven. Ook al zei ze het zelf, nog steeds kon ze het niet geloven. Met een L-vormige liniaal sneed ze een stukje glas uit, zich amper bewust van wat ze aan het doen was.

'Zie, dat bedoel ik. Dat toontje in je stem. Ik weet wat je denkt. Je bent altijd bang geweest dat ik het uit zou maken, en nu doe ik het, dus nu heb je eindelijk gelijk gekregen. Maar dat is het niet.' Kevin zweeg even, toekijkend hoe ze met een groot pincet het uitgesneden stuk glas vastpakte. 'Ik zeg niet dat het jouw schuld is. Wat ik wil zeggen, is dat het ook niet mijn schuld is.'

Lucy legde extreem voorzichtig het glas en het pincet neer. Ze had het gevoel dat ze viel, ook al zat ze gewoon op een stoel. Was het dom van haar dat ze zo verbaasd was? Had ze iets gemist? Waarom had ze dit niet zien aankomen?

'Je zei dat je van me hield,' zei ze, zich schamend omdat het wel heel meelijwekkend klonk.

'Ik hield ook van je. Ik houd nog steeds van je. Daarom is dit zo moeilijk. Het is voor mij net zo pijnlijk als voor jou. Ik hoop dat je dat begrijpt.'

'Heb je een ander?'

'Als dat zo was, dan zou het niets te maken hebben met waarom ik nu even weg moet.'

Ze hoorde haar eigen stem; hij klonk gebroken. 'Je zegt "even weg" alsof je koffie en een bagel gaat halen. Maar je gaat niet *even* weg. Het is voorbij.'

'Ik wist dat je boos zou worden. Ik wist dat ik deze discussie niet kon winnen.'

'Hoe bedoel je, discussie?'

'Het spijt me. Het spijt me. Hoe vaak wil je dat ik het zeg? Het kan me niet erger spijten dan het al doet. Ik heb mijn best gedaan, en het spijt me als dat niet goed genoeg was voor jou. Nee, ik weet dat je nooit gezegd hebt dat ik niet goed genoeg voor je ben, maar zo voelde het wel, omdat ik die onzekerheid bij jou nooit heb kunnen wegnemen. En dus kon ik niet anders dan tot de conclusie komen dat onze relatie voor mij niet meer werkte. En dat was geen fijne gewaarwording, geloof me. Als je je er beter door gaat voelen: ik voel me zwaar klote.' Kevin slaakte een zucht toen hij Lucy's niet-begrijpende blik zag. 'Luister. Ik moet je nog iets vertellen, voordat je het van iemand anders hoort. Toen ik me realiseerde dat onze relatie in een crisis zat, ben ik met iemand gaan praten. Met een… vriendin. En hoe meer we praatten, hoe meer we voor elkaar gingen voelen. We konden er niets aan doen. Het gebeurde gewoon.'

'Je hebt een nieuwe vriendin? Al voordat je het met mij uitmaakt?'

'Ik had emotioneel al met jou gebroken. Ik had het je alleen nog niet verteld. Ik weet het, ik had het anders moeten aanpakken. Maar weet je, ik moet dit nu gewoon doen. Wat het zo lastig maakt voor iedereen, ook voor mij, is dat deze persoon iemand is die… die jij goed kent.'

'Die ik goed ken? Is het een vriendin van me?'

'Nou... het is Alice.'

Ze verstarde helemaal, net zoals wanneer je valt en jezelf voorbereidt op de klap. Ze voelde een diepe steek in haar hart.

Lucy kon geen woord uitbrengen.

'Zij wilde het net zo min als ik,' ging Kevin verder.

Lucy knipperde met haar ogen en slikte. 'Wilde wat niet? Heb je... heb je iets met mijn *zusje*? Ben je verliefd op haar?'

'Het was niet mijn bedoeling.'

'Ben je met haar naar bed geweest?'

Dat hij niet antwoordde, zei al genoeg.

'Ga weg,' zei ze.

'Oké. Maar ik wil niet dat je haar de schuld geeft voor...'

'Ga weg, *ga weg*!' Lucy had genoeg gehoord. Ze wist niet precies wat ze ging doen, maar ze wilde niet dat Kevin erbij was.

Hij liep naar de deur van het atelier. 'We praten later nog wel, als je er even over na hebt kunnen denken, oké? Ik wil wel graag vrienden blijven. Maar weet je, Lucy... Alice en ik willen graag gaan samenwonen. Dus je zult andere woonruimte moeten zoeken.'

Lucy was met stomheid geslagen. Nadat Kevin was vertrokken, bleef ze nog minuten lang zwijgend zitten.

Met een wrange glimlach om haar lippen vroeg ze zich af waarom ze verbaasd was. Zo was het altijd al geweest. Alice kreeg altijd alles wat ze wilde, wanneer ze het wilde, zonder ook maar na te denken over de gevolgen. In de familie Marinn kwam Alice altijd eerst, en ook Alice dacht alleen aan zichzelf. Het zou zo gemakkelijk zijn om haar te haten, ware het niet dat Alice soms zo kwetsbaar en melancholiek overkwam, en in haar zwijgende onmacht bijna een kopie van haar moeder was. Lucy was altijd degene die voor Alice zorgde; ze betaalde de rekening als ze samen uit eten gingen, leende haar geld dat nooit terug werd betaald, en ook verwachtte ze amper meer dat ze geleende kleren en schoenen ooit terug zou zien.

Alice was slim en goedgebekt, maar vond het moeilijk dingen af te maken. Ze verwisselde vaak van baan, liet projecten onafgemaakt, verbrak relaties voordat ze koud waren begonnen. Ze maakte een fantastische eerste indruk – ze was charismatisch, sexy en grappig – maar raakte vrienden ook snel weer kwijt, omdat ze blijkbaar niet in staat was tot de dagelijkse interacties die de basis vormen van een relatie.

Het laatste anderhalf jaar was Alice juniorscriptschrijver geweest voor een dagelijkse soap. Zo lang had ze nog nooit op dezelfde plek gewerkt. Ze woonde in Seattle en moest soms naar New York voor overleg over de grote lijnen van de soap. Lucy had haar voorgesteld aan Kevin en ze was een paar keer op bezoek geweest, maar Alice had nooit echt interesse voor hem getoond. Lucy had nooit verwacht dat het 'lenen' zich zou uitbreiden tot haar vriendje.

Hoe was het begonnen tussen Alice en Kevin? Wie had de eerste stap gezet? Was Lucy zo veeleisend geweest dat ze Kevin had weggejaagd? Als het niet zijn schuld was, zoals hij beweerde, dan moest het wel haar schuld zijn, toch? *Iemand* moest toch de schuld krijgen?

Ze kneep haar ogen dicht om de tranen tegen te houden.

Hoe kon je aan iets denken dat zo veel pijn deed? Wat moest je doen met herinneringen, gevoelens, behoeftes, waar geen plek meer voor was?

Lucy stond op en liep naar haar fiets. Het was een antieke, blauwe Schwinn, met drie versnellingen en een met bloemen versierde mand voorop. Ze pakte de helm die aan het haakje naast de deur hing en duwde de fiets naar buiten.

De mist hing laag op deze koele voorjaarsmiddag, en rijen Douglassparren prikten door de onderste wolken heen, licht als zeepbellen. Lucy kreeg kippenvel op haar blote armen en de kilte drong door haar dunne T-shirt heen. Ze fietste zonder een eindbestemming in gedachten te hebben, tot haar benen verzuurd waren en haar longen pijn deden. Ze stopte bij een afslag en zag het pad dat naar een baai aan de westkant van het eiland liep. Terwijl ze met de fiets aan de hand het onregelmatige pad afliep, kwam ze bij een aantal steile kliffen van verweerd rood basaltgesteente, met hier en daar lagen puur kalksteen. Boven het strand zweefden kraaien en zeemeeuwen, op zoek naar een lekker zeemaaltje.

De inheemse bevolking van het eiland, een stam van de kust-Salish, ving hier ooit met rifnetten oesters en zalm. De leden van de stam geloofden dat de overdaad aan voedsel in de zee-engte een geschenk was van een vrouw die lang geleden met de zee was getrouwd. Ze was op een dag gaan zwemmen en de zee had de vorm aangenomen van een knappe jongeman, die verliefd op haar was geworden. Toen haar vader het stel met tegenzin zijn zegen gaf, verdween de vrouw met haar geliefde in zee. Sindsdien zorgde de zee uit dankbaarheid altijd voor een overvloedige oogst voor de eilandbewoners.

Lucy had het altijd een geweldig verhaal gevonden en vond het intrigerend dat je zo van iemand kon houden dat je jezelf volledig wilde opofferen. Er alles voor wilde opgeven. Maar het was een romantisch gegeven dat alleen in de kunst, literatuur of muziek bestond. Het was niet echt.

Zij had het in elk geval nooit meegemaakt.

Nadat ze haar fiets op de standaard had gezet, deed Lucy haar helm af en liep de heuvel af naar het strand beneden. Het strand was steenachtig, met ruw zand, hier en daar grijs, en lag vol met drijfhout. Ze liep langzaam en probeerde te bedenken wat ze ging doen. Kevin wilde dat ze vertrok. Ze was in een paar minuten tijd haar huis, haar vriendje en haar zusje kwijtgeraakt.

De wolken zakten, verstikten het laatste restje daglicht. In de verte duwde een donderkop regen over de oceaan; de buien hingen als dunne vitrage voor een raam. Hoog boven het water zweefde een raaf door de lucht, zijn zwarte vleugelpunten spreidden zich als verige vingers uiteen terwijl hij hoger en hoger op de thermiek landinwaarts dreef. Er was storm op komst, ze zou ergens moeten schuilen. Maar ze had geen idee waar ze naartoe kon gaan.

Door een waas van zoute tranen zag ze tussen de steentjes iets groens glinsteren. Ze boog voorover om het op te pakken. Flessen die vanaf schepen in de oceaan werden gegooid, spoelden soms in stukken aan op het strand, waar ze door de branding en het zand glad werden geschuurd tot strandglas.

Terwijl ze het strandglas vasthield, keek ze naar de golven die het strand op rolden, als een ruwe, schuimende deken. De oceaan was een gebutst grijs, de kleur van spijt en rancune, van het diepste soort eenzaamheid. Het ergste aan zo'n vreselijk bedrog was dat je het geloof in jezelf totaal verloor. Als je je zo erg in iemand kon vergissen, hoe kon je dan nog ooit ergens zeker van zijn?

Haar vuist brandde, een knoop van vuur. Ze voelde een vreemd gekriebel in haar hand en strekte instinctief haar vingers. Het strandglas was weg. In plaats daarvan zat er een vlinder op haar hand, die zijn iriserend blauwe vleugels uitvouwde. Het dier bleef even zitten voordat het aarzelend opvloog, een onaardse glinstering op zoek naar een veilig heenkomen.

Lucy keek hem droef glimlachend na.

Ze had nog nooit iemand verteld wat ze met glas kon doen. Soms, als ze een sterke emotie voelde, kon een stukje glas dat ze aanraakte in een levend wezen veranderen, of in elk geval in een verrassend realistische illusie. Altijd klein, altijd vluchtig. Lucy had geprobeerd te begrijpen hoe en waarom het gebeurde, totdat ze een citaat van Einstein tegenkwam – dat je moest leven alsof alles een wonder was, of alsof niets een wonder was. En toen had ze begrepen dat of ze haar gave nu een fenomeen van moleculaire natuurkunde noemde of magie, beide definities waar waren en dat woorden uiteindelijk niets uitmaakten.

Lucy's vreugdeloze glimlach stierf weg toen ze de vlinder zag verdwijnen.

Een vlinder symboliseerde acceptatie van een nieuwe levensfase. Vasthouden aan waar je in geloofde, ook als alles veranderde.

Niet dit keer, dacht ze. Ze haatte haar gave, het isolement waar het mee gepaard ging.

Vanuit haar ooghoeken zag ze een hond langs de waterlijn lopen. Hij werd gevolgd door een man met donker haar, die zijn blik op haar had gericht.

Hij maakte haar zenuwachtig. Hij was gespierd en zag eruit als iemand die zijn geld verdiende met zwaar werk buiten. Iets aan hem deed haar vermoeden dat hij al heel wat had meegemaakt. Onder andere omstandigheden had Lucy anders gereageerd, maar ze had er nu weinig trek in om met hem alleen op het strand te lopen.

Ze volgde het pad terug, omhoog naar de weg. Ze keek over haar schouder en zag dat hij haar volgde. De zenuwen gierden door haar keel. Ze ging wat sneller lopen en bleef met de punt van haar sneaker achter een verweerd basaltblok haken. Ze tuimelde voorover en wist haar val te breken met haar handen.

Lucy was geschrokken en had even nodig om zichzelf te herpakken. Tegen de tijd dat ze weer was opgekrabbeld, had de man haar ingehaald. Ze keerde zich om, ademloos, haar warrige haar hing deels voor haar ogen.

'Doe je wel voorzichtig?' zei hij kortaf.

Lucy veegde het haar uit haar gezicht en keek hem meewarig aan. Zijn ogen waren fel blauwgroen en staken af bij zijn gebruinde gezicht. Hij was knap, sexy, van het type ruwe-bolster-blanke-pit. Hoewel hij niet ouder leek dan dertig, was zijn gezicht verweerd, als van een man die al een heel leven achter zich had.

'Je achtervolgde me,' zei Lucy.

'Ik achtervolgde je helemaal niet. Het is het enige pad terug naar de weg, en ik wil graag terug naar mijn truck voor de storm aan land komt. Dus kun je, als je het niet erg vindt, ofwel doorlopen of aan de kant gaan?'

Lucy ging aan de kant en gebaarde dat hij haar moest passeren. 'Laat je vooral niet door mij tegenhouden.'

De vreemdeling keek naar haar hand; er liep bloed over haar vingers. Ze had haar handpalm opengehaald aan een grote steen waar ze was gevallen. Hij fronste zijn wenkbrauwen. 'Kom, ik heb een eerstehulpkoffer in mijn auto.'

'Het is niets,' zei Lucy, hoewel haar hand nu wel begon te kloppen. Ze veegde het bloed af aan haar spijkerbroek. 'Het gaat wel.'

'Je moet er met je andere hand op drukken,' zei de man. Hij keek haar met een strakke blik aan. 'Ik loop wel met je mee naar boven.'

'Waarom?'

'Voor het geval je weer valt.'

'Ik ga echt niet vallen.'

'Het is nogal steil. En volgens mij sta je niet al te stevig op je benen.'

Lucy begon wat dom te lachen. 'Jij bent de aller, aller... ik... ik ken je niet eens.'

'Sam Nolan. Ik woon in False Bay.' Hij zweeg even terwijl een zware donderklap de hemel spleet. 'Tijd om te gaan.'

'Je zou iets aan je sociale vaardigheden kunnen doen,' mompelde Lucy. Maar ze sputterde niet tegen toen hij met haar mee over het pad weer naar boven liep.

'Opschieten, Renfield,' zei Sam tegen de buldog, die al knorrend en piepend achter hen aan liep.

'Woon je op het eiland?' vroeg Lucy.

'Ja. Geboren en getogen. Jij?'

'Ik woon hier nu een paar jaar.' Ze voegde er zachtjes aan toe: 'Maar waarschijnlijk ga ik binnenkort verhuizen.'

'Nieuwe baan?'

'Nee.' Hoewel Lucy anders altijd heel terughoudend was over haar privéleven, voegde ze er dit keer impulsief aan toe: 'Mijn vriend heeft het net uitgemaakt.'

Sam keek haar zijdelings aan. 'Vandaag?'

'Ongeveer een uur geleden.'

'Is het echt *voorbij* voorbij? Misschien was hij alleen boos.'

'Nee, dat was het,' zei Lucy. 'Hij heeft me bedrogen.'

'Opgeruimd staat netjes.'

'Ga je hem niet verdedigen?' vroeg Lucy cynisch.

'Waarom zou ik zo iemand verdedigen?'

'Omdat hij een man is, en blijkbaar kunnen mannen hun lul niet in hun broek houden. Zo zitten jullie in elkaar. Het is een biologisch gegeven.'

'Wat een larie. Een echte man pleegt geen overspel. Als je ergens anders wilt eten, maak je het eerst uit. Geen excuses.' Ze liepen verder. Steeds meer dikke regendruppels roffelden op de grond. 'We zijn er bijna,' zei Sam. 'Bloedt je hand nog steeds?'

Lucy haalde voorzichtig haar vingers van haar hand en keek naar de snee. 'Niet zo erg meer.'

'Als het niet snel stopt met bloeden, heb je misschien een of twee hechtingen nodig.'

Ze struikelde opnieuw, en hij pakte haar elleboog beet om haar overeind te houden. Toen hij haar bleke gezicht zag, vroeg hij: 'Heb je nog nooit hechtingen gehad?'

'Nee. En ik was niet van plan er nu mee beginnen. Ik heb belonefobie.'

'Wat is dat? Angst voor naalden?'

'Uhu. Vind je dat raar?'

Hij schudde zijn hoofd en glimlachte voorzichtig. 'Ik heb een ergere fobie.'

'Wat dan?'

'Het is echt geheim.'

'Spinnen?' vroeg ze. 'Heb je hoogtevrees? Clowns?'

De glimlach liep nu van oor tot oor. 'Iets heel anders.'

Ze waren boven aangekomen en hij liet haar elleboog los. Hij liep naar een blauwe, gedeukte pick-up, opende het portier en begon wat in het handschoenvak te rommelen. De buldog waggelde naar de truck en ging zitten. Hij keek geduldig naar zijn baasje, zijn gezicht een en al vouwen en plooien.

Lucy bleef in de buurt wachten en keek stiekem naar Sam. Onder het gebleekte katoenen T-shirt was een sterk en slank lichaam te zien; zijn jeans hing losjes om zijn heupen. De mannen uit dit gebied hadden iets speciaals, een ruwheid die tot op het bot ging. Het Amerikaanse Noordwesten was altijd het gebied geweest van avonturiers, pioniers en soldaten die niet wisten wanneer het volgende toevoerschip zou komen. Ze overleefden op wat ze op zee en in de bergen konden vangen. Het enige dat verhinderde dat ze stierven van de honger, kou, ziekte, vijandelijke aanvallen en verveling, was hardheid en humor. Hun nakomelingen waren er nog steeds aan te herkennen; mannen die eerst de regels van de natuur toepasten en daarna pas die van de maatschappij.

'Kom op,' begon Lucy. 'Je kunt niet beweren dat jouw fobie erger is dan de mijne en het dan daarbij laten.'

Hij haalde een witte plastic doos tevoorschijn met een rood kruis erop. Hij nam er een ontsmettingsdoekje uit en scheurde de verpakking open met zijn tanden. 'Geef je hand eens,' zei hij. Ze aarzelde even en stak toen haar hand uit. Ze kreeg kippenvel van de manier waarop hij die voorzichtig vasthield. Ze was zich enorm bewust van de hitte en kracht van dat masculiene lichaam, zo dicht bij het hare. Lucy's adem stokte terwijl ze hem in zijn intens blauwe ogen keek. Sommige mannen hadden het gewoon, dat beetje extra waar je knieën zwak van worden – als je het toelaat.

'Dit prikt even,' zei hij toen hij de wond heel voorzichtig schoon begon te maken.

Ze ademde sissend tussen haar tanden uit terwijl het ontsmettingsmiddel op haar huid brandde.

Lucy wachtte geduldig, zich afvragend waarom een vreemde zo veel moeite voor haar deed. Terwijl hij over haar hand gebogen stond, keek ze naar zijn dikke lokken, een tint zo donkerbruin dat het bijna zwart leek.

'Je neemt het goed op,' hoorde ze hem mompelen.

'Heb je het over mijn hand of mijn verbroken relatie?'

'Je relatie. De meeste vrouwen zouden in een hoekje zitten huilen.'

'Ik ben nog in shock. Huilen en iedereen boze sms'jes sturen is de volgende fase. Daarna komt de fase dat ik zo lang ga zeuren dat ik hem weer terug wil, dat mijn vrienden me beginnen te mijden.' Lucy wist dat ze stond te ratelen, maar ze kon zichzelf niet inhouden. 'En in de laatste fase laat ik mijn haar kort knippen, wat me totaal niet staat, en koop ik veel te dure schoenen die ik nooit ga dragen.'

'Voor mannen is het veel gemakkelijker,' zei Sam. 'We gaan veel bier drinken, scheren ons een paar dagen niet en kopen iets elektrisch.'

'Wat bedoel je... een broodrooster ofzo?'

'Nee, iets wat veel lawaai maakt. Een bladblazer of kettingzaag. Werkt erg louterend.'

Ondanks haar verdriet moest ze toch even glimlachen.

Ze wilde naar huis, want ze moest gaan nadenken over het feit dat haar leven nu heel anders was dan vanochtend toen ze wakker werd. Hoe kon ze terug naar het huis dat zij en Kevin samen hadden ingericht? Ze kon nu toch niet aan die keukentafel gaan zitten met die wiebelende poot, die ze allebei al zo vaak hadden geprobeerd te repareren, luisterend naar het tikken van de antieke zwarte kattenklok met staart als pendule die ze voor haar vijfentwintigste verjaardag van Kevin had gekregen. Hun bestekla lag vol met een mengelmoesje van messen, vorken en lepels uit antiekwinkels. Bestek met fantastische namen. Ze waren met elke vondst zo blij geweest: een King Edward-vork, een Waltz of Spring-lepel. Nu herinnerde elk object in dat huis haar aan weer een mislukte relatie. Hoe kon ze al die dingen ooit weer zonder pijn bekijken?

Sam had inmiddels een pleister op haar hand geplakt. 'Ik denk niet dat je je zorgen hoeft te maken over hechtingen,' zei hij. 'Het is bijna gestopt met bloeden.' Hij hield haar hand net wat langer vast dan nodig en liet hem toen los. 'Hoe heet je eigenlijk?'

Lucy schudde haar hoofd, nog steeds met een klein glimlachje. 'Niet voordat je mij jouw fobie hebt verteld.'

Hij keek haar aan. Het was harder gaan regenen en er lag een dun laagje glinsterende druppels op zijn huid. Zijn haren drupten en zijn dikke lokken waren nog donkerder en piekeriger geworden. 'Pindakaas,' zei hij.

'Waarom?' vroeg ze, verbaasd. 'Ben je allergisch?'

Sam schudde zijn hoofd. 'Het blijft zo vervelend aan je gehemelte plakken.'

Ze keep hem sceptisch aan. 'Is dat echt een fobie?'

'Absoluut.' Hij hield zijn hoofd schuin en keek haar weer aan met die betoverende ogen. Hij wachtte op haar naam, besefte ze. 'Lucy,' zei ze.

'Lucy.' Hij sprak het uit alsof het een cadeautje was. 'Heb je zin om ergens naartoe te gaan om te praten? Kopje koffie drinken?'

Lucy was verbaasd dat ze eigenlijk heel graag ja wilde zeggen. Maar ze wist ook dat als ze ergens naartoe ging met deze stevige, knappe vreemdeling, ze uiteindelijk inderdaad zou gaan huilen en klagen over haar treurige liefdesleven. Hij was zo aardig geweest dat ze hem dat wilde besparen. 'Bedankt, maar ik moet echt gaan,' zei ze, met een gevoel van wanhoop en verslagenheid.

'Zal ik je naar huis brengen? Ik kan je fiets achterin leggen.'

Ze kreeg een brok in haar keel. Ze schudde haar hoofd en draaide zich om.

'Ik woon aan het eind van Rainshadow Road,' hoorde ze Sam achter haar rug zeggen. 'Bij de wijngaard aan False Bay. Kom maar eens langs, dan trek ik een fles wijn open. Je kunt altijd komen om te praten.' Hij zweeg even. 'Wanneer je maar wilt.'

Lucy wierp een blik over haar schouder. 'Dank je. Maar

helaas kan ik je aanbod niet aannemen.' Ze liep naar haar fiets en tikte de standaard omhoog.

'Waarom niet?'

'De jongen met wie het net uit is... hij was in het begin net zoals jij. Charmant, aardig. Zo zijn ze in het begin allemaal. Maar uiteindelijk loopt het zo af. En ik heb er de energie niet meer voor.'

Ze fietste door de regen weg; haar banden trokken diepe sporen in de zachte grond. En ook al wist ze dat hij stond te kijken, ze verbood zichzelf om om te kijken.

❦ Drie ❦

Terwijl Sam over Westside Road naar False Bay reed, duwde de Engelse buldog zijn neus tegen het raam.

'Vergeet het maar,' zei Sam. 'Ik wil niet dat het naar binnen regent. En jij bent zo topzwaar dat je eruit kunt vallen.'

Renfield ging weer zitten en keek hem mismoedig aan.

'Als je neus niet zo diep in je gezicht verborgen zat, zou je me kunnen helpen om haar op te sporen. Wat kun je eigenlijk wel?' Terwijl hij één hand aan het stuur hield, stak Sam zijn andere hand uit om de hond even achter zijn oren te kriebelen.

Hij dacht aan de vrouw die hij net had ontmoet, die verloren gewichtigheid in haar gezicht, dat prachtige donkere haar. Haar zeegroene ogen waren als het feeërieke licht van de maan. Hij wist niet precies wat hij van haar moest denken, maar hij wist wel dat hij haar zeker nog een keer wilde zien.

De regen sloeg tegen de ramen, zodat hij de ruitenwissers op de hoogste stand moest zetten. Het was tot nu toe een vrij nat voorjaar geweest, wat inhield dat hij extra moest opletten op meeldauw op zijn druiven. Gelukkig profiteerden ze van het zeebriesje vanaf de baai. Sam had de rijen druiven parallel aan de inlandse wind geplant, zodat de wind door de paden kon waaien en de ranken beter konden drogen.

Druiven telen was een wetenschap, een kunst, en voor mensen als Sam bijna een religie. Hij was er als tiener mee begonnen, las toen al elk boek over wijnbouw dat hij in handen kon krijgen en volgde stages bij wijngaarden op de eilanden San Juan en Lopez.

Nadat hij zijn universitaire studie vinologie had afgerond, was Sam kelderrat geworden bij een wijnhuis in Californië, waar hij had gewerkt als assistent-wijnmaker. Uiteindelijk had hij het grootste deel van wat hij daar had verdiend, geïnvesteerd in de zes hectare grond aan False Bay op San Juan. Hij had twee hectare beplant met syrah, riesling en zelfs wat onstuimige pinot noir.

Totdat de ranken van het wijnhuis Rainshadow Vineyard volwassen genoeg waren om er geld mee te verdienen, had Sam andere inkomstenbronnen nodig. Op een dag zou hij zelf de druiven van zijn eigen wijngaard kunnen persen en verwerken. Hij was echter realistisch genoeg om zich te realiseren dat de meeste dromen onderweg regelmatig moesten worden bijgesteld.

Hij had een wijnhuis gevonden waar hij bulkwijn kon inkopen, een bottelier geregeld en zelf vijf rode en twee witte wijnen ontwikkeld, die hij verkocht aan winkels en restaurants. De meeste wijnen had hij nautische namen gegeven, zoals 'Driemaster', 'Keelgat' en 'Kielhalen'. Het leverde hem een bescheiden maar regelmatig inkomen op, met groeimogelijkheden. 'Ik ga een klein fortuin verdienen met deze wijngaard,' had hij tegen zijn broer Mark gezegd, die daarop had geantwoord: 'Jammer dat je eerst zo'n groot fortuin hebt moeten lenen om mee te beginnen.'

Sam parkeerde voor de grote boerderij van rond 1900, die bij het perceel hoorde. Het indrukwekkende gebouw was behoorlijk verwaarloosd, maar je voelde nog hoe groots en prachtig het ooit was geweest. Het was meer dan honderd jaar eerder gebouwd door een reder, die zich had uitgeleefd met allerlei veranda's, balkons en erkers.

Door de jaren heen hadden opeenvolgende eigenaars en bewoners het huis totaal uitgewoond. Binnenmuren waren gesloopt om kamers groter te maken, terwijl andere kamers waren opgesplitst met dunne spaanplaatmuurtjes. Water en elektra waren slecht geïnstalleerd en nooit echt onderhouden, en ook was het huis deels verzakt. De glas-in-loodramen waren vervangen door ramen met aluminium kozijnen, en de originele kraagstenen en kiezels in de buitenmuren waren afgedekt met kunststof.

Maar zelfs in deze staat was het een charmant huis. De verborgen hoekjes en krakende trappen zouden veel kunnen vertellen. De muren herbergden talloze herinneringen.

Met hulp van zijn broers Mark en Alex had Sam al heel wat bouwkundige reparaties uitgevoerd. Hij had een aantal van de grotere kamers totaal gestript en opnieuw gestuukt en geschilderd, en ook de vloer deels geëgaliseerd. Er was nog veel te doen voordat het huis echt helemaal was gerestaureerd, maar voor hem was het een speciale plek. Hij had het gevoel dat het huis hem nodig had.

Tot Sams verbazing was Alex ook van het huis gaan houden. 'Het is een prachtige oude dame,' had Alex gezegd toen Sam hem een rondleiding had gegeven. Als projectontwikkelaar wist hij wat er bij een restauratie en renovatie kwam kijken. 'Ze heeft heel wat werk nodig, maar ze is het waard.'

'Hoeveel kost het volgens jou om hier te kunnen wonen?' had Sam gevraagd. 'Ik wil gewoon genoeg doen zodat het niet om me heen instort terwijl ik hier lig te slapen.'

Alex kreeg een glinstering in zijn ogen. 'Als je een week lang voortdurend biljetten van honderd dollar door het toilet spoelt, kom je ongeveer in de buurt.'

Sam had zich er niet door laten afschrikken, had het huis gekocht en was begonnen. En Alex had hem samen met zijn team van bouwvakkers geholpen bij de lastigere klussen, zoals het vervangen van de draagbalken bij de veranda aan de voorkant en het repareren van beschadigde steunbalken.

'Ik doe dit niet voor jou,' had Alex geantwoord toen Sam hem bedankte. 'Ik doe het voor Holly.'

Een jaar eerder, op een regenachtige avond in april, was hun enige zus Victoria bij een auto-ongeluk in Seattle om het leven gekomen. Ze liet een zesjarig dochtertje achter. Victoria had nooit verteld wie de vader was en dus was Holly nu een wees. Haar drie ooms, Mark, Sam en Alex, waren haar enige familie.

Mark, de oudste, was aangesteld als Holly's voogd en hij had Sam gevraagd om hem te helpen bij de opvoeding.

'Ik zou niet weten hoe dat moet,' had Sam tegen Mark gezegd. 'Ik weet helemaal niet hoe dat gaat, opvoeden.'

'En ik dan? Wij hadden dezelfde ouders, weet je nog?'

'We weten niet eens waar we moeten beginnen, Mark. Weet je hoeveel manieren er zijn iemands leven totaal te verknallen? Vooral als het om zo'n klein meisje gaat.'

'Houd je mond, Sam.' Zelfs Mark begon bezorgd te kijken. 'Oudergesprekken op school? En met haar naar de mannen-wc? Hoe gaan we dat oplossen?'

'Dat regelt zich vanzelf. Laat ons hier gewoon wonen.'

'En mijn seksleven dan?'

Mark had hem met een wanhopige blik aangekeken. 'Heeft dat je grootste prioriteit, Sam?'

'Ik ben oppervlakkig. Wat wil je doen dan?'

Maar uiteindelijk had Sam, natuurlijk, ingestemd. Hij was het Mark schuldig, omdat die nu werd opgezadeld met een 'probleem' waar hij niet om had gevraagd. Meer nog, hij was het Victoria schuldig. Hij had nooit een erg intieme band met zijn zus gehad, hij was er nooit voor haar geweest, dus het minste wat hij kon doen, was haar dochtertje helpen.

Waar Sam niet op had gerekend, was dat Holly zo snel zijn hart zou stelen. Het had iets te maken met de tekeningen en pastakettingen die ze op school maakte. En het feit dat hij Victoria zo in haar zag: dat gerimpelde neusje, die diepzinnige blik als ze zat te knutselen met karton, lollystokjes en lijm, of een boek zat te lezen over dieren. Een kind veranderde je leven zonder dat je het doorhad. Het veranderde hoe je over dingen dacht en wat je deed. Het veranderde waar je je zorgen om maakte of op hoopte.

En je ging rare dingen doen, zoals een lelijke buldog adopteren met eczeem en heupproblemen, omdat niemand anders hem wilde hebben.

'Kom maar, manneke,' zei Sam. Hij tilde Renfield uit de cabine en zette hem voorzichtig op de grond. De hond waggelde achter hem aan naar de veranda. Alex zat opgevouwen in een oude rieten stoel, een biertje in de hand.

'Al,' zei Sam. Hij hield Renfield in de gaten, die via een speciaal taludje omhoog liep. Buldogs en trapjes waren geen goede combinatie. 'Wat doe jij hier?'

Alex was gekleed in een afgetrapte spijkerbroek en een versleten sweatshirt, heel anders dan zijn gebruikelijke driedelige pak. Met zijn ruwe stoppelbaard en vermoeide gezicht zag hij eruit als iemand die al de hele middag zat te drinken.

Sam voelde de rillingen langs zijn nek lopen; hij herinnerde zich nog goed hoe vaak zijn ouders met zo'n blik op de bank hadden gezeten. Het had geleken alsof zij een heel ander soort alcohol dronken dan anderen. De drank waar andere mensen blij, uitbundig en ontspannen van werden, had Alan en Jessica Nolan veranderd in monsters.

Hoewel Alex nooit zo diep was gezonken, kon hij ook slecht tegen drank... hij werd dan het soort mens waar Sam niets mee te maken zou willen hebben als hij geen familie was geweest.

'Ik heb een middagje vrij,' zei Alex. Hij zette het flesje weer aan zijn lippen en liet de laatste slokken bier naar binnen glijden.

Hij was verwikkeld in een scheiding na een huwelijk van vier jaar met een vrouw met wie hij eigenlijk nooit iets had moeten beginnen. Zijn eega, Darcy, had gehakt gemaakt van de huwelijkse voorwaarden die ze hadden opgesteld, en was nu bezig het leven dat Alex met zoveel moeite voor hen samen had opgebouwd, af te breken.

'Heb je nog met je advocaat gesproken?' vroeg Sam.

'Gister.'

'En?'

'Darcy mag het huis en het grootste deel van het geld houden. De advocaten zijn in onderhandeling over mijn nieren.'

'Het spijt me. Ik had zo gehoopt dat het beter was gegaan.' Dat was niet helemaal waar. Sam had Darcy nooit gemogen. In zijn ogen was het haar alleen maar om die ring om haar vinger te doen geweest. Sam durfde er zijn wijngaard om te verwedden dat zijn broer binnenkort zou worden ingeruild voor een rijkere echtgenoot.

'Ik wist toen we trouwden dat het niet eeuwig zou duren,' zei Alex.

'Waarom heb je het dan toch gedaan?'

'Voor de belasting.' Alex keek even vragend naar Renfield, die zijn kop tegen zijn been zat te duwen, en aaide de hond over zijn rug. 'Het is nou eenmaal niet anders,' verzuchtte hij. Hij keek weer naar Sam. 'We zijn Nolans. Niemand van ons zal langer van een huwelijk kunnen genieten dan van een kamerplant.'

'Ik ben niet van plan ooit te gaan trouwen,' zei Sam.

'Slim,' zei Alex.

'Het heeft niets te maken met slim zijn. Ik voel me gewoon veiliger bij een vrouw als ik weet dat ik elk moment weer bij haar vandaan kan lopen.'

Op exact hetzelfde moment roken ze allebei een brandlucht, die door de open ramen naar buiten dreef. 'Wat is dat in hemelsnaam?' vroeg Sam.

'Mark staat te koken,' zei Alex.

De voordeur ging open en Holly rende naar buiten. Ze slaakte een gilletje toen ze Sam zag. Hij lachte en ving haar op toen ze zich in zijn armen wierp. Als ze elkaar aan het eind van de dag weer zagen, deed Holly altijd net alsof ze elkaar weken niet hadden gezien.

'Oom Sam!'

'Hallo, speculaasje.' Hij gaf haar een klapzoen. 'Hoe was het op school?'

'Mevrouw Duncan heeft ons vandaag een paar Franse woordjes geleerd. En ik vertelde haar dat ik er al een paar kende.'

'Welke?'

'*Rouge, blanc, sec* en *doux*. Mevrouw Duncan vroeg me waar ik die had geleerd, en ik zei van mijn oom, want hij maakt wijn. En toen zei ze dat ze het Franse woord voor "wijnmaker" niet wist, dus hebben we het opgezocht maar we konden het niet vinden.'

'Dat is omdat het niet bestaat.'

Het meisje keek hem verbaasd aan. 'Waarom niet?'

'Het woord dat er het meest op lijkt, is *"vigneron"*, dat betekent druiventeler. Maar de Fransen zien de natuur als de maker van de wijn, niet degene die voor de druiven zorgt.'

Holly drukte haar neus tegen de zijne. 'Als je wijn van je eigen druiven gaat maken, ga je er dan ook een naar mij noemen?'

'Natuurlijk. Moet het een rode of een witte zijn?'

'Een roze,' zei Holly vastberaden.

Sam deed alsof hij schrok. 'Maar ik maak geen roze wijn.'

'Roze met bubbels,' drong Holly aan, giechelend om zijn perplexe gezicht. Ze wurmde zich los en knielde neer naast Renfield, die schommelend op haar af was komen lopen.

'Wat is Mark eigenlijk aan het maken?' vroeg Sam.

'Geen idee,' zei Holly, terwijl ze Renfield in zijn nek kriebelde, 'het staat in brand.'

'Het is vrijdag, dus vandaag is het tacodag bij The Market Chef,' zei Sam. 'Waarom vraag je hem niet of hij mee uit eten wil?'

Holly keek Alex aan. 'Kom jij ook mee?'

Alex schudde zijn hoofd. 'Ik heb niet zo'n honger.'

Het meisje keek bezorgd. 'Ben je nog steeds aan het scheiden?'

'Nog steeds,' zei Alex.

'Als je klaar bent, ga je dan weer trouwen?'

'Pas als ik ben vergeten hoe het was om getrouwd te zijn.'

'Luister maar niet naar oom Alex,' zei Sam haastig. 'Getrouwd zijn is geweldig.' Hij deed zijn best het oprecht te laten klinken.

'Trouwen is net als een doosje rozijnen krijgen met Halloween,' zei Alex. 'Volwassenen zeggen dat het een heerlijke traktatie is. Maar uiteindelijk is het gewoon een doosje rozijnen.'

'Ik houd van rozijnen,' zei Holly.

Sam keek haar glimlachend aan. 'Ik ook.'

'Wist je dat als je druiven lang genoeg onder de bank laat liggen, ze in rozijnen veranderen?'

Sams glimlach verflauwde en hij fronste zijn wenkbrauwen. 'Hoe weet jij dat nou, Holly?'

Ze aarzelde even. 'Laat maar,' zei ze vrolijk. Ze rende naar binnen; Renfield hobbelde druk achter haar aan.

Sam keek fronsend naar zijn broer. 'Alex, doe me een lol. Laat Holly alsjeblieft buiten je scheiding. Ik zou het fijn vinden als ze in elk geval tot haar achtste positief tegenover het huwelijk staat.'

'Tuurlijk.' Alex zette het lege bierflesje op de reling van de veranda en stond op. 'Maar als ik jou was, zou ik voorzichtig zijn met wat ik haar over trouwen vertel. In het ergste geval is het een ramp, en in het beste geval een ouderwets instituut. Feit is dat de kans heel klein is dat er iemand is die jij fantastisch vindt, en als je die persoon al vindt, dan is de kans groot dat het gevoel niet wederzijds is. Dus, als je Holly opvoedt met het idee dat het leven een sprookje is, dan staan haar nog heel wat pijnlijke lessen te wachten.'

Sam keek toe hoe zijn broer naar de BMW liep die op de oprit geparkeerd stond. 'Lul,' mompelde hij teder terwijl de auto wegstoof. Hij leunde achterover tegen een van de stevige palen van de veranda en keek langs de dichte voordeur naar de velden achter het huis, waar een voormalige appelboomgaard nu vol stond met rijen druivenstokken.

Hij was het – tot zijn spijt – met Alex eens; de Nolans hadden totaal geen geluk in de liefde. Ze beschikten niet over de genen die nodig zijn voor een langdurige relatie, misschien met hun oudere broer Mark als uitzondering op de regel. Wat Sam betrof, waren de risico's van een huwelijk veel groter dan de mogelijke voordelen. Hij hield wel degelijk van vrouwen, van hun gezelschap, van de seks. Het probleem was dat vrouwen daar altijd emotionele waarde aan hechtten, en daar ging de relatie dan aan onderdoor. En tot op heden had elke vrouw die in het begin had ingestemd met Sams voorstel om het luchtig en eenvoudig te houden uiteindelijk toch aangedrongen op een soort van 'verbintenis'. En als ze zich dan realiseerden dat Sam ze niet kon geven wat ze wilden, dan maakten ze het uit om hun heil elders te zoeken. En dat deed Sam dan ook.

Gelukkig was hij nog nooit een vrouw tegengekomen die hem ertoe had verleid om zijn vrijheid op te geven. En als hij die vrouw ooit tegen zou komen, dan wist hij precies wat hij moest doen: zich omdraaien en heel hard wegrennen.

Vier

Aangezien het steeds harder ging regenen, besloot Lucy naar de plek te gaan waar ze altijd naartoe ging als ze het even niet meer wist. Haar vriendinnen Justine en Zoë Hoffman hadden een pension in Friday Harbor, op twee minuten lopen van de veerboot. Het pension, Vergezicht genaamd, was een verbouwd herenhuis met brede veranda's en erkers, met in de verte uitzicht op de stompe punt van Mount Baker.

Hoewel Justine en Zoë nichtjes van elkaar waren, leken ze totaal niet op elkaar. Justine was slank en atletisch gebouwd, iemand die zichzelf graag uitdaagde om te kijken hoe ver ze kon fietsen, hardlopen of zwemmen. Ook als ze stilzat, was ze altijd in beweging. Ze was open en eerlijk, en benaderde het leven met een positiviteit die sommige mensen bijna irritant vonden. Als ze met een probleem werd geconfronteerd, ging Justine niet zitten kniezen, maar kwam ze direct in actie, soms al voordat ze had nagedacht over een oplossing.

Zoë daarentegen, mat haar beslissingen even precies af als haar recepten. Ze vond niets fijner dan op markten rond te slenteren, op zoek naar het lekkerste biologische fruit, de beste groente, bessenjam, lavendelhoning of vers gekarnde boter van een lokaal zuivelfabriekje. Ze had nooit kookles gehad, maar het zichzelf met vallen en opstaan geleerd. Zoë hield van boeken met harde kaften en klassieke films en schreef brieven nog met de hand. Ze verzamelde antieke broches en pinde ze op een antieke paspop die in haar slaapkamer stond.

Toen Zoë na een huwelijk van amper een jaar was gescheiden, liet ze zich door Justine overhalen om haar te helpen in het pension. Zoë had altijd in restaurants en bakkerijen gewerkt, en hoewel ze had overwogen een eigen cafeetje te beginnen, had ze weinig trek in de bijkomende administratie en rompslomp. De samenwerking met Justine was een perfecte oplossing.

'Ik houd van de managementkant,' had Justine tegen Lucy gezegd. 'Ik vind schoonmaken niet erg, en ik ben kan zelfs wel een kapotte waterleiding vervangen, maar aan koken heb ik een broertje dood. En Zoë is een echte keukenprinses.'

Dat was waar. Zoë stond het liefst de hele dag in de keuken, waar ze de een na de andere delicatesse uit de oven toverde, of het nu bananenmuffins met luchtige mascarponeroom of kaneelrolletjes met een knapperig en tegelijk zacht korstje van bruine suiker waren. 's Middags serveerde Zoë thee met lekkers in de lobby. Daar stonden dan etagères vol pompoenkoekjes gevuld met roomkaas, smeuïge brownies en glanzende fruitbootjes te pronken.

Zoë was al door diverse mannen mee uit gevraagd, maar had tot nu toe altijd nee gezegd. Het verdriet van haar verbroken huwelijk was nog te vers. Tot Zoë's grote teleurstelling was zij als enige verbaasd geweest toen haar echtgenoot Chris uit de kast kwam.

'Iedereen wist het,' had Justine gezegd. 'Ik heb het je verteld voordat jullie gingen trouwen, maar je wilde niet luisteren.'

'Chris gedroeg zich absoluut niet als een homo.'

'En zijn voorliefde voor Sarah Jessica Parker dan?'

'Er zijn genoeg hetero's die van Sarah Jessica Parker houden,' zei Zoë defensief.

'Jaja, maar hoeveel daarvan gebruiken "Dawn" van Sarah Jessica Parker als aftershave?'

'Het ruikt lekker fris,' zei Zoë.

'En weet je nog dat hij een skivakantie voor jullie boekte in Aspen?'

'Er gaan ook hetero's skiën in Aspen.'

'Tijdens het jaarlijkse homoweekend?' drong Jessica aan, waarna Zoë moest toegeven dat dát misschien wel een hele grote aanwijzing was geweest.

'En weet je nog dat Chris altijd zei dat "iedereen diep in zijn hart een beetje homo is"?'

'Ik dacht dat hij dat zei uit liefde voor zijn medemens.'

'Hij was gewoon homo, Zoë. Denk je nou echt dat een hetero zoiets zou zeggen?'

Helaas was Zoë's vader faliekant tegen een scheiding geweest. Volgens hem zou het met wat therapie wel weer goed komen, en hij had zelfs gesuggereerd dat Zoë wel wat beter haar best had kunnen doen om Chris geïnteresseerd te houden. Ook de familie van Chris gaf Zoë de schuld; volgens hen had Chris pas homoseksuele neigingen ontwikkeld na hun trouwen. Zoë vond het niet zozeer erg dat haar ex-man homo was, als wel dat hij door zijn seksuele herontdekking tegelijk ook haar leven had verwoest. 'Het is zo vernederend,' had Zoë aan Lucy opgebiecht, 'als je man je verlaat voor een andere man. Je hebt het gevoel dat je je hele sekse teleurstelt. Alsof ik de oorzaak was dat hij voor het andere team koos.'

Lucy bedacht dat bedrog in een relatie vaak resulteerde in zo'n gevoel van schaamte. Ook al was het niet eerlijk, je had het gevoel dat jij iets niet goed genoeg had gedaan, waardoor het mis was gelopen.

'Wat is er?' vroeg Justine toen ze de deur opendeed om Lucy binnen te laten. Ze keek haar fronsend aan. Zoals gebruikelijk liep Justine in een spijkerbroek en sweatshirt, met haar haar in een zwierige paardenstaart.

'Wat zie je eruit. Kom mee naar de keuken.'

'Ik ben helemaal nat,' zei Lucy. 'En de vloer dan?'

'Doe je schoenen uit en kom binnen.'

'Sorry, ik had even moeten bellen.' Lucy schopte haar modderige sneakers uit.

'Nee joh. Het is niet zo druk.'

Lucy liep achter haar aan naar de grote, warme keuken. Tegen de muren zat behang met een vrolijke kersenprint. Het rook er heerlijk: bloem, warme boter, gesmolten chocola. Zoë haalde net een muffinvorm uit de oven. Ze had haar goudgele krullen samengebonden in een hoge knot. Ze leek net een ouderwetse pin-up, met haar wulpse vormen, smalle taille en rode wangen, warm van de hitte van de oven.

Zoë glimlachte. 'Lucy! Wil je proeven? Ik ben een nieuw recept aan het testen voor chocolade-ricottamuffins.'

Lucy schudde verslagen haar hoofd. Op een of andere manier maakte de gezellige warmte van de keuken het alleen maar erger. Ze hield haar hand tegen haar keel, alsof dat hielp om de dikke brok verdriet weg te slikken.

Justine keek haar bezorgd aan. 'Wat is er aan de hand, Lucy?'

'Iets ergs,' wist Lucy nog net uit te brengen. 'Iets vreselijks.'

'Hebben jullie ruzie gehad?'

'Nee.' Lucy haalde schokkerig adem. 'Hij heeft me gedumpt.'

Ze werd direct naar een stoel bij de tafel geleid. Zoë gaf haar een stapel servetjes om haar natte haar te drogen en haar neus te snuiten, terwijl Justine een glas whisky inschonk. Terwijl Lucy een eerste slokje nam van het zachte, vloeibare vuur, schonk Justine alweer een volgend glas vol.

'Hemeltje, Justine, ze heeft het eerste glas nog niet eens leeg,' verzuchtte Zoë.

'Die is niet voor Lucy, die is voor mij.'

Zoë glimlachte, schudde haar hoofd en zette een schaal vol muffins op tafel. Ze ging op de stoel naast Lucy zitten. 'Pak maar eentje,' zei ze. 'Een warme muffin is het beste medicijn.'

'Nee dank je, ik kan echt niks eten.'

'Het is chocolade,' zei Zoë, alsof de muffins daarmee een medicinale waarde kregen.

Met een zucht pakte Lucy toch een muffin en brak hem doormidden. Ze liet de warme damp door haar vingers omhoog kringelen.

'Hoe zit dat nou met Kevin?' wilde Justine weten, terwijl zij een hap van een muffin nam.

'Hij heeft me bedrogen,' zei Lucy dof. 'Hij vertelde het me vanmiddag.'

'De *rotzak*,' zei Zoë ongelovig. 'Die gluiperd, die... die...'

'"Lul" is denk ik het woord dat je zoekt,' zei Justine.

'Ik zou willen dat ik kon zeggen dat ik verbaasd ben,' zei Zoë.

'Maar Kevin leek altijd het soort dat overspel zou plegen.'

'Waarom zeg je dat?' vroeg Justine.

'Nou, ten eerste zijn ogen.'

'Wat heeft dat nou te maken met...,' begon Justine, maar Zoë onderbrak haar.

'Nou, ik bedoel dat hij altijd overal zit te kijken. En dan vooral naar vrouwen. Hij zat ook altijd naar mijn borsten te kijken.'

'Iedereen kijkt naar jouw borsten, Zoë. Daar kunnen mensen niets aan doen.'

Zoë negeerde haar nicht en ging verder. 'Kevin is gewoon niet gemaakt voor een lange relatie. Hij is net als een hond die achter auto's aan rent. De hond is niet geïnteresseerd in de auto. Hij wil er alleen maar achteraan rennen.'

'En met wie heeft hij je bedrogen?' vroeg Justine aan Lucy.

'Mijn zusje Alice.'

Beide nichtjes keken haar met grote ogen aan.

'Ik geloof mijn oren niet,' zei Zoë. 'En je weet zeker dat Kevin de waarheid vertelt?'

'Waarom zou hij over zoiets liegen?' wilde Justine weten.

Zoë keek Lucy bezorgd aan. 'Heb je Alice al gebeld om het haar te vragen?'

'En wat als zij zegt dat het waar is?' vroeg Lucy met een klein stemmetje.

'Dan mag je haar een sloerie noemen en zeggen dat ze de pot op kan.'

Lucy pakte haar glas whisky en dronk het in één teug leeg. 'Ik heb een hekel aan ruzie.'

'Ik wil haar wel bellen,' bood Justine aan. 'Ik ben heel goed in ruziemaken.'

'Wat ga je nu doen?' vroeg Zoë vol medeleven aan Lucy. 'Heb je een plek om te slapen?'

'Ik weet het niet. Eigenlijk niet. Kevin wil dat ik zo snel mogelijk vertrek. Alice trekt bij hem in.'

Justine stikte bijna in haar whisky. 'Ze komt vanuit Seattle hiernaartoe? En komt in *jouw* huis wonen? Mijn hemel, dit is *afschuwelijk.*'

Lucy nam een hap van haar muffin. De zachte en tegelijk wrange ricotta paste fantastisch bij de pure chocolade.

'Ik moet weg van dit eiland,' zei ze. 'Ik kan het niet aan ze steeds samen te moeten zien.'

'Als ik jou was,' zei Justine, 'zou ik niet weggaan. Ik zou blijven, zodat zij zich steeds schuldiger gaan voelen. En ze overal in de weg lopen.'

'Je hebt je vrienden hier,' zei Zoë. 'Je kunt hier bij ons blijven. Wij slepen je er wel doorheen.'

'Mag dat?'

'Natuurlijk. Waarom zou het niet mogen?'

'Omdat ik de meeste van mijn vrienden hier op het eiland via Kevin ken. Zelfs jullie. Raak ik al mijn vrienden nu aan hem kwijt?'

'Er zijn vast een aantal die zijn kant kiezen,' zei Zoë. 'Maar wij staan aan jouw kant, en wij zijn er altijd voor een luisterend oor, goede adviezen en natuurlijk mag je hier slapen zolang dat nodig is.'

'Hebben jullie wel een kamer vrij dan?'

'Eéntje maar,' zei Zoë. 'De kamer die *altijd* vrij is.'

Ze keek Justine van onder haar wenkbrauwen aan.

'Welke is dat?' vroeg Lucy.

Ietwat schaapachtig zei Justine: 'De Edvard Munch-kamer.'

'De kunstenaar die *De schreeuw* schilderde?' vroeg Lucy.

'Hij heeft nog meer werken gemaakt dan *De schreeuw*,' zei Justine. 'Ik bedoel, ja, ik heb dat schilderij in de kamer opgehangen, omdat het zijn bekendste werk is, maar er hangen ook andere mooie werken, zoals *Vier meisjes op de brug.*'

'Maakt niet uit,' zei Zoë. 'Het enige wat mensen zien, is *De schreeuw*. Ik heb je al zo vaak gezegd dat mensen niet willen slapen in een kamer waar ze door zo'n schreeuwlelijk worden aangestaard.'

'Ik wel,' zei Lucy. 'Het is de perfecte kamer voor een vrouw die net is gedumpt.'

Justine keek haar liefdevol aan. 'Je mag hier zo lang blijven als je wilt.'

'En als jij een eigen plekje hebt gevonden,' ging Zoë verder, 'hangen we andere schilderijen op.'

Justine kneep haar ogen tot spleetjes. 'En welke kunstenaar had je in gedachten?'

'Picasso,' zei Zoë beslist.

'Jij hebt problemen met Munch, maar niet met een man die vrouwen met drie ogen en vierkante ogen schilderde?'

'Iedereen die belt om een kamer in het pension te boeken, vraagt of de Picasso-kamer nog vrij is. En ik heb er genoeg van dat ik steeds moet zeggen dat we die niet hebben.'

Justine zuchtte diep en richtte zich weer tot Lucy. 'Zodra je muffin op is, rijden we even langs je huis om je spullen te halen.'

'Maar misschien is Kevin thuis,' zei Lucy triest.

'Ze hoopt juist dat jullie Kevin treffen,' zei Zoë.

Justine grinnikte grimmig. 'Het liefst met mijn auto.'

Een paar dagen nadat ze haar intrek had genomen in de kamer in Vergezicht, durfde Lucy eindelijk haar zusje te bellen. Het voelde nog zo onwerkelijk. Was het na al die jaren dat ze aan Alice had toegegeven, haar alles gegeven waar ze om vroeg en wat ze nodig had, zo ver gekomen? Had Alice de noodzaak gevoeld om Lucy's vriendje af te pakken, zonder na te denken over de consequenties?

Lucy ging op het bed zitten, met de telefoon in haar hand. De Munch-kamer was gezellig en mooi; de muren waren rood-bruin geschilderd, een kleur die prachtig contrasteerde met de spierwitte plinten. Op het bed lag een quilt met een kleurrijk geometrisch patroon. De zeefdrukken aan de muur, zoals *Vier meisjes op de brug* of *Zomeravond op het strand van Asgard* waren mooi. Het was alleen *De schreeuw*, met zijn wijd gapende mond, vertrokken van pijn, die een domper op de sfeer zette. Zodra je het schilderij zag, bleef je ernaar kijken.

Terwijl Lucy op de beltoets drukte, keek ze naar de schreeuwende figuur met de handen tegen zijn oren, de bloedrode lucht boven hem en de blauwzwarte fjorden onder. Ze wist precies hoe hij zich voelde.

Ze kreeg een knoop in haar maag toen Alice opnam.

'Hallo?' Haar zusje klonk meewarig.

'Ik ben het.' Lucy's ademhaling was oppervlakkig. 'Is Kevin bij je?'

'Ja.'

Stilte.

Het was een ander soort stilte dan waar ze aan gewend waren. Verstikkend, kil. Lucy had dit gesprek al diverse keren geoefend, uitgespeeld, maar nu het zover was, kreeg ze de woorden niet over haar lippen.

Alice zei als eerste iets. 'Ik weet niet wat ik moet zeggen.'

Lucy vond haar toevlucht in boosheid, hield zich als een drenkeling vast aan een reddingsboei. Wat ze *moest* zeggen? 'Je kunt beginnen met uitleggen waarom,' zei ze.

'Het gebeurde gewoon. We konden het niet tegenhouden.'

'Je gevoel kun je misschien niet tegenhouden,' zei Lucy, 'maar je had er niets mee hoeven doen.'

'Dat weet ik. Ik weet wat je gaat zeggen. En ik weet dat het niet helpt als ik sorry zeg. Maar het spijt me echt.'

'Alice. Altijd wanneer je tegen me zei dat het je speet, zei ik dat het niet erg was. Maar dit is wel erg. Dit is zo erg dat het nooit meer goed komt. Hoe lang is het al aan de gang?'

'Hoe lang we al iets samen hebben of...'

'Wanneer jullie het voor het eerst deden, ja.'

'Een paar maanden geleden. Rond de kerst.'

'Kerst…' Lucy wist niet wat ze moest zeggen. Er was niet genoeg zuurstof in de kamer. Ze hapte naar lucht als een vis op het droge.

'We hebben elkaar niet zo vaak gezien,' zei Alice er snel achteraan. 'Het was lastig om de tijd te vinden om…'

'Achter mijn rug met elkaar af te spreken?'

'Kevin en ik hadden het anders moeten doen. Maar ik heb niks van je afgepakt, Lucy. Jij en Kevin waren uit elkaar gegroeid. Het was wel duidelijk dat het slecht ging tussen jullie.'

'Voor mij niet. We waren al drie jaar samen. We hadden een huis samen. We hebben vorige week nog gevreeën. Vanuit mijn oogpunt ging het verdomd goed.'

Lucy vond het moeilijk om dat te zeggen. Ze was niet iemand die snel vloekte. Maar het woord moest er even uit. En uit Alice's zwijgen maakte ze op dat die er helemaal niet aan had gedacht dat Lucy en Kevin misschien nog wel seks hadden gehad.

'En wat verwacht je dat er nu gaat gebeuren?' vroeg Lucy. 'Moet ik je vergeven en mijn relatie met Kevin maar vergeten, en tijdens familiefeestjes gezellig over koetjes en kalfjes praten?'

'Ik weet dat het even zal duren voordat je dat kunt.'

'Het gaat niet even duren. Het gaat nooit gebeuren. Je hebt niet alleen mijn hart gebroken, Alice. Je hebt ons kapotgemaakt. Wat zou er nu moeten gebeuren? Was het echt de moeite waard om mijn vriendje af te pakken?'

'Kevin en ik houden van elkaar.'

'Kevin houdt alleen van zichzelf. En als hij mij kan bedriegen, denk je niet dat hij jou op een dag ook aan de kant zal zetten? Denk jij dat een relatie die zo begint goed af kan lopen?'

'Hij heeft met mij een heel andere relatie dan met jou.'

'Waarom denk je dat?'

'Ik snap niet wat je bedoelt.'

'Ik vraag je, wat is het verschil? Waarom jij wel en ik niet?'

'Kevin wil iemand bij wie hij zichzelf kan zijn. Jij bent zo perfect, Lucy. Niemand kan aan jouw hoge eisen voldoen. Behalve jijzelf, blijkbaar.'

'Ik heb nooit gezegd dat ik perfect was,' zei Lucy wat onzeker.

'Dat hoeft ook niet. Zo ben je gewoon.'

'Geef je nou *mij* de schuld voor wat jij hebt gedaan?'

'We grapten wel eens over hoe perfectionistisch jij bent,' zei haar zus harteloos. 'Kevin zei dat jij altijd door het lint ging als hij zijn sokken liet rondslingeren. Jij hebt het zo druk met alles en iedereen in de gaten te houden dat je niet eens ziet wat er onder je neus gebeurt. Ik kan het ook niet helpen dat Kevin meer van mij houdt. Ik duw hem niet weg zoals jij dat hebt gedaan. En als jij in de toekomst niet weer al vriendjes wilt kwijtraken, zul je echt moeten veranderen.'

'Maar daarbij had ik echt jouw hulp niet nodig,' zei Lucy met trillende stem, en hing op voordat haar zus kon antwoorden.

❧ Vijf ❧

Wat vermoeiend, al die gedachten die door je hoofd spoken na het aflopen van een relatie. Gebeurtenissen in het verleden worden opgehaald en ontleed, gesprekken geanalyseerd. Alle aanwijzingen worden naast elkaar gelegd, als sokken uit de droger. En na al die inspanning besef je dan dat het niet raar is dát het mis is gegaan, maar dat je het ondanks alle hints niet aan hebt zien komen.

'De meeste mensen hebben op het moment dat het gebeurt geen tijd om alles in context te plaatsen,' zei Justine. 'We hebben het te druk met onthouden wanneer we weer naar de tandarts moeten, in de file staan en onszelf eraan herinneren dat we de vissenkom schoon moeten maken voor de goudvis het loodje legt.'

'Ik kan amper geloven hoe gemakkelijk Kevin tegen me heeft gelogen,' zei Lucy. 'Ik dacht dat ik hem zo goed kende, maar eigenlijk kende ik hem helemaal niet.'

'Zo werkt het bij verraad. Mensen kunnen je pas pijn doen wanneer ze eerst je vertrouwen hebben gewonnen.'

'Ik denk niet dat het de bedoeling was om me pijn te doen,' zei Lucy. 'Maar ergens onderweg veranderden Kevins gevoelens voor mij, en ik had het niet door. Misschien werd hij gewoon verliefd op Alice, en zit er verder niets achter.'

'Ik betwijfel het,' zei Justine. 'Ik denk dat Kevin Alice heeft gebruikt als excuus om uit jullie relatie te kunnen stappen, en nu zit hij aan haar vast.'

'Ook al is dat waar, dan moet ik nog steeds weten waarom hij niet meer van me houdt.'

'Wat jij moet, is een nieuw vriendje.'

Lucy schudde haar hoofd. 'Ik neem even pauze wat mannen betreft, tot ik weet waarom ik altijd de verkeerde kies.'

Maar haar vriendin wilde er niets van weten. 'Ik ken veel geweldige jongens. Ik vind wel iemand die bij je past.' Justine zat in bijna elke club en vereniging in Friday Harbor. Ze was vrijwilliger, deed mee aan sponsorlopen en ondersteunde een lokale zelfverdedigingsgroep voor vrouwen. Hoewel Justines relaties met mannen nooit veel langer duurden dan een blaastest van de verkeerspolitie, slaagde ze er altijd in om vrienden te blijven met haar exen.

'Natuurlijk,' zei Justine, even nadenkend, 'zul je je eisen wel wat naar beneden moeten bijstellen.'

'Ik stel helemaal niet zulke hoge eisen,' begon Lucy. 'Ik wil alleen maar een man die zichzelf goed verzorgt maar niet narcistisch is... iemand die werkt maar naast zijn werk ook nog een privéleven heeft... iemand die zelfvertrouwen heeft maar niet arrogant is... iemand die niet nog op zijn vijfendertigste thuis woont en iemand die niet verwacht dat als hij me voor een eerste afspraakje meeneemt naar een romantisch restaurant, dat ik dan daarna direct uit de kleren ga. Is dat te veel gevraagd?'

'Ja,' zei Justine. 'Maar als je die waslijst even vergeet, vind je snel genoeg een leuke vent. Zoals Duane.'

Ze had het over haar huidige vriendje, een motorrijder die altijd strak in het leer zat en rondreed op een '81 Harley Shovelhead.

'Had ik al gezegd dat ik wat werk doe voor Zwijnenhemel?' zei Lucy. Dat was de kerk voor motorrijders waar Duane ook vaak kwam.

'Nee, dat heb je me niet verteld.'

'Ik mag het grote raam achter in de zaal vervangen. Ik heb de leden om ideeën gevraagd. Voor het horizontale deel van het kruis had ik gestileerde motorsturen in gedachten.'

'Cool,' zei Justine. 'Kunnen ze jou betalen dan?'

'Nee, dat kunnen ze niet,' gaf Lucy grinnikend toe. 'Maar ze waren zo aardig dat ik geen nee durfde zeggen. Dus hebben we een deal gesloten. Ik doe het glaswerk voor ze en als ik ze dan in de toekomst ergens voor nodig heb, dan mag ik ze bellen.'

Nadat Lucy bij Kevin weg was gegaan en haar spullen naar de kamer in Vergezicht had verhuisd, werkte ze bijna twee dagen onafgebroken achter elkaar in het atelier. Ze kwam alleen maar naar buiten om even een paar uurtjes te slapen in haar kamer in het pension en was al voor het krieken van de dag weer aan het werk. Hoe meer vorm het raam van de motorrijderskerk kreeg, hoe belangrijker haar werk voor haar werd.

De kerkgemeente kwam bijeen in een voormalige bioscoop. De zaal was klein en had geen ramen, behalve het glas-in-loodpaneel dat onlangs in het midden van de voorste muur was geplaatst, waar het filmdoek had gezeten. Het hele gebouw was niet meer dan zeven meter breed, met rijen van zes stoelen aan weerszijden van het gangpad. 'We mikken op de hemel,' had de dominee tegen haar gezegd, 'omdat de hel ons niet wil hebben.' Lucy wist na die woorden precies wat ze met het raam wilde doen.

Ze had de traditionele loodlijstmethode – waarbij stukjes glas in een raamwerk van gesoldeerd metaal worden geplaatst – gecombineerd met een moderne techniek waarbij een paar stukjes felgekleurd glas op grotere glazen platen worden gelijmd. Het raam had er extra diepte door gekregen. Nadat ze een kit had aangebracht tussen het lood en het glas, soldeerde Lucy een raamwerk van verstevigende staafjes tegen het raam. Toen ze om twee uur 's ochtends klaar was met het project, deed ze een paar stapjes achteruit. De aanblik van het raam gaf haar een voldaan gevoel. Het was precies geworden zoals ze voor ogen had gehad: plechtig en mooi, maar ook een beetje gek. Net als de gemeente van motorrijders zelf.

Het had goed gevoeld om iets productiefs te doen, zich op iets anders te concentreren dan haar eigen problemen. Haar glas, dacht ze, terwijl ze met haar vingertoppen over het glanzende doorzichtige paneel streek, had haar nog nooit teleurgesteld.

Lucy had haar ouders nog niet gebeld om te vertellen dat zij en Kevin uit elkaar waren. Ze had tijd nodig om na te denken over wat er was gebeurd en wat ze nu moest doen; maar ook wist ze bijna zeker dat Alice ze al had gebeld om haar kant van het verhaal te vertellen. En Lucy had er weinig zin in om haar emoties en energie te verspillen aan deze nutteloze strijd. Haar ouders zouden toch voor Alice kiezen, en van Lucy werd verwacht dat ze haar mond hield en gewoon stilletjes in een hoekje ging zitten.

De Marinns waren verhuisd naar een flat dicht bij Cal Tech, de hogeschool waar Phillip nu parttime docent was. Ze stapten elke twee of drie maanden op het vliegtuig naar Seattle om een bezoek aan hun dochters te brengen en ook vrienden en collega's op te zoeken. De laatste keer hadden ze tot hun grote ongenoegen te horen gekregen dat de gulle cheque die ze Lucy voor haar verjaardag hadden gegeven, helemaal was opgegaan aan een nieuwe jetski voor Kevin.

'Ik had gehoopt dat je iets leuks voor jezelf zou kopen,' had haar moeder mopperend tegen Lucy gezegd toen ze haar even terzijde nam. 'Of je auto had laten repareren en opnieuw had laten spuiten. Iets voor jezelf.'

'Het is leuk voor mij als Kevin gelukkig is.'

'En hoe snel nadat je die cheque kreeg, begon hij over een jetski?'

Ietwat korzelig had Lucy zo luchtig mogelijk geantwoord: 'Ach, hij zei het niet eens. Ik kwam met het idee.'

Dat was niet waar, natuurlijk, en haar moeder had haar ook niet geloofd. Maar het had Lucy erg gestoord te merken dat haar ouders haar vriendje niet mochten. En ze vroeg zich nu af wat ze ervan vonden dat hij de ene zus voor de andere had ingeruild. Als dit was wat Alice wilde, als ze er gelukkig van werd, dan zouden ze er volgens Lucy vast mee leren leven.

Maar toen haar moeder haar belde vanuit Pasadena, reageerde ze anders dan Lucy had verwacht.

'Ik had net Alice aan de telefoon. Ze vertelde me wat er is gebeurd. Ik kan het amper geloven.'

'Ik eerst ook niet,' zei Lucy. 'Maar toen Kevin tegen me zei dat ik kon vertrekken, moest ik wel.'

'Zag je het aankomen? Had je enig idee dat er iets mis was?'

'Nee, geen idee.'

'Alice zei dat jij en Kevin problemen hadden.'

'Blijkbaar,' zei Lucy, 'was Alice ons probleem.'

'Ik heb Alice verteld dat je vader en ik enorm teleurgesteld in haar zijn en dat we dat soort gedrag niet kunnen tolereren. Voor haar eigen bestwil.'

'Echt?' vroeg Lucy na een korte stilte.

'Waarom klink je zo verbaasd?'

Lucy lachte zuur. 'Mam, ik heb in mijn hele leven jou en pap nog nooit iets afkeurends horen zeggen tegen Alice. Ik dacht dat jij en pap me zouden vragen om de relatie tussen Alice en Kevin te accepteren en door te gaan.'

'Je heb twee jaar met die man samengewoond. Ik weet niet hoe je dan gewoon "door kunt gaan".' Het bleef lang stil. 'Ik kan me niet indenken waarom jij dacht dat je vader en ik zouden goedkeuren wat Alice heeft gedaan.'

Haar moeder klonk zo gemeend verbaasd dat Lucy haar lachen niet kon onderdrukken. 'Jullie vonden het altijd goed wat Alice deed, of het nou goed was of niet.'

Haar moeder bleef even stil. 'Ik geef toe dat ik je zusje altijd erg heb verwend,' zei ze uiteindelijk. 'Ze had altijd meer hulp nodig dan jij, Lucy. Ze was nooit zo slim als jij. En na de hersenvliesontsteking is ze nooit meer de oude geworden. Met haar stemmingswisselingen en depressies...'

'Misschien kreeg ze daar wel last van omdát ze zo werd verwend.'

'Lucy.' Er klonk verwijt in haar moeders stem.

'Het is ook mijn schuld,' zei Lucy. 'Ik deed net zo hard mijn best om Alice te plezieren als anderen. We behandelden haar alsof ze een klein kind was. Het zou best kunnen zijn dat ze wat aan die hersenvliesontsteking heeft overgehouden. Maar... op een gegeven moment moet Alice toch zelf verantwoordelijkheid nemen voor haar gedrag.'

'Wil je naar Californië komen? Er even een paar dagen tussenuit? Pap en ik regelen wel een ticket voor je.'

Lucy moest glimlachen om haar duidelijke poging het gesprek een andere kant op te sturen. 'Bedankt. Dat is heel lief van je. Maar dan zit ik bij jullie maar wat te kniezen. Ik denk dat ik beter hier kan blijven en mezelf bezighouden.'

'Heb je nog iets nodig?'

'Nee, het gaat wel. Ik leef met de dag. Ik denk dat het 't lastigst wordt als ik Kevin en Alice tegenkom. Ik weet nog niet hoe ik dan ga reageren.'

'Hopelijk heeft Kevin het fatsoen om ook naar haar toe te gaan in Seattle, in plaats van erop aan te dringen dat ze naar hem toe komt.'

Lucy knipperde even met haar ogen, verbaasd. 'Maar ze zijn hier allebei, mam.'

'Wat bedoel je?'

'Heeft Alice het je niet verteld? Ze trekt bij Kevin in.'

'Nee, ze…' Haar moeder maakte de zin niet af. 'Lieve help. In het huis dat jij met hem deelde?'

'Ja.'

'En wat gaat Alice doen met haar appartement in Seattle?'

'Ik weet het niet,' zei Lucy droogjes. 'Misschien wil ze het wel aan mij onderverhuren.'

'Lucy, het is niet grappig.'

'Sorry. Het is gewoon dat… Alice is in mijn leven gestapt alsof het een oude spijkerbroek is. En het gekke is, ze lijkt zich totaal niet schuldig te voelen. Ik denk zelfs dat ze denkt dat ze *recht* heeft op mijn vriendje. Alsof ik hem gewoon aan haar moest overhandigen omdat zij hem wilde hebben.'

'Het is mijn schuld. Ik heb haar opgevoed…'

'Ho,' zei Lucy, bitser dan haar bedoeling was. Ze haalde even wat schokkerig adem en sprak op zachte toon verder. 'Mam, kunnen we haar *alsjeblieft* eens ergens de schuld van geven? Kunnen we het erover eens zijn dat Alice iets verkeerds heeft gedaan, en er niet tien excuses voor zoeken? Omdat ik echt elke keer als ik denk aan hoe ze in mijn huis slaapt, in mijn bed, met mijn vriend, ik dat echt fout vind.'

'Maar Lucy – ook al is het hier misschien nog te vroeg voor – ze is wel jouw zus. En op een dag zal ze je haar excuses aanbieden. Ik hoop dat je haar kunt vergeven. Familie is familie.'

'Daar is het inderdaad nog te vroeg voor. Luister, mam... ik moet gaan.' Lucy wist dat haar moeder probeerde te helpen. Maar dit soort gesprekken hadden ze altijd al moeilijk gevonden. Ze konden praten over oppervlakkige zaken, maar zodra het over emoties en diepere gevoelens ging, leek haar moeder altijd de behoefte te voelen om haar te vertellen hoe ze moest denken en voelen. Lucy koos er daarom liever voor om haar privéleven met haar vriendinnen te bespreken in plaats van met haar ouders.

'Ik weet dat je denkt dat ik niet begrijp hoe je je voelt,' zei haar moeder. 'Maar ik begrijp het heel goed.'

'Echt?' Terwijl Lucy wachtte tot haar moeder weer verder ging, viel haar blik op de print van Munchs schilderij *De dans van het leven*. Het schilderij verbeeldde een aantal dansende stellen op een zomeravond. Twee vrouwen stonden echter alleen. De ene vrouw links was in het wit gekleed en keek onschuldig en hoopvol. De oudere vrouw rechts was daarentegen in het zwart gekleed en aan haar houding was te zien dat ze verbitterd was, teleurgesteld in de liefde.

'Voordat ik getrouwd was,' zei haar moeder, 'had ik een relatie met een andere jongen. Ik hield enorm veel van hem. Op een dag vertelde hij me dat hij verliefd was geworden op mijn beste vriendin.'

Zoiets persoonlijks had haar moeder nog nooit verteld. Lucy greep de telefoon steviger vast en wist geen woord uit te brengen.

'Het was meer dan pijnlijk. Ik kreeg een... eh, wat je een zenuwinzinking zou noemen. Ik kon amper mijn bed uit komen. Het voelde alsof mijn ziel zo zwaar was dat ik me niet meer kon bewegen.'

'Wat vreselijk,' zei Lucy zachtjes. 'Ik kan me amper voorstellen hoe dat voor je is geweest. Vreselijk.'

'Het ergste aan het verhaal was dat ik tegelijkertijd mijn vriend en mijn beste vriendin kwijtraakte. Ik denk dat ze het allebei vreselijk vonden dat ze me zoveel verdriet hadden gedaan, maar dat ze zo veel van elkaar hielden dat de rest niet meer belangrijk was. Ze zijn getrouwd. Later heeft die vriendin me gevraagd om haar te vergeven en dat heb ik gedaan.'

'Meende je het ook?' Lucy moest het weten.

De reactie was een berouwvol lachje. 'Ik heb het gezegd. Meer lukte me niet. En ik was blij dat ik het had gedaan, want ongeveer een jaar na de bruiloft stierf ze aan als.'

'En de jongen? Heb je nog contact met hem gehad?'

'Jazeker.' Haar moeders stem werd een beetje hees. 'Ik ben uiteindelijk met hem getrouwd en we kregen twee dochters.'

Lucy's mond viel open. Ze had nooit geweten dat haar vader eerder getrouwd was geweest. Dat hij van een andere vrouw had gehouden en haar had verloren. Was dat de reden dat hij altijd zo afstandelijk was?

Zoveel geheimen, verborgen in de geschiedenis van één gezin. In het hart van een van je ouders.

'Waarom vertel je me dit nu?' wist ze uiteindelijk uit te brengen.

'Ik trouwde met Phillip omdat ik nog van hem hield, ook al wisten we beiden dat zijn gevoelens voor mij waren veranderd. Hij kwam bij me terug omdat hij rouwde om zijn vrouw, omdat hij eenzaam was en iemand nodig had. Maar dat is niet hetzelfde als liefde.'

'Hij houdt wel van je,' wierp Lucy tegen.

'Op zijn manier, ja. En het is een goed huwelijk. Maar ik heb altijd moeten leven met de wetenschap dat ik zijn tweede keus was. En dat zou ik nooit voor jou willen. Ik wil dat je een man vindt die denkt dat jij de zon, de maan en de sterren bent.'

'Ik denk niet dat die bestaat.'

'Echt wel. En Lucy, ook al heb je ja gezegd tegen de verkeerde man, ik hoop dat het je er niet van weerhoudt om ja tegen de
goeie te zeggen.'

Zes

Na twee maanden in Vergezicht had Lucy een lijstje van geschikte appartementen gemaakt, maar op alle flats was wel iets aan te merken. De ene was te ver weg, de andere te duur, weer een andere was donker, enzovoort. Ze moest snel een keuze maken, ook al hadden Justine en Zoë gezegd dat ze alle tijd had om erover na te denken.

Het had Lucy goed gedaan om bij de twee nichtjes te logeren. Hun gezelschap was het perfecte tegengif geweest voor haar relatieblues. Steeds wanneer ze zich somber of alleen voelde, kon ze bij Zoë in de keuken gaan zitten, of even gaan hardlopen met Justine. Het was bijna onmogelijk om je depressief te voelen als Justine in de buurt was, met haar gevoel voor humor en haar energie.

'Ik heb de perfecte man voor je gevonden,' zei Justine op een middag, toen zij, Zoë en Lucy het pension klaarmaakten voor een maandelijks evenement: het stille leesfeest. Het was eigenlijk een idee van Zoë. Mensen namen hun favoriete boek mee of kozen er een uit de boekenkast in het pension. Ze zochten daarna een plekje op een van de banken of stoelen beneden in de lounge, en gingen onder het genot van een wijntje, kaas en andere hapjes lekker lezen. Justine vond het in het begin helemaal niks: 'Waarom zouden mensen ergens naartoe gaan om te lezen als ze dat ook thuis kunnen doen?' Zoë had echter doorgezet. Het was een enorm succes geworden en al lang van tevoren stonden drommen mensen voor de deur, ook als het regende.

'Hij zou perfect bij je passen, Lucy,' ging Justine verder, 'maar Zoë staat al langer droog. Het is net als in het ziekenhuis: ik moet degene die er het slechtst aan toe is als eerste helpen.'

Zoë schudde haar hoofd en zette schaaltjes met blokjes kaas op een groot antiek dressoir. 'Ik heb geen hulp nodig. Ik kom vanzelf iemand tegen, als de tijd rijp is. Waarom kun je de natuur niet gewoon zijn gang laten gaan?'

'De natuur gaat mij te langzaam,' zei Justine. 'En je moet je wat meer onder de mensen begeven. Ik herken de tekenen.'

'De tekenen van wat?' wilde Zoë weten.

'Ten eerste breng je veel te veel tijd door met Byron. Hij is vreselijk verwend.'

Zoë was veel tijd – en geld – kwijt aan haar Perzische kat. Hij had een kattenbak van mahoniehout, halsbandjes met bergkristallen en een blauwfluwelen kattenbedje. Byron werd regelmatig gebadderd en gekamd, en hij at zijn smakelijke kattenvoer van porseleinen schoteltjes.

'Die kat heeft een beter leven dan ik,' ging Justine verder.

'Hij draagt zeker duurdere sieraden,' zei Lucy.

Zoë fronste haar wenkbrauwen. 'Ik zit liever met mijn kat op de bank dan met een man.'

Justine wierp haar een sarcastische blik toe. 'Ben jij wel eens uit geweest met een jongen die haarballen uitkotst?'

'Nee. Maar in tegenstelling tot mannen is Byron altijd op tijd voor het eten thuis en klaagt hij nooit over wat ik heb gekookt.'

'Ondanks je zwakte voor gecastreerde mannen,' zei Justine, 'denk ik dat jij en Sam prima bij elkaar zouden passen. Jij houdt van koken, hij maakt wijn. Een perfecte match.'

Zoë aarzelde. 'Is dit de Sam Nolan die op de lagere school al zo'n studiebol was?'

Lucy liet bijna een stapel boeken vallen toen ze de naam hoorde. Met trillende handen legde ze de zware pillen op een salontafeltje voor de bank met bloemenmotief.

'Zo erg was hij niet,' protesteerde Justine.

'Alsjeblieft. Hij liep de hele dag aan zijn Rubiks kubus te draaien. Net Gollum met zijn ring.'

Justine begon te lachen. 'O ja, dat herinner ik me nog wel.'

'En hij was zo dun dat we hem vast moesten houden als het waaide. Dus het is toch nog een knappe vent geworden?'

'Een *hele* knappe vent,' zei Justine met extra nadruk.

'Dat vind jij,' zei Zoë. 'Maar jij en ik hebben een hele andere smaak qua mannen.'

Justine keek haar verbaasd aan. 'Jij vindt Duane toch knap, niet?'

Zoë haalde heel voorzichtig haar schouders op. 'Ik weet het niet. Zoveel zie ik hem niet.'

'Wat bedoel je daarmee?'

'Ik kan zijn gezicht niet zien omdat zijn bakkebaarden breder zijn dan mijn grillpannen. En hij heeft zoveel tatoeages.'

'Hij heeft er maar drie,' zei Justine protesterend.

'Hij heeft er veel meer,' zei Zoë. 'Op zijn arm staat meer tekst dan op een Kindle.'

'Ach, ik vind tatoeages wel stoer. Maar wees maar niet bang, Sam heeft er geen. Ook geen piercings.' Zoë wilde iets zeggen, maar Justine was haar voor: 'En geen bakkebaarden.' Ze zuchtte diep. 'Ik regel wel wat fotografisch bewijs.'

'Justine heeft gelijk,' zei Lucy tegen Zoë. 'Ik heb hem ontmoet, en hij is inderdaad knap.'

Beide meiden keken haar aan.

'Je hebt Sam ontmoet en dat niet gezegd?' zei Justine.

'Nou ja, maar één keer, en heel kort. Ik wist niet dat jullie hem kenden.'

'Ik ben al mijn hele leven vrienden met Sam.'

'Waarom is hij hier nog nooit geweest?' wilde Zoë weten.

'Sam heeft het enorm druk sinds hij met het telen van druiven is begonnen. Hij heeft wel personeel, maar doet het meeste werk zelf.' Justine draaide zich weer om naar Lucy. 'Vertel.'

Lucy zette de wijnglazen neer op het dressoir. 'Ik was aan het fietsen en... stopte even om uit te rusten. We hebben kort gepraat. Verder niets.'

'Justine, waarom ga jij niet met hem uit?' vroeg Zoë.

'Ik heb op de middelbare school verkering met hem gehad, toen jullie naar Everett waren verhuisd. Het was een zomerliefde.

Toen school weer begon, was het snel voorbij. Sam en ik zijn altijd goede vrienden gebleven.' Justine zweeg even. 'Sam is niet iemand die gaat voor een langdurige relatie. Hij zoekt geen echtgenote. Hij is een vrije vogel. Heel open over het feit dat hij nooit wil trouwen.' Weer een strategische stilte. 'Vraag het maar aan Denise Rausman.'

Lucy herkende de naam van een bloedmooie blonde televisieverslaggeefster, die onlangs was uitgeroepen tot 'meest sexy verslaggeefster van Seattle'. 'Heeft hij met *haar* verkering gehad?'

'Ja, ze heeft een vakantiehuisje bij Roche Harbor en zij en Sam hadden bijna een jaar een relatie. Ze was *gek* op hem. Maar ze kreeg hem niet zover dat hij haar een aanzoek deed, dus gaf ze het uiteindelijk op. En toen was er Laura Delfrancia.'

'Wie is dat?' vroeg Zoë.

'De directrice van Pacific Mountain Capital. Ze investeert in startende ondernemingen op het gebied van hightech en schone energie. Ze is slim en rijk en ook zij kon Sam niet overhalen tot een serieuze relatie.'

'Het is lastig voor te stellen dat zo iemand interesse zou hebben in Sam Nolan,' zei Zoë.

'Ik wil toch even in de bres springen voor alle studiebollen,' zei Justine. 'Ze zijn fantastisch in bed. Ze hebben fantasie en zijn enorm creatief. En ze houden van gadgets.' Terwijl de andere twee begonnen te lachen, gaf Justine ze een glas wijn. 'Hier. Wat je ook over Sam wilt zeggen, hij maakt echt fantastische wijn.'

'Is dit een van zijn wijnen?' vroeg Lucy, terwijl ze het dieprode vocht in haar glas liet rondwervelen.

'Het is zijn "Kielhalen",' zei Justine. 'Een shiraz-cabernet.'

Lucy nam een slok. De wijn was heerlijk soepel, fruitig maar toch ook met een zijdezachte afdronk en een hint van koffie. 'Lekker,' zei ze. 'Het zou alleen al om een paar van deze flessen de moeite waard zijn om met hem uit te gaan.'

'Heeft Sam je nummer?' vroeg Justine.

Lucy schudde haar hoofd. 'Kevin had me net gedumpt.'

'Geen probleem, ik regel het wel voor je. Zolang Zoë er niets op tegen heeft.'

'Nee hoor,' zei Zoë vastberaden. 'Ik heb geen interesse.'

Justine proestte het uit van het lachen. 'Jammer voor jou! Dan gaat hij naar Lucy.'

'Ik heb ook geen interesse,' zei Lucy. 'Ik ben nog maar net twee maanden alleen. En de regel is dat je exact de helft van de lengte van je relatie moet wachten tot de volgende... wat voor mij uit zou komen op anderhalf jaar.'

'Zo gaat de regel niet,' riep Justine uit. 'Het is één maand voor elk jaar van de relatie.'

'Ik vind al die regels maar stom,' verzuchtte Zoë. 'Lucy, je moet je instinct volgen. Je weet zelf het beste wanneer je er weer klaar voor bent.'

'Ik vertrouw mijn instinct niet meer zo wat mannen betreft,' zei Lucy. 'Het is net zoals in dat artikel stond dat ik laatst las, over hoe vuurvliegjes langzaam uitsterven. Een van de redenen is verlichting. Vuurvliegjes kunnen de signalen van hun maatjes niet oppikken, omdat ze zo worden afgeleid door verlichting bij huizen, straatlantaarns, neonborden...'

'De arme schapen,' zei Zoë.

'Precies,' zei Lucy. 'Je denk dat je iemand hebt gevonden die perfect bij je past, je knippert je een ongeluk en dan zie je ineens dat het een sigarettenaansteker is. Ik kan het nu gewoon nog niet.'

Justine schudde langzaam haar hoofd en keek de twee vrouwen aan. 'Het leven is een groot buffet, en jullie lopen rond met een chronische verstopping.'

Nadat ze de Hoffmans had geholpen om het leesfeest voor te bereiden, ging Lucy naar haar kamer. Ze ging met gekruiste benen op het bed zitten met haar laptop. Bij het controleren van haar e-mail zag ze dat ze een berichtje had van een oud-professor, haar mentor dr. Alan Spellman. Hij was onlangs aangesteld als coördinator Kunst en Bedrijfsleven bij het wereldberoemde Mitchell Art Center in New York.

Lieve Lucy,

herinner je je nog dat programma Kunstenaar in bedrijf *waar ik het laatst over had? Een heel jaar, tegen betaling, samenwerken met kunstenaars van over de hele wereld. Jij zou er perfect voor zijn. Ik denk dat jij echt een uniek talent hebt voor glaswerk; jij brengt de illusie weer terug, wat andere moderne kunstenaars vaak vergeten. Deze beurs zou je de vrijheid geven om te experimenteren met technieken, en ideeën uit te werken die nu voor jou niet of moeilijk toegankelijk zijn.*

Laat me weten of het je iets lijkt. Het aanmeldingsformulier zit bij deze e-mail. Ik heb alvast een goed woordje voor je gedaan, en ze kijken ernaar uit om je te ontmoeten.

Groeten,
Alan Spellman

Een unieke kans: een jaar naar New York om te studeren en te experimenteren met glas.

Ze klikte op de link onder aan de e-mail en las de toegangseisen door: een voorstel van een A4'tje, een motivatiebrief en twintig digitale foto's van haar werk. Eventjes overwoog ze om het te doen.

Een nieuwe plek... een nieuw begin.

Maar de kans dat ze zou worden gekozen uit alle inzendingen was zo klein dat ze zich afvroeg waarom ze de moeite zou nemen.

Denk je echt dat je een kans hebt? vroeg ze zichzelf.

Maar toen schoot haar iets anders te binnen... *waarom zou je het niet gewoon proberen?*

❧ Zeven ❧

'*Ik moet even met je praten, Lucy,*' had haar moeder ingesproken op het antwoordapparaat. '*Bel me terug als je tijd hebt. Niet lang wachten, het is belangrijk.*'

Ondanks de urgentie in haar moeders stem had Lucy nog niet teruggebeld. Ongetwijfeld had het iets met Alice te maken, en ze wilde nog even een dag niet aan haar zusje denken. In plaats daarvan had ze de middag gebruikt om haar laatste werken in te pakken en bij een aantal winkels in Friday Harbor af te leveren.

'Prachtig,' zei Susan Seburg, eigenaresse van een winkel en een goede vriendin, toen ze de glasmozaïeken zag die Lucy had meegenomen. Het was een serie vrouwenschoenen: pumps, sandalen met hakjes, sleehakken en zelfs een paar sneakers. Allemaal gemaakt van glas, tegeltjes, kristallen en kralen. 'O, ik zou willen dat ik ze kon dragen! Jij weet net zo goed als ik dat die straks als set in zijn geheel worden gekocht. Jouw werkt vliegt de etalage uit, het is al verkocht voordat ik het neerzet.'

'Dat is fijn om te horen,' zei Lucy.

'Het heeft iets… speciaals… zeker je recente werk. Er zijn al klanten geweest die willen weten of je ook in opdracht werkt.'

'Dat is fantastisch. Ik kan het werk altijd gebruiken.'

'Ja, het is fijn om aan het werk te blijven.' Susan schoof een lamp aan de kant en keek haar bezorgd aan. 'Ik kan me voorstellen dat het je behoorlijk dwarszit.' Ze zag Lucy vragend kijken. 'Kevin Pearson en je zus.'

Lucy sloeg haar ogen neer en keek naar haar mobieltje.

'Omdat ze nu samenwonen?'

'Dat ja, en de bruiloft.'

'*Bruiloft?*' herhaalde Lucy zwakjes. Het was alsof de grond onder haar voeten was veranderd in een gladde ijslaag. Ze durfde amper een voet te verzetten, uit angst dat ze zou uitglijden en vallen.

Susan keek haar geschrokken aan. 'Wist je dat nog niet? O shit. Sorry, Lucy. Ik wilde niet dat je het van mij hoorde.'

'Zijn ze verloofd?' Lucy kon haar oren niet geloven. Hoe had Alice Kevin overgehaald om die stap te nemen?

Ik wil best trouwen, ooit, had hij tegen Lucy gezegd, *'maar ik wil het weloverwogen doen. Ik bedoel, ik wil best, uit vrije wil, lang bij iemand blijven. Maar wat biedt het huwelijk in zo'n geval aan toegevoegde waarde?'*

'Het geeft een relatie iets extra's,' had Lucy gezegd.

'Misschien. Of misschien is het iets wat anderen willen en van ons verwachten. Moeten we het daarom doen?'

Blijkbaar waren die 'anderen' dit keer overtuigend genoeg geweest. Misschien was Alice overtuigend genoeg geweest. Betekende dit dat hij echt van haar hield? Niet dat Lucy jaloers was. Kevin had haar bedrogen en zou dat ook in nieuwe relaties blijven doen. Maar toch vroeg ze zich af wat er dan mis was met haar. Misschien had Alice wel gelijk en was ze een perfectionist. Misschien schrok ze mannen af die de fout maakten om verliefd op haar te worden.

'Het spijt me,' zei Susan opnieuw. 'Je zus is het hele eiland al af aan het rijden met een weddingplanner. Ze bekijken trouwlocaties.'

De telefoon trilde in haar handen. Lucy stopte hem in haar tas en probeerde te glimlachen. Dat mislukte. 'Ach,' zei ze, 'nu weet ik in elk geval waar mijn moeder me vanochtend over belde.'

'Je ziet helemaal bleek. Kom even mee, iets drinken. Ik zet snel koffie…'

'Nee, dank je, Susan. Ik ga naar huis.' De kolkende massa van emoties begon zich te splitsen in verschillende lagen. Verdriet, verbazing, boosheid.

'Kan ik iets doen?' hoorde ze Susan zeggen.

Lucy schudde direct haar hoofd. 'Het gaat wel. Het gaat echt wel.'

Terwijl ze haar messengertas over haar hoofd zwaaide, liep ze naar de voordeur van de winkel. Ze bleef even staan toen Susan nog wat zei.

'Ik ken Kevin amper, en je zus al helemaal niet. Maar van wat ik heb gezien en gehoord… verdienen ze elkaar. En dat is niet bedoeld als compliment.'

Lucy legde haar vingertoppen tegen het glas van de voordeur. Even voelde ze zich ontspannen, het gladde en koele glas gaf haar rust. Ze wierp Susan een zwak glimlachje toe. 'Het is al goed. Het leven gaat door.'

Lucy stapte in haar auto en stak het sleuteltje in het contact. Ze draaide het om en er gebeurde niets. Ze begon schamper te lachen. 'Grapje zeker,' verzuchtte ze. Ze probeerde het opnieuw. *Klik-klik-klik-klik.* De motor sloeg niet aan. Aangezien de lampen het wel deden, kon het niet de accu zijn.

Ze kon prima naar het pension lopen, dat was niet zo ver. Maar het idee dat ze de auto moest laten repareren, iets wat waarschijnlijk weer veel te veel ging kosten, kon ze er nu even niet bij hebben. Lucy leunde met haar hoofd op het stuur. Dit soort dingen had Kevin altijd geregeld.

'Ik doe het met liefde,' had hij altijd met een knipoog gezegd, wanneer hij weer eens de olie had ververst of de ruitenwissers had vervangen.

Zonder twijfel was auto-onderhoud, zo bedacht Lucy wrang, een van de ergste aspecten aan het leven als alleenstaande vrouw. Ze wilde iets drinken, iets met veel alcohol, iets wat verdoofde. Ze stapte uit de levenloze auto, liep naar een café bij de jachthaven waar mensen de bootjes voorbij konden zien varen en kijken hoe de veerboten vol en weer leeg stroomden. De bar was in de negentiende eeuw een *saloon* geweest, waar goudzoekers op weg naar de goudvelden in Brits-Columbia versterking kwamen halen. Toen de goudzoekers weer waren verdwenen, was de klantenkring veranderd en zaten er vooral soldaten, pioniers en werknemers van Hudson Bay aan de bar. Er hing nog echt die sfeer van vroeger.

Er klonk muziek uit haar tas. Ze rommelde tussen alle spulletjes – lipgloss, muntgeld, kauwgom – op zoek naar haar telefoon. Ze herkende Justines nummer en antwoordde zwakjes: 'Hi.'

'Waar ben je?' vroeg haar vriendin op directe toon.

'Ik loop door de stad.'

'Susan Seburg belde me net. Ik kan het amper geloven.'

'Ik ook niet,' zei Lucy. 'Kevin wordt mijn zwager.'

'Susan voelt zich vreselijk dat je het van haar hebt moeten horen.'

'Dat hoeft helemaal niet. Ik was er toch wel achter gekomen. Mijn moeder heeft me gebeld vanochtend en een berichtje ingesproken. Waarschijnlijk ging het over de verloving.'

'Gaat het?'

'Nee. Maar ik ga mezelf nu eerst even bezatten, dan voel ik me daarna vast beter. Je mag best meekomen als je wilt.'

'Kom gewoon hier, dan mix ik een paar margarita's.'

'Dank je,' zei Lucy, 'maar het is te stil in het pension. Ik moet mensen om me heen hebben. Veel lawaaierige mensen met hun eigen problemen.'

'Oké,' zei Justine, 'waar…'

De telefoon piepte en de verbinding werd verbroken. Lucy keek naar het schermpje, waar een rood batterijtje vervaarlijk knipperde. De accu was leeg.

'Natuurlijk,' mompelde ze. Ze liet de lege telefoon weer in haar tas glijden en duwde de deur van de kroeg open. Het rook er naar oud gebouw: zoet, muf en donker.

Het was nog vroeg op de avond en er waren nog maar weinig mensen. Lucy liep naar het uiteinde van de bar, waar het het donkerst was, en bekeek de drankenkaart. Ze bestelde een 'lemon drop', met wodka, citroen met vruchtvlees en triple sec, geserveerd in een glas met suikerrandje. Ze liet het plezierige koude vocht door haar keel glijden.

'Alsof je een ijsberg kust, nietwaar?' zei de barvrouw, een blonde dame met de naam Marty, met een brede grijns.

Lucy dronk het glas leeg, schoof het opzij en knikte. 'Nog eentje, graag.'

'Dat is snel. Wil je er iets bij eten? Wat nachos of nootjes, misschien?'

'Nee, ik wil alleen nog zo eentje.'

Marty keek haar aarzelend aan. 'Ik hoop niet dat je straks nog moet rijden.'

Lucy lachte bitter. 'Nee hoor. Mijn auto is net kapotgegaan.'

'Zo'n dag, hè?'

'Zo'n jaar,' antwoordde Lucy.

De barvrouw nam de tijd. Lucy draaide zich om op haar kruk en keek rond naar wie er nog meer aan de bar zaten. Aan het andere uiteinde stond een groepje bij elkaar, anderen zaten aan een paar tafeltjes. Aan een van deze tafeltjes zat een handvol motorrijders met flesjes bier luidruchtig te praten.

Te laat realiseerde Lucy zich dat ze van de motorrijderskerk waren en dat Justines vriendje Duane er ook bij zat. Voordat ze zich om kon draaien, keek hij haar kant op. Duane wenkte haar om bij hen te komen zitten.

Ze schudde haar hoofd en zwaaide even, om zich daarna weer naar de barvrouw om te draaien.

Al snel stond de grote, zachtmoedige biker achter haar en legde hij zijn grote hand tussen haar schouderbladen.

'Hé Loesemoes,' zei hij, 'hoe gaat het?'

'Ik neem er even eentje,' antwoordde Lucy met een halfslachtige glimlach. 'Hoe gaat het, Duane?'

'Ik mag niet klagen. Kom er toch bij zitten. We komen allemaal net van de Zwijnenhemel.'

'Dank je, Duane, voor de uitnodiging. Maar ik wil nu echt even alleen zijn.'

'Wat is er aan de hand?' Toen ze niet antwoordde, ging hij verder: 'Als er wat is, helpen we je. Dat hadden we toch beloofd?'

Lucy staarde omhoog naar het brede gezicht met de veel te

grote bakkebaarden en begon te glimlachen. 'Ja, dat is waar ook. Jullie zijn mijn reddende engelen.'

'Wat is het probleem?'

'Twee problemen,' zei ze. 'Ten eerste: mijn auto is overleden. Of hij ligt behoorlijk in coma.'

'De accu?'

'Ik denk het niet. Ik weet het niet.'

'Dat regelen we wel,' zei Duane zonder aarzelen. 'En het andere probleem?'

'Het voelt alsof iemand mijn hart eruit heeft gerukt, in een oude krant heeft verpakt en in de prullenbak heeft gegooid.'

De motorrijder keek haar meelevend aan. 'Justine heeft me verteld van je vriend. Wil je dat ik en de jongens hem een lesje leren?'

Lucy begon te grinniken. 'Ik wil jullie niet overhalen om een zonde te begaan.'

'O, wij zijn niet zonder zonde,' zei hij vrolijk. 'Daarom zijn we een kerk begonnen. En het klinkt alsof je ex wel wat straf heeft verdiend.' Hij grijnsde van bakkebaard tot bakkebaard en citeerde: 'Want gij zult vurige kolen op zijn hoofd hopen, en de Heer zal u belonen.'

'Als de auto het weer doet, ben ik al blij,' zei Lucy. Duane vroeg waar hij stond en Lucy gaf hem de sleutels.

'Over een dag of twee breng ik hem wel langs bij Vergezicht,' zei Duane. 'Klaar om weer rond te scheuren.'

'Dank je, Duane. Je weet niet half wat een opluchting dat is.'

'Weet je zeker dat je er niet even bij wilt komen zitten?'

'Nee, dank je.'

'Oké. Maar we houden je wel in de gaten, hoor.' Hij wees naar de hoek van de bar, waar een klein bandje aan het opbouwen was. 'Het loopt straks snel vol.'

'Wat is er dan?' vroeg Lucy.

'Het is Pig War-dag.'

Ze keek hem met grote ogen aan. 'Is dat vandaag?'

'Vijftien juni, al jaren.' Hij klopte haar op haar schouder en liep weer terug naar zijn vrienden.

'Ik moet hier weg,' mompelde Lucy. Ze pakte haar tweede glas en nam een slok. Ze was niet in de stemming voor een feestje.

De traditie ging terug tot een gebeurtenis uit 1859, toen een varken van een Britse handelspost van de Hudson's Bay Company het aardappelveld van Lyman Cutlar op was gelopen, een Amerikaanse boer. Toen die dat grote varken in zijn veld zag wroeten en zijn aardappels zag opeten, schoot de boer het varken dood. Het incident was het begin van een dertien jaar durende oorlog tussen de Britten en de Amerikanen, die allebei militaire kampementen op het eiland optrokken. Uiteindelijk werd de oorlog door bemiddeling beslecht en werd het eiland toegewezen aan de Amerikanen. Het enige slachtoffer tijdens deze lange patstelling tussen de Amerikaanse en Britse legers was het varken geweest. Ongeveer anderhalve eeuw later was men begonnen de Pig War te vieren met varkensvlees van de barbecue, muziek en genoeg bier om een flottielje van tuigschepen drijvend te houden.

Tegen de tijd dat Lucy haar drankje op had, was de band al aan het spelen, werden er bij de bar ribbetjes geserveerd en stond de kroeg helemaal vol met feestende mensen. Lucy gebaarde dat ze wilde betalen en de barvrouw knikte.

'Mag ik je een drankje aanbieden?' zei de man op de kruk naast haar.

'Dank je, maar nee,' antwoordde Lucy.

'Zo eentje dan?' Hij hield haar een bord met ribbetjes voor.

'Geen trek, sorry.'

'Ze zijn gratis,' zei de man.

Lucy keek hem fronsend aan en herkende hem als een van Kevins hoveniers. Ze wist niet meer hoe hij heette. Paul nog wat. Aan zijn glazige ogen en zure adem te merken, was hij al een tijdje aan het feesten. 'O,' zei hij wat ongemakkelijk toen hij zich realiseerde wie ze was. 'Jij bent Pearsons vriendin.'

'Niet meer,' antwoordde Lucy.

'O ja, jij bent de ouwe.'

'De *ouwe?*' herhaalde Lucy kwaad.

'Ik bedoel oude vriendin. Eh… biertje? Hier.' Hij pakte een groot plastic glas van een dienblad op de bar.

'Nee, bedankt.' Ze week achteruit toen hij het overstromende glas haar kant op schoof.

'Het is gratis. Neem nou.'

'Ik wil geen bier.' Ze duwde het glas weg. Hij kreeg een duw van iemand in de menigte achter hem. Als in slow motion viel het glas om, over Lucy heen. Ze hapte naar adem en schrok van het koude vocht dat haar T-shirt en bh doorweekte.

Het duurde even tot de mensen om hen heen doorhadden wat er was gebeurd. Steeds meer mensen keken Lucy's kant op, sommige vol medeleven, andere kil en vol afkeer. Ongetwijfeld waren er meerdere mensen die dachten dat ze het bier over zichzelf had gemorst.

Gekrenkt en boos plukte Lucy aan het doordrenkte T-shirt, dat nu tegen haar lichaam aan plakte.

Zodra ze Lucy zag, pakte de barvrouw een keukenrol en zette die op de bar neer. Lucy begon haar T-shirt droog te deppen.

Ondertussen waren Duane en de andere motorrijders bij haar komen staan. Duane had Paul al in zijn nekvel gegrepen en tilde hem bijna letterlijk van zijn kruk. 'Zit jij bier over Lucy te gooien?' wilde Duane weten. 'Daar ga je voor boeten, snotneus.'

De barvrouw keek hem doordringend aan: 'We gaan hier *niet* vechten!'

'Ik heb niks gedaan,' sputterde Paul tegen. 'Ze wilde het pakken en toen gleed het glas uit mijn handen.'

'Ik wilde niks pakken,' zei Lucy verontwaardigd.

Iemand baande zich een weg door de menigte en legde rustig een hand op haar rug. Lucy verstijfde, wilde zeggen dat hij weg moest gaan, maar ze zweeg toen ze zich omdraaide en in twee blauwgroene ogen keek.

Sam Nolan.

Moest hij haar echt zo zien?

'Lucy,' zei hij zachtjes, snel om zich heen kijkend. 'Heeft iemand je pijn gedaan?' Hij keek Paul strak aan, die ineenkromp.

'Nee,' mompelde Lucy. Ze sloeg haar armen voor haar borst over elkaar. Haar T-shirt voelde klam en koud aan en was bijna doorzichtig.

'Ik ben alleen… nat. En koud.'

'Kom, we gaan.' Sam pakte haar tas van de bar, gaf hem aan Lucy en zei over haar hoofd heen. 'Wat moet ze betalen, Marty?'

'De drankjes zijn van het huis,' zei de barvrouw.

'Dank je.' Sam draaide zich om naar de bikers. 'Niet verminken, Duane. Hij is te bezopen om te weten wat hij doet.'

'Niet verminken,' zei Duane. 'Ik gooi hem alleen in de haven. Misschien duw ik hem een paar keer onder. Beetje afkoelen. Meer niet.'

'Ik voel me niet zo goed,' jammerde Paul.

Lucy begon bijna medelijden met hem te krijgen. 'Laat maar, Duane.'

'Ik zal erover nadenken.' Duane keek met samengeknepen ogen toe hoe Sam Lucy door de menigte naar de voordeur leidde. 'Nolan. Pas op jij, anders ben jij als volgende aan de beurt.'

Sam grijnsde hem toe. 'Wie heeft jou tot haar chaperon uitgeroepen, Duane?'

'Ze is de vriendin van Justine,' zei Duane. 'Wat betekent dat ik je in elkaar moet slaan als je haar ook maar met één vinger aanraakt.'

'Jij kunt mij helemaal niet in elkaar slaan,' zei Sam, om er grinnikend aan toe te voegen: 'Justine daarentegen…' Hij maakte ruimte voor Lucy en samen wurmden ze zich door de menigte naar de deur.

Toen ze eenmaal buiten waren, bleef Lucy op de stoep staan. Ze keek Sam aan. Hij was nog net zo knap en attent als de vorige keer. 'Je mag wel weer naar binnen gaan,' zei ze. 'Ik heb geen hulp nodig.'

Sam schudde zijn hoofd. 'Ik ging toch weg. Veel te druk.'

'Waarom was je daar eigenlijk?'

'Ik ging een drankje halen met mijn broer Alex. Zijn scheiding is er eindelijk door. Maar hij vertrok zodra hij doorkreeg dat er een Pig War-feestje was.'

'Dat had ik ook moeten doen.' Het waaide lichtjes en Lucy rilde in haar natte T-shirt. 'Bah. Ik moet naar huis om me te verkleden.'

'En waar is huis?'

'Vergezicht.'

'Bij Justine Hoffman. Ik loop met je mee.'

'Dank je, maar ik loop liever alleen. Het is niet ver.'

'Zo kun je niet door Friday Harbor lopen. De souvenirwinkel hiernaast is nog open. Ik koop even een T-shirt voor je.'

'Ik koop zelf wel iets.' Lucy wist dat ze ondankbaar en bits klonk, maar ze voelde zich te ellendig om zich daar zorgen over te maken. Ze liep naar binnen; Sam volgde haar.

'Hemeltje,' riep de vrouw met het watergolfkapsel achter de balie uit toen ze Lucy zag. 'Ongelukje gehad?'

'Een idioot stootte zijn bier over me heen,' zei Lucy.

'O jeetje.' Het gezicht van de vrouw lichtte op toen ze de man achter Lucy zag binnenkomen. 'Sam Nolan. Jij was het toch niet?'

'U kent me toch, mevrouw O'Hehir,' grinnikte hij. 'Ik houd mijn glas altijd stevig vast. Hebt u iets schoons en droogs voor haar?'

'De kleedkamer is achterin,' zei ze, wijzend naar een deur achter zich. Ze keek Lucy aan. 'Wat zoek je, schat?'

'Een gewoon T-shirt.'

'Ik zoek wel wat,' zei Sam. 'Waarom ga jij niet alvast het bier van je af wassen terwijl ik even rondkijk?'

Lucy aarzelde een moment en knikte toen. 'Niks stoms uitkiezen hoor,' zei ze. 'Niets met schedels, rare teksten of vunzigheden.'

'Je wantrouwen kwetst me,' zei Sam.

'Ik ken je niet goed genoeg om je te vertrouwen.'

'Mevrouw O'Hehir kent me wel.' Sam liep naar de oudere vrouw toe en leunde met zijn ellebogen op de balie. 'Vertel haar eens wat voor een geweldige vent ik ben. Een engel. Een zonnestraal.'

De vrouw keek Lucy aan. 'Het is een wolf in schaapskleren.'

'Wat mevrouw O'Hehir probeert te zeggen,' zei Sam, 'is dat ik een schaap in wolfskleren ben.'

Lucy verbeet een glimlach, alweer een stuk blijer geworden door de manier waarop de kleine vrouw haar gewichtig aankeek. Ze schudde langzaam haar hoofd. 'Ik vermoed dat ze heel goed wist wat ze probeerde te zeggen.'

Ze liep de kleine badkamer in, trok het natte T-shirt uit en gooide het in de prullenbak. Ook haar bh was doorweekt en daarom gooide ze die ook weg. Het was een oud ding, het elastiek lubberde en de schouderbandjes waren ingescheurd. Met heet water en papieren doekjes begon ze haar armen en bovenlichaam te wassen.

'Hoe kom je aan die motorvriendjes?' vroeg Sam aan de andere kant van de deur.

'Ik ben gevraagd een glas-in-loodraam te maken voor hun kerk. En nu zien ze me als een soort van klein zusje dat ze moeten beschermen.'

'Is dat je vak? Ben jij een glaskunstenaar?'

'Ja.'

'Klinkt interessant.'

'Soms wel, ja.' Lucy gooide een dot nat papier in de prullenbak.

'Ik heb iets gevonden. Zal ik het je aangeven?'

Lucy stond bij de deur, deed hem een paar centimeter open en probeerde zichzelf zo goed mogelijk te verbergen. Sam stak zijn hand naar binnen met een donkerbruin T-shirt. Toen ze de deur weer dicht had gedaan, hield Lucy het T-shirt omhoog om het te bekijken. Op de voorkant stond een afbeelding met alle-maal roze scheikundige symbolen.

'Wat is dit?'

Zijn stem kwam weer door de dichte deur. 'Dit is een diagram van het theobrominemolecuul.'

'Wat is theobromine?' vroeg ze.

'Het chemische stofje in chocolade waar je gelukkig van wordt. Moet ik iets anders zoeken?'

Ondanks de rotdag die ze had gehad, moest Lucy toch glim-lachen. 'Nee, deze is prima. Ik houd wel van chocolade.' De tri-cotstof was lekker zacht en voelde fijn aan tegen haar nog voch-tige bovenlichaam. Lucy opende de deur en stapte naar buiten.

Sam stond te wachten en bekeek het resultaat. 'Ziet er goed uit.'

'Ik lijk wel een nerd,' zei Lucy. 'Ik ruik nog steeds naar een brouwerij. En ik heb een bh nodig.'

'Het meisje van mijn dromen.'

Lucy onderdrukte een glimlach en liep naar de kassa. 'Hoeveel kost deze?' vroeg ze.

Mevrouw O'Hehir wees naar Sam. 'Hij heeft al betaald.'

'Zie het maar als een verjaardagscadeautje,' zei Sam toen hij Lucy's gezichtsuitdrukking zag. 'Wanneer ben je jarig?'

'November.'

'Een vroeg verjaardagscadeautje.'

'Dank je, maar ik kan het niet...'

'Ik wil verder niks van je, hoor.' Sam zweeg even. 'Nou ja, één ding.'

'Wat dan?'

'Je hele naam.'

'Lucy Marinn.'

Hij stak zijn hand uit om de hare te schudden en na wat aar-zelen stak ook zij haar hand uit. Zijn handdruk was warm, zijn vingers wat ruw en eeltig. De hand van een arbeider. De warmte straalde door haar armen omhoog, alsof haar huid tot leven was gekomen, en ze trok haar hand terug.

'Ik loop met je mee naar huis,' zei Sam.

Lucy schudde haar hoofd. 'Je moet je broer gaan zoeken en hem gezelschap houden. Als zijn scheiding vandaag is uitgesproken, is hij vast wat depressief.'

'Hij is morgen vast ook nog depressief. Ik zie hem dan wel.'

Mevrouw O'Hehir, die achter de balie stond te luisteren, zei: 'Zeg maar tegen Alex dat hij beter af is zonder haar. En dat hij de volgende keer met een aardig meisje van het eiland moet trouwen.'

'Ik denk dat alle aardige meisjes van het eiland wel beter weten,' zei Sam, waarna hij met Lucy de winkel uit liep. 'Hé,' zei hij, toen ze buiten stonden, 'ik wil niet vervelend doen, maar ik wil zeker weten dat je veilig thuis komt. Als je dat liever hebt, kan ik ook wel op een afstandje volgen.'

'Hoeveel afstand?' vroeg ze.

'Stalkerafstand, een meter of honderd?'

Ze moest ondanks zichzelf lachen. 'Dat hoeft niet hoor, je mag wel meelopen.'

Sam kwam naast haar lopen.

Op weg naar Vergezicht zag Lucy het begin van een spectaculaire zonsondergang. De lucht was oranje en roze, en de wolken hadden een goudkleurig randje gekregen. Het was iets waar ze, onder andere omstandigheden, van zou hebben genoten.

'En, in welke fase zit je nu?' vroeg Sam.

'Fase? O, je bedoelt… ik denk dat ik aan het eind zit van fase één.'

'Sarah MacLachlan en boze sms'jes.'

'Ja.'

'Niet je haar laten knippen,' zei hij.

'Wat?'

'Dat is de volgende fase, toch? Nieuw kapsel en nieuwe schoenen. Je haar is prachtig, niets aan doen.'

'Dank je.' Wat onzeker duwde Lucy een lange, donkere lok achter haar oren. 'Eigenlijk is de kapper fase drie.'

Ze bleven even staan op een straathoek, tot het stoplicht weer op groen zou springen.

'Op dit moment,' zei Sam, 'staan we voor een wijnbar die de beste mahi uit de wijde omgeving serveert. Wat denk je ervan: zullen we een hapje gaan eten?'

Lucy keek even bij de wijnbar naar binnen, waar mensen bij kaarslicht zaten te genieten. Ze draaide zich om naar Sam Nolan, die afwachtend naar haar stond te kijken. Er zat iets achter die nonchalance, te vergelijken met het effect in een clair-obscur. Of chiaroscuro, zoals de Italianen het noemden. Licht en donker. Ze had het gevoel dat Sam Nolan niet zo simpel in elkaar zat als Justine hem had beschreven.

'Dank je,' zei ze. 'Maar dan gebeuren er dingen die ik nu niet wil.'

'Er hoeft niets te gebeuren. Alleen eten.'

Ze aarzelde, en Sam ging verder. 'Als je nee zegt, eet ik thuis een vage bak magnetronvoer. Kun je daarmee leven, dat dat met mij gebeurt?'

'Ja.'

'Ja, je gaat met me uit eten?'

'Ja, ik kan ermee leven dat je een bak magnetronvoer naar binnen schuift.'

'Harteloos,' zei hij zachtjes, maar toch glinsterden zijn ogen.

Ze liepen door naar het pension.

'Hoe lang blijf je nog in Vergezicht?' vroeg Sam.

'Niet zo lang meer, hoop ik. Ik ben op zoek naar woonruimte.' Lucy lachte wrang. 'Helaas zijn de flatjes die ik kan betalen veel minder leuk dan de appartementen die ik me niet kan veroorloven.'

'Wat staat er op je wensenlijstje?'

'Een slaapkamer, meer heb ik niet nodig. Rustig, maar niet te afgelegen. En het liefst met uitzicht op het water. Tot die tijd blijf ik bij Justine logeren.' Ze zweeg even. 'We hebben een vriendin gemeen.'

'Zei Justine dat we vrienden waren?'

'Is dat niet zo?'

'Dat hangt ervan af wat ze over me zei.'

'Ze zei dat je een geweldige vent was en dat ik met je uit moest.'

'In dat geval zijn we vrienden.'

'Ze zei ook dat je het perfecte overgangstype was, omdat je gezellig bent en je verder niet wilt binden.'

'En wat zei jij toen?'

'Dat ik geen interesse had. Ik heb er genoeg van om steeds weer dezelfde fout te maken.'

'Met mij uitgaan zou wel een hele slimme fout zijn,' verzekerde Sam haar.

Ze lachte. 'Waarom is dat?'

'Ik word nooit jaloers, ik doe geen beloften die ik niet kan nakomen. Ik ben een open boek.'

'Geen slecht verkooppraatje,' zei Lucy. 'Maar ik heb nog steeds geen interesse.'

'Je krijgt een gratis testrit bij het verkooppraatje,' zei hij.

Lucy glimlachte en schudde weer haar hoofd.

Ze waren bij Vergezicht aangekomen en bleven bij de trap staan.

Ze keerde zich naar hem om en zei: 'Bedankt voor het T-shirt. En voor je hulp in de bar. Je was… een fijn eind van een moeilijke dag.'

'Graag gedaan.' Sam zweeg even. 'En dat appartement dat je zoekt, misschien weet ik iets. Mijn broer Mark verhuurt zijn flat – een koopflat aan het water – sinds hij en Holly bij mij zijn ingetrokken.'

'Wie is Holly?'

'Mijn nichtje van zeven. Mijn zus Victoria is vorig jaar overleden en Mark werd aangewezen als haar voogd. Ik help hem een beetje.'

Lucy keek hem aan, verrast. 'Bij de opvoeding?' wilde ze weten.

Sam antwoordde met een simpel knikje.

'En ze zijn bij jou komen wonen.' Het was meer een opmerking dan een vraag.

Sam haalde wat ongemakkelijk zijn schouders op. 'Het is een groot huis.' Zijn gezicht was opeens moeilijk te lezen en zijn stem klonk wat al te nonchalant. 'Wat die flat betreft.... de huidige huurder is vertrokken en voor zover ik weet, is Mark nog op zoek naar een nieuwe. Zal ik het voor je navragen? Misschien kan ik je rondleiden?'

'Ik... misschien.' Lucy realiseerde zich dat ze misschien wel té voorzichtig was. Een flat aan het water was lastig te vinden, en het was zeker de moeite waard om even te gaan kijken. 'Het is vast veel te duur voor mij. Hoeveel vraagt hij ervoor?'

'Ik zal het voor je navragen.' Sam haalde zijn mobiel tevoorschijn en keek haar verwachtingsvol aan. 'Wat is je nummer?' Hij keek haar lachend aan omdat ze toch nog aarzelde. 'Ik ben echt geen stalker. En ik kan goed tegen teleurstelling.'

Hij had een zekere charme die ze niet kon weerstaan. Lucy gaf hem haar nummer en keek op in zijn blauwgroene ogen. Onbewust moest ze glimlachen. Het was jammer, echt, dat ze zich niet kon laten gaan en plezier met hem kon maken.

Alleen was Lucy een vrouw die beter wist. Ze had vaak genoeg de cyclus van verlangen, hopen en verliezen meegemaakt. Later, over een maar maanden, of eigenlijk jaren, zou ze wel weer gaan verlangen naar een partner, en zou ze het risico van een relatie wel weer aandurven. Maar nu niet. En niet met deze man, die zijn relaties zo oppervlakkig wilde houden.

'Dank je,' zei Lucy toen Sam zijn telefoon weer in zijn zak schoof. Ze stak haar hand uit, een beetje vreemd, bijna zakelijk. 'Ik hoop snel van je te horen of de flat nog beschikbaar is.'

Sam schudde plechtig haar hand, maar zijn ogen fonkelden.

De warmte van zijn hand, die veilige manier waarop zijn vingers de hare omsloten, het voelde zo goed. Het was lang geleden dat iemand haar had aangeraakt of vastgehouden. Lucy hield iets langer vast dan nodig was, ook toen ze van top tot teen begon te blozen.

Sam keek haar aan, zijn gelaatsuitdrukking totaal ondoorgrondelijk. Hij trok haar een beetje naar zich toe, en boog zijn hoofd over haar heen. 'Nog even over die testrit...,' mompelde hij.

Lucy kon haar eigen gedachten niet bijhouden. Haar hart klopte in haar keel. Ze staarde zonder iets te zien naar de zonsondergang die met het koele blauw versmolt. Sam verraste haar door haar tegen zijn schouder te drukken, met zijn hand over haar rug te strelen, bijna sussend. Hun lichamen raakten elkaar voortdurend en de aanraking was warm en stevig, om knikkende knieën van te krijgen.

Lucy was helemaal gedesoriënteerd en maakte geen enkel geluid toen hij haar gezicht in zijn handen nam en zijn lippen naar de hare bewoog. Langzaam raakten hun lippen elkaar. Ze opende instinctief haar mond; de verkeerde instincten wonnen het van de goede.

De kus verraste haar en gaf haar even het gevoel dat ze niets te verliezen had. *Dit is idioot,* dacht ze, maar zijn tong streelde de hare en haar hand gleed langs zijn rug omhoog naar achter in zijn nek. Met elke hartslag werd het gevoel sterker.

Sam was degene die de betovering verbrak. Hij hield Lucy in zijn armen tot ze haar evenwicht had hervonden. Duizelig en ontwapend wist ze zich uiteindelijk los te maken. Ze liep de traptreden op.

'Ik bel je snel,' hoorde ze hem zeggen.

Lucy bleef even staan en keek over haar schouder. 'Dat lijkt me geen goed idee,' zei ze zachtjes.

Ze wisten allebei dat ze het niet over de flat had.

'Niemand dwingt je tot haast,' zei hij. 'Jij bent aan zet, Lucy.'

Ze begon te grinniken. 'Als jij iemand moet vertellen dat zij aan zet zijn, zijn ze echt niet aan zet.' En ze liep verder naar de voordeur, zonder nog om te kijken.

Acht

'Het is te snel,' had Kevin tegengeworpen, toen Alice over trouwen begon. 'Je woont hier net.'

Ze had hem lang en moeilijk aangekeken. 'Hoe lang nog denk je ongeveer?'

'Hoe lang?' herhaalde hij verbaasd.

'Zes maanden? Een jaar? Ik blijf niet eeuwig wachten, Kevin. Op jouw leeftijd zijn de meeste mannen al getrouwd. Wat is het probleem? Je zei dat je van me hield.'

'Jawel, maar...'

'Wat moet je verder nog van me weten? Wat houdt je tegen? Ik wil best weggaan, als jij denkt dat we toch niet bij elkaar passen.'

'Dat heb ik niet gezegd.'

Maar Alice had besloten dat er iets groots moest gebeuren, zeker omdat ze net haar baan als scriptschrijver had verloren. Haar agent had haar gebeld; hij had net met de productieleider van de soap gesproken. De show was gestopt. De kijkcijfers waren zo slecht dat ze de verhaallijnen niet eens af gingen maken. De uitzendingen waren al vervangen door spelshows. De distributeur probeerde de show nog aan een ander netwerk te verkopen, maar inmiddels zat Alice thuis en moest ze interen op haar al magere spaarcenten.

Trouwen met Kevin zou drie problemen tegelijk oplossen. Ze kon dan financieel op hem terugvallen en Lucy zou zien dat Kevin meer van Alice hield. Het zou haar ouders ook dwingen om de relatie te accepteren. Alice en haar moeder zouden samen de bruiloft gaan plannen en iedereen zou blij voor haar zijn. Het gezin zou weer één worden. En Lucy zou haar gekrenkte trots aan de kant schuiven en het allemaal gewoon vergeten.

Zodra de verlovingsring om haar vinger zat, had een triomfantelijke Alice haar ouders gebeld. Ze was verbaasd dat ze in plaats van felicitaties werd getrakteerd op harde kritiek.

'Heb je al een datum?' had haar moeder gevraagd.

'Nog niet. Ik dacht dat jij en ik samen wat konden nadenken over…'

'Je hoeft niet op mij te rekenen,' had haar moeder gezegd. 'Je vader en ik komen naar de bruiloft, als je dat wilt. Maar je plant en betaalt de bruiloft helemaal zelf.'

'*Wat?* Ik ben jullie eerste dochter die trouwt – en jullie willen mijn bruiloft niet betalen?'

'We zouden niets liever willen dan voor een bruiloft betalen als ons gezin weer compleet is. Maar zoals het nu staat, heb jij je geluk te danken aan het verdriet van je zus. En omdat we weten hoe zij zich voelt, kunnen we jouw relatie met Kevin niet steunen. Dat betekent ook dat we je geen maandelijkse toelage meer geven.'

'Het voelt net alsof jullie me onterven,' had Alice boos gejammerd. 'Dit is zo oneerlijk!'

'Jij hebt een situatie gecreëerd die oneerlijk is voor iedereen, Alice. Ook voor jezelf. Er ligt nog zoveel in onze toekomst… vakanties, geboortes, ziekte… dingen die we samen als gezin moeten doen. En dat kan pas als jij het hebt bijgelegd met Lucy.'

Woedend was Alice toen ze het verhaal vertelde aan Kevin, die zijn schouders had opgehaald en had gezegd dat ze de bruiloft dan maar beter konden uitstellen.

'Tot Lucy jou is vergeten? Ze blijft nog jaren alleen, puur om mij te treiteren.'

'Je kunt haar niet dwingen tot een relatie,' had Kevin gezegd.

Alice dacht diep na. 'Zodra Lucy verkering krijgt met iemand anders, kan ze zich niet langer als het slachtoffer gedragen. Dan moeten mijn ouders wel toegeven dat ze me heeft vergeven. En dan geven ze mij mijn bruiloft, en wordt het weer zoals vroeger.'

'Waar ga je die jongen vinden?'

'Jij kent een boel mensen op het eiland. Wat denk jij?'

Hij keek haar verbaasd aan. 'Dit is gewoon te raar, Alice. Ik ga mijn ex niet koppelen aan een van mijn vrienden.'

'Niet een goede vriend. Gewoon iemand, een knap iemand, iemand op wie zij zou vallen.'

'Ook als ik iemand kan bedenken, hoe gaat het je dan lukken om…' Kevin zag haar koppige blik en durfde niet verder te gaan. 'Ik weet het niet. Misschien een van de Nolans. Ik hoorde dat Alex gaat scheiden.'

'Geen gescheiden mannen. Daar houdt Lucy niet van.'

'De middelste broer dan, Sam, die is vrijgezel. Hij heeft een wijngaard.'

'Perfect. Hoe krijgen we ze bij elkaar?'

'Wil je dat ik hem aan haar voorstel?'

'Nee, het moet geheim blijven. Lucy zou nooit instemmen met een date als ze weet dat wij het hebben geregeld.'

Kevin dacht even na hoe ze de twee bij elkaar kregen zonder dat Lucy wist dat hij erachter zat.

'Alice, is het echt nodig dat we…'

'Ja.'

'Ach, ik heb nog iets van Sam te goed,' zei Kevin nadenkend. 'Ik heb een paar jaar geleden wat grondwerk voor hem gedaan en daar niets voor berekend.'

'Goed. Regel het maar. Zorg ervoor dat Sam Nolan Lucy mee uit vraagt.'

Holly begon te giechelen toen Sam haar spichtige lichaampje optilde en haar op zijn schouders door de wijngaard droeg. 'Ik ben groot!' riep ze. 'Kijk mij eens!'

Ze woog amper meer dan een pluizige paardenbloem en hield haar armen losjes om zijn voorhoofd.

'Ik had je toch gevraagd om na het ontbijt je handen te wassen,' zei Sam.

'Hoe weet je dat ik dat niet heb gedaan?'

'Omdat ze plakkerig zijn, en je zit ermee in mijn haar.'

Hij hoorde gegiechel boven zijn hoofd. Ze hadden marshmallowpannenkoeken gebakken, hun eigen uitvinding, wat van Mark vast niet had gemogen als die thuis was geweest. Maar Mark was bij zijn verloofde Maggie blijven slapen, en als hij weg was, was Sam wat minder streng met de regels.

Terwijl hij Holly's enkels beet hield, holde hij naar de druivenplukkers, die met de Caval-trekker bezig waren. Aan de trekker zat een brede nettenrol bevestigd waarmee vier of vijf rijen ranken tegelijk konden worden bedekt.

Holly sloeg haar armen nog eens wat strakker om Sams hoofd, zodat hij amper nog wat kon zien. 'Hoeveel verdien ik voor het helpen vanochtend?'

Sam grinnikte. Hij genoot van haar lijfje op zijn schouders, haar zoete geur, haar tomeloze energie. Voordat Holly in zijn leven was verschenen, waren kleine meisjes maar rare wezens geweest volgens hem, met hun voorliefde voor roze en paars, voor glitter, knuffelbeertjes en sprookjes.

De twee vrijgezelle ooms wilden haar niet te stereotypisch opvoeden en daarom hadden ze Holly geleerd hoe ze moest vissen, een bal gooien en hameren. Maar ze bleef gek op strikjes, haarspeldjes en zachte dingen. Haar favoriete pet, die ze nu ook droeg, was een roze basketbalpet met een zilverkleurige tiara erop geborduurd.

Niet zo lang geleden had Sam nieuwe kleren gekocht voor Holly, en de oude die niet meer pasten aan een goed doel gegeven. Hij realiseerde zich dat Holly's verleden met haar moeder langzaam aan het verdwijnen was. Alle kleren, oud speelgoed, zelfs uitdrukkingen en gewoonten, werden langzaam maar zeker vervangen. Daarom had hij een paar dingen in een doos gedaan, die op zolder stond. En hij schreef zijn eigen herinneringen aan Vick op, leuke en lieve verhaaltjes, om die op een dag met Holly te delen.

Soms wenste Sam dat hij met Vick over haar dochter kon praten, haar kon vertellen hoe verdomde lief en slim Holly was.

Haar vertellen hoe Holly veranderde, hoe alles om haar heen veranderde. Sam snapte nu dingen over zijn zus die hij nooit had begrepen toen ze nog leefde; hoe moeilijk het moest zijn geweest als alleenstaande moeder, hoe lastig het was om even snel een boodschap te gaan doen, omdat als Holly met je mee moest, het minimaal een kwartier kostte om alleen al haar schoenen te vinden.

Maar er waren ook prachtige dingen die Sam nooit had verwacht. Hij had Holly geleerd hoe ze haar schoenen moest veteren. Holly had alleen maar schoenen met klittenband gehad, en toen ze schoenen met veters kochten, wist ze niet hoe dat werkte. Aangezien ze zes was, vond Sam het tijd dat ze leerde veters te strikken. Hij had haar laten zien hoe je konijnenoortjes maakt en deze vastknoopt.

Waar Sam niet op had gerekend, was het gevoel dat hem overspoelde toen hij stond te kijken naar Holly, die zwaar geconcentreerd en met een diepe frons op haar voorhoofd, zat te oefenen. Zo voelen vaders zich dus, had hij gedacht. Hij had er bijna tranen van in zijn ogen gekregen. Wat zou het fantastisch zijn geweest als hij dit aan zijn zus had kunnen vertellen. En dat hij er nu zo'n spijt van had dat hij er niet voor haar en haar dochtertje was geweest toen dat nog kon.

Maar zo zaten de Nolans in elkaar.

Holly's sneakers met lichtjes dansten op en neer tegen zijn borst. 'Hoeveel krijg ik betaald?' vroeg ze nog een keer.

'Vandaag werken jij en ik voor niks,' zei Sam tegen haar.

'Het is tegen de wet om mij gratis te laten werken.'

'Holly, Holly... je gaat me toch niet aangeven wegens een dagje kinderarbeid?'

'Jawel hoor,' zei ze lachend.

'Wat dacht je van een dollar?'

'Vijf.'

'Wat dacht je van een dollar en vanmiddag een ijsje halen in Friday Harbor?'

'Deal!'

Het was zondagochtend vroeg, de wijngaard lag nog onder een nevelige deken en de baai was een gladde spiegel. Toch werd de rustige sfeer verstoord door het gegrom van de Caval, die werd opgestart en langzaam tussen de ranken door reed.

'Waarom doen we netten over de druiven?' vroeg Holly.

'Zodat de vogels het fruit niet opeten.'

'Waarom doen we dat nu pas?'

'De druiven waren nog niet rijp, het waren nog bloesems en onrijpe vruchtjes. De véraison is begonnen.'

'Wat betekent dat?'

'De druiven worden groter en bevatten meer suiker. Ze worden steeds zoeter en zoeter naarmate ze rijper worden. Net als ik.'

Ze bleven staan en Sam zette Holly voorzichtig op de grond. 'Waarom noemen we het véraison in plaats gewoon rijpen?' vroeg ze.

'Omdat de Fransen er al een woord voor hadden bedacht. En dat is maar goed ook, want in het Frans klinkt alles veel mooier.'

Het zou twee tot drie dagen kosten om de hele wijngaard af te dekken, waarna de druiven waren beschermd tegen de vogels. Tegelijkertijd konden de werknemers zo ook gemakkelijker het nog te groene fruit afknippen.

Nadat de eerste netten waren uitgelegd, tilde Sam Holly weer op zijn schouders. Een van de jongens liet zien hoe ze de randen van de netten aan elkaar kon naaien met een houten stokje en touw.

Met haar kleine vingers naaide Holly snel en gemakkelijk de netten vast. Haar roze pet glinsterde in de zon terwijl ze omhoog keek naar haar handwerk. 'Ik naai de hemel dicht,' zei ze, en Sam glimlachte.

Toen het tijd was voor de lunch en iedereen wat ging eten, stuurde Sam Holly naar binnen om zich even te wassen. Hij wandelde in zijn eentje door de wijngaard, luisterend naar het geruis van de bladeren, zo nu en dan zijn vingers langs een rank strijkend. Hij voelde de druivenstokken trillen van gezondheid, hoe het water omhoog vanuit de wortels stroomde, de bladeren het zonlicht opdronken en de druiven rijp en zwaar werden van de suiker.

Als hij zijn hand boven de planten hield, neigden de blaadjes zichtbaar naar hem toe.

Sams liefde voor planten was ontstaan in zijn jeugd, toen hij in de tuin van de buren werkte.

Fred en Mary Harbison waren een ouder echtpaar zonder kinderen dat in de buurt had gewoond. Toen Sam tien was, was hij op een dag met de boemerang aan het spelen die hij voor zijn verjaardag had gekregen, en het ding was bij de buren door het raam gegaan.

Fred was naar buiten gehobbeld. Hij was zo lang en knoestig als een eikenboom, maar zijn strenge stem klonk vriendelijk. 'Niet wegrennen,' had hij gezegd, toen Sam op het punt stond om ervandoor te gaan. En Sam was blijven staan, gefascineerd en tegelijkertijd ietwat achterdochtig en bang.

'Je krijgt je speeltje terug,' had Fred gezegd, 'als je wat klusjes voor ons doet om voor dat raam te betalen. Om te beginnen, zou mevrouw Harbison het fijn vinden als je onkruid ging trekken in haar tuin.'

Sam was vanaf het begin gek geweest op Mary, die zo rond en klein was als haar man slank en lang. Nadat ze hem had uitgelegd welke kiemende plantjes bloemen waren en welke onkruid, was Sam aan het werk gegaan.

Terwijl hij daar op zijn knieën had gezeten, onkruid trekkend en gaten gravend voor bollen en zaailingen, had het gevoeld alsof de planten met hem communiceerden, hem zonder woorden vertelden wat ze nodig hadden. Zonder toestemming te vragen had Sam een kleine spade uit de schuur van de Harbisons gehaald en de primula's op een zonniger plek gezet, en de ridderspoor en margrieten op andere plekken geplant dan Mary had aangegeven.

Sam ging bijna elke dag na schooltijd bij de Harbisons langs, zelfs toen hij de boemerang alweer van Fred terug had gekregen. Als Sam aan hun keukentafel zat om zijn huiswerk te maken, kreeg hij van Mary een glas koude melk en stapeltje zoute crackers. Hij mocht haar tuinboeken lezen, en kocht alles wat de aarde volgens hem nodig had: kelp en pootaarde, gemalen eierschalen, kalk en dolomiet, zelfs overgebleven vissenkoppen van de markt. Dankzij Sams inspanningen was de tuin een zee van bloemen en kleuren geworden. Soms bleven passanten zelfs op de weg stilstaan om hem te bewonderen.

'Jee, Sam,' had Mary gezegd met een stralend gezicht en een zachte blik, 'jij hebt echt groene vingers.'

Maar Sam wist dat het meer was. Hij en de tuin waren volledig op elkaar ingespeeld. Hij wist dat de hele wereld leefde en voelde, iets wat maar weinig mensen zich realiseerden. Hij wist instinctief welke zaadjes hij moest zaaien als het volle maan was, en welke te planten bij wassende maan. Hij wist, zonder dat iemand hem dat hoefde te vertellen, hoeveel water en zon planten nodig hadden, wat hij aan de aarde moest toevoegen, hoe hij met zeepsop schimmel kon bestrijden en hoe hij met afrikaantjes bladluis uit de tuin kon houden.

Sam had ook een moestuintje aangelegd voor Mary, achter het huis, waar allerlei kruiden en groenten groeide. Hij voelde intuïtief aan dat pompoen zich fijn voelde naast komkommers, en dat bonen wel van selderij hielden maar niet van uien, en dat hij bloemkool nooit naast tomaten moest planten. Als Sam in de tuin aan het werk was, werd hij nooit door bijen of muggen gestoken, en strekten de bomen hun takken zo ver mogelijk uit zodat hij in de schaduw kon werken.

Het was Mary geweest die Sam had aangemoedigd om een wijngaard aan te leggen. 'Bij wijn gaat het niet om het drinken,' had ze gezegd. 'Bij wijn gaat het om leven en liefhebben.'

Diep in gedachten verzonken wandelde Sam naar een hoek van de wijngaard, om even bij een unieke wijnstok te kijken. Deze wijnstok was groot en knoestig, hij groeide, maar niet uitbundig als de anderen. Geen fruit, alleen gesloten bloesems. Ondanks al zijn inspanningen was Sam er niet in geslaagd om deze wijnstok te laten gedijen. En hij voelde ook niet wat deze plant nodig had... hij voelde alleen leegte.

Toen Sam het perceel aan Rainshadow Road kocht en het eens goed bekeek, had hij op de erfgrens deze wilde wijnstok zien groeien. Hij leek op een soort Europese vinifera, door de kolonisten meegenomen naar de Nieuwe Wereld... maar dat was onmogelijk. Alle viniferasoorten waren ten onder gegaan aan insecten, ziekten en het weer.

De Fransen hadden hybriden ontwikkeld, gekruist met lokale soorten, die fruit opleverden zonder dat ze op een ziekteresistente wortelstok hoefden te worden geënt. Misschien was deze wijnstok een van deze oude hybriden. Maar hij leek totaal niet op wat Sam had gezien, in levende lijve en in boeken. Tot nu toe had niemand hem nog kunnen identificeren, zelfs niet de specialist die hij foto's en plantenmateriaal had gestuurd.

'Hoe kan ik helpen?' mompelde Sam. Hij streek met zijn hand over de grote, platte bladeren. 'Wat is jouw geheim?'

Gewoonlijk kon hij de energie in de grond en de wortels voelen, de signalen oppikken die aangaven wat de plant nodig had; een aanpassing in temperatuur, vochtigheidsgraad, licht of voedingsstoffen. Maar de wijnstok bleef stil, getraumatiseerd, ongevoelig voor Sams aanraking.

Na de wandeling door de wijngaard liep Sam naar de keuken om een broodje te smeren. Hij pakte een pak melk en de kaas uit de koelkast. Terwijl hij een boterham met kaas belegde, ging de voordeurbel.

De bezoeker was Kevin Pearson, die Sam al een paar jaar niet had gezien. Ze waren geen vrienden, maar waren allebei op het eiland opgegroeid, waardoor ze elkaar wel regelmatig moesten tegenkomen. Kevin was altijd de knappe, populaire jongen geweest, een sportieve kerel die altijd de mooiste vriendinnetjes had gehad.

Sam, daarentegen, was als puber een echte bonenstaak geweest, en had altijd rondgelopen met de laatste *Popular Science* of een roman van Tolkien onder zijn arm. Hij was opgegroeid als de minst favoriete zoon van zijn vader, het nerdy middelste kind dat liever tweekleppige dieren, garnalen en vormen bestudeerde die in de getijdenpoeltjes in False Bay achterbleven. Hij vond sport wel leuk, maar was nooit zo goed geweest als Mark of zo energiek en vasthoudend als Alex.

De herinnering die Sam van Kevin Pearson nog het meest was bijgebleven, was dat ze in de brugklas samen een verslag moesten maken over een medisch of wetenschappelijk onderwerp. Ze moesten de plaatselijke apotheker interviewen, een poster maken en een verslag schrijven over de geschiedenis van de farmacologie. En omdat Kevin zo lui was en alles altijd uitstelde, had Sam uiteindelijk alles zelf maar gedaan. Ze hadden er een tien voor gekregen, ook Kevin. Maar toen Sam protesteerde en had gezegd dat het niet eerlijk was dat Kevin een even hoog cijfer kreeg ook al had hij niks gedaan, had Kevin hem boos aangekeken.

'Ik heb niet meegeholpen omdat het niet mocht van mijn vader,' had Kevin gezegd. 'Hij zei dat je ouders luie zuiplappen zijn.'

Sam had daar niets tegenin kunnen brengen.

'Ik had ook wel bij jou kunnen komen,' had Sam na een tijdje gezegd. 'We hadden die poster ook wel bij jullie kunnen maken.'

'Je snapt het echt niet, hè? Je mag niet bij ons binnenkomen. Niemand wil dat hun kinderen vriendjes worden met een Nolan.'

Sam had geen enkele reden kunnen bedenken waarom iemand vrienden zou willen worden met een Nolan. Zijn ouders, Jessica en Alan, hadden altijd ruzie, schaamden zich nergens voor en scholden elkaar uit in het bijzijn van hun kinderen of buren, of eigenlijk ongeacht wie er in de buurt was. Ze gooiden al hun geheimen op straat, of het nu ging over geld of seks, of andere privédingen. Terwijl ze elkaar en zichzelf verwoestten, leerden hun kinderen een belangrijke les over het gezinsleven: zij wilden dat totaal niet.

Niet lang na het project met Kevin, toen Sam ongeveer dertien was geweest, was zijn vader verdronken bij een bootongeluk. Het gezin was uiteengevallen; er was totaal geen regelmaat meer wat eten en slapen betreft, geen regels meer. Het verbaasde niemand dat Jessica zichzelf in de vijf jaar na het overlijden van haar echtgenoot langzaam de dood in dronk. En de Nolankinderen voelden zich enorm schuldig dat ze, ondanks al het verdriet, opgelucht waren dat zij er niet meer was. Nooit meer zou midden in de nacht de telefoon overgaan omdat ze hun moeder op moesten halen, omdat ze te dronken was om te rijden en zichzelf voor schut had gezet in het café. Nooit meer gemene grapjes of opmerkingen van buitenstaanders, nooit meer allerlei onverwachte problemen.

Jaren later, toen Sam het perceel aan False Bay had gekocht voor de wijngaard, had hij wat apparaten voor grondwerk moeten huren, en ontdekte hij dat Kevin zijn eigen bedrijf was begonnen. Ze hadden samen een biertje gedronken, wat bijgepraat, grapjes gemaakt. Kevin had het werk voor Sam gedaan voor een fractie van de gewone prijs.

Hij had geen idee waarom Kevin voor de deur zou kunnen staan, dus stak Sam maar zijn hand uit. 'Pearson. Dat is even geleden.'

'Fijn om je te zien, Nolan.'

Ze keken elkaar aan. Sam was een beetje verbaasd dat Kevin Pearson, die uit een familie kwam die totaal geen contact wenste te hebben met de Nolans, nu hier was. De voormalige bullebak van school kon Sam nu niet meer pesten met zijn sociale ondergeschiktheid. Op alle vlakken waren ze elkaars gelijken.

Kevin stak zijn handen in de zakken van zijn korte broek en stapte naar binnen. Hij keek glimlachend om zich heen.

'Het schiet al op, zie ik.'

'Ach, zo blijf ik van de straat,' zei Sam op vriendelijke toon.

'Ik heb gehoord dat jij en Mark jullie nichtje in huis hebben genomen.' Kevin aarzelde even. 'Het spijt me erg van Vickie. Het was een leuke meid.'

Ook al was ze een Nolan, dacht Sam, maar hij zei alleen maar: 'Holly en ik gaan zo lunchen. Wil je ook wat?'

'Nee dank je, ik kan niet lang blijven.'

'Kom je mee naar de keuken? Ik ben met de lunch bezig.'

'Natuurlijk.' Kevin liep achter Sam aan. 'Ik wil je om een gunst vragen,' zei hij, 'hoewel je mij er uiteindelijk waarschijnlijk dankbaar voor zult zijn.'

Sam pakte een grillpan uit een keukenkastje, zette hem op het vuur en druppelde wat olijfolie in de pan. Aangezien hij zich al een tijd geleden had gerealiseerd dat Holly niet groot zou worden op het vrijgezellendieet van pizza en bier, had Sam leren koken. Hoewel hij nog genoeg te leren had, kon hij goed genoeg koken om te voorkomen dat ze verhongerden.

Terwijl Sam tomatensoep in een magnetronschaal goot, vroeg hij: 'Wat moet ik voor je doen?'

'Een paar maanden geleden is het uit geraakt met mijn vriendin. En dat bleek wat meer problemen op te leveren dan ik had verwacht.'

'Wat nou, stalkt ze je of zo?'

'Nee, nee, niet zo. Ze gaat amper de deur uit.'

De broodjes sisten toen Sam ze in de hete pan legde. 'Dat is heel normaal.'

'Ja. Maar ze moet weer verder met haar leven. Ik zat te denken of ik iemand kende die bij haar paste. Om eens gezellig mee uit te gaan. En van wat ik heb gehoord, ben jij momenteel vrijgezel... dat klopt toch?'

Sam keek hem met grote ogen aan en begon langzaam te begrijpen wat Kevin eigenlijk wilde. En toen begon hij te lachen. 'Ik heb geen interesse in je kliekjes. En ik ga je er ook zeker niet voor bedanken.'

'Zo zit het niet in elkaar,' protesteerde Kevin. 'Ze is geweldig. Ze is bloedmooi. Nou ja, niet bloedmooi, maar wel aantrekkelijk. En lief. Heel lief.'

'Als ze zo geweldig is, waarom heb je het dan uitgemaakt?'

'Eh... ik heb iets met haar jongere zusje.'

Sam keek hem zwijgend aan.

Kevins gezichtsuitdrukking kreeg iets defensiefs. 'Kerel, het hart laat zich niet leiden.'

'Ach. Maar waarom moet ik jouw radioactieve afval opruimen?'

'Radioactieve afval?' Kevin herhaalde wat hij zei.

'Elke vrouw zou na zoiets ontploffen. Waarschijnlijk is ze ook behoorlijk radioactief.' Sam keerde behendig de broodjes om. 'Het gaat prima met haar. Ze is klaar voor een nieuw avontuur. Ze weet het alleen nog niet.'

'Waarom laat je haar dat niet zelf beslissen? Waarom wil je zo graag een nieuwe vriend voor haar regelen?'

'De situatie heeft heel wat problemen veroorzaakt binnen de familie. Ik heb me net verloofd met Alice.'

'De jongere zus? Gefeliciteerd.'

'Dank je. Maar eh... de ouders van Alice zijn nogal boos over hoe het is gelopen. Ze willen niet betalen voor de bruiloft of helpen met de voorbereiding en dat soort dingen. En zij wil graag dat alles weer pais en vree is. Maar dat gaat pas als haar zus mij vergeet en iets met een ander krijgt.'

'Nou, veel succes dan maar.'

'Je bent me nog wat schuldig, Nolan.'

Fronsend zette Sam de soep in de magnetron en drukte op het knopje. 'Verdomme,' mompelde hij. 'Ik wist dat het een keer zou gebeuren.'

'Al dat grondwerk dat ik voor je heb gedaan, voor bijna niks. Om nog maar te zwijgen van het verhuizen van die oude wijnstok.'

Dat was waar. De wijnstok zou anders zijn gekapt omdat een nieuwe weg werd aangelegd. Niet alleen had Kevin goed werk geleverd en de plant met veel zorg en aandacht verplaatst, ook had hij Sam maar een fractie van de normale prijs gerekend.

Dus ja. Hij was Kevin iets schuldig.

'Hoe vaak wil je dat ik haar mee uit neem?' vroeg Sam moeizaam.

'Een paar keer. Misschien een keertje iets drinken, en een etentje.'

Sam schepte de knapperige tosti's op borden en sneed die van Holly in vier driehoekjes. 'Als ik deze meid mee uit neem – als ik haar daartoe kan overhalen – dan zijn we klaar, Pearson. Dan is de rekening vereffend. Dan zijn we klaar.'

'Absoluut,' zei Kevin resoluut.

'Hoe wil je dit gaan regelen?'

'Nou, het zit zo...' Kevin keek wat ongemakkelijk. 'Je moet zelf een manier zien te vinden om contact met haar te maken. Als ze erachter komt dat ik er ook maar iets mee te maken heb, dan hapt ze niet.'

Sam staarde hem ongelovig aan. 'Dus je wilt dat ik jouw bittere, misantropische ex opspoor, verleid en mee uit neem?'

'Ja, zo ongeveer.'

'Vergeet het maar. Ik betaal je liever voor het grondwerk.'

'Ik wil je geld niet. Ik wil dat je mijn ex mee uit neemt. Een keer drinken, een keer eten.'

'Ik voel me net een hoer,' zei Sam zuur.

'Je hoeft niet met haar naar bed. Dat...'

'Wat is een hoer, oom Sam?' zei Holly, die net de keuken in kwam lopen. Ze liep naar Sam en legde haar arm om zijn middel. Ze keek stralend naar hem omhoog.

'Boer,' zei hij haastig, terwijl hij haar roze petje achterstevoren op haar hoofd zette, zodat de klep in haar nek lag. 'Die ruiken naar zweet als ze lang buiten hebben gewerkt. Maar zeg maar niet dat oom Mark een boer is, want daar houdt hij niet zo van.' Hij boog voorover toen zij zijn hoofd omlaag trok.

'Wie is dat?' fluisterde ze.

'Een oude vriend van me,' zei Sam. Hij gaf haar het bord met haar broodje, zei dat ze aan tafel moest gaan zitten en schepte de soep in een kom. Hij keek Kevin met samengeknepen ogen aan en vroeg: 'Heb je een foto?'

Kevin haalde zijn telefoon uit zijn achterzak en schoof door de lijst met foto's. 'Hier. Ik stuur hem naar jouw telefoon.'

Sam pakte de telefoon en bekeek de foto van de jonge vrouw. Zijn adem stokte in zijn keel toen hij haar herkende.

'Ze is kunstenaar,' hoorde hij Kevin zeggen. 'Ze heet Lucy Marinn. Ze logeert nu in Vergezicht, in de buurt van haar atelier. Ze maakt glas-in-looddingen... ramen, lampenkappen, mozaïeken... ziet er leuk uit, toch?'

Dit was interessant, op zijn zachtst gezegd. Sam twijfelde even of hij moest zeggen dat hij Lucy al had ontmoet, dat hij haar de vorige avond naar Vergezicht had gebracht. Maar hij besloot het nog even voor zich te houden.

In de gespannen stilte die volgde, zei Holly vanaf de tafel: 'Oom Sam, mijn soep?'

'Hier, scheetje.' Sam zette de kom voor haar neer en stopte een vel keukenpapier in haar kraag.

Nu dat geregeld was, draaide hij zich weer om naar Kevin.

'Dus je doet het?' vroeg Kevin.

'Ja, ik doe het.' Sam wuifde naar de voordeur. 'Ik laat je even uit.'

'Als je Lucy leuk vindt,' zei Kevin, 'moet je haar zusje eens zien. Jonger en knapper.' Alsof hij zichzelf er nog even van wilde verzekeren dat hij, Kevin, de juiste keuze had gemaakt.

'Geweldig,' zei Sam. 'Maar ik red me met deze wel.'

'Oké.' Kevin keek eerder verbaasd dan opgelucht. 'Ik moet zeggen dat ik niet had verwacht dat je zo snel zou instemmen.'

'Geen probleem. Maar er is iets wat ik niet snap?'

'Ja?'

'Waarom heb je het echt uitgemaakt met Lucy? En hang niet zo'n dom verhaal op dat je haar hebt ingeruild voor een jonger en knapper model, want wat deze vrouw niet heeft, heb jij niet nodig. Waarom dus?'

Kevin keek hem aan op de manier waarop mensen soms kijken als ze over hun eigen voeten struikelen en achter zich kijken om te zien wat er op de grond lag. 'Ik kwam er gewoon achter dat ik alles al over haar wist en… het werd wat saai. Het was tijd voor iets nieuws.' Hij fronste zijn wenkbrauwen toen hij Sam zwakjes zag glimlachen. 'Waarom is dat grappig?'

'Dat is niet grappig.' Sam had geen zin om uit te leggen dat hij moest lachen om het feit dat hij en Kevin wat vrouwen betreft nogal op elkaar leken. Hij had nog nooit een relatie gehad die langer duurde dan twee jaar, en dat wilde hij ook niet.

'Hoe weet ik hoe het ermee staat?' vroeg Kevin, terwijl Sam hem de gang door duwde en de voordeur opende.

'Je hoort het vanzelf wel.' Sam zag geen reden om hem te vertellen dat hij Lucy later die dag zou bellen.

'Ik weet het liever van tevoren. Stuur me een sms'je als je met haar uitgaat.'

Sam leunde met zijn schouder tegen de deur en keek hem spottend aan. 'Geen sms'jes, geen e-mails, geen powerpoint-presentaties. Ik ga met je ex uit eten, Pearson. Maar wanneer ik dat doe, en wat er daarna gebeurt, dan zijn mijn zaken.'

✦ Negen ✦

De volgende ochtend luisterde Lucy haar voicemail af; er zat een berichtje bij van Sam Nolan van de vorige avond.

'De flat is nog beschikbaar. Het uitzicht op de haven is fantastisch en het is op maar twee minuten lopen van Vergezicht. Bel me even als je rond wilt kijken.'

Pas rond de lunch had Lucy genoeg moed verzameld om hem te bellen. Ze was altijd vrij zeker geweest over wat ze wilde. Maar sinds het uit was met Kevin, merkte ze dat ze overal twee keer over moest nadenken... zeker wat haar gevoelens aanging.

De afgelopen twee jaar had ze zich volledig op haar relatie met Kevin gestort. Ze had vriendschappen laten versloffen, haar eigen dromen en wensen opzij gezet. Was het mogelijk dat ze dat had proberen te compenseren door in haar relatie zo controlerend en dominant te zijn? Ze wist niet precies hoe ze zichzelf weer op het juiste spoor moest krijgen, zichzelf weer moest vinden. Maar één ding was wel duidelijk. Het had geen zin om iets te beginnen met Sam Nolan, want dat zou toch nooit leiden tot een serieuze relatie.

'Moet elke relatie serieus zijn?' had Justine gevraagd, toen Lucy het haar de vorige avond had uitgelegd.

'Waarom moeite doen als het toch niets oplevert?'

'Ik heb heel veel geleerd van relaties die geen stand hielden. Wat is er belangrijker, de eindbestemming of de reis ernaartoe?'

'Ik weet dat het antwoord daarop "de reis" is,' had Lucy wat droef gezegd. 'Maar ik ben nu eigenlijk wel toe aan een goede eindbestemming.'

Justine had gelachen. 'Je moet Sam zien als een leuke tussenstop, een toeristische attractie om even van te genieten.'

Lucy had haar sceptisch aangekeken. 'Zoals de grootste pompoen ter wereld? Of het Autotron?'

Hoewel ze het sarcastisch had bedoeld, had Justine enthousiast gereageerd. '*Precies*. Of misschien zo'n reizende kermis met draaidingen.'

'Ik haat draaidingen,' zei Lucy. 'Je hebt het gevoel alsof je ergens naartoe gaat, maar als het voorbij is, sta je nog steeds op dezelfde plek. Om nog maar te zwijgen van de duizeligheid en misselijkheid.'

Toch had Lucy Sam uitgenodigd om 's middags langs te komen in haar glasatelier. Hij droeg een zwart poloshirt op een versleten spijkerbroek, en zijn helderblauwe ogen staken opvallend af tegen zijn zongebruinde huid. Toen ze hem binnenliet, voelde ze een vlindertje opfladderen in haar buik.

'Leuke plek,' zei Sam, om zich heen kijkend.

'Het was een garage, maar de eigenaar heeft het verbouwd,' zei Lucy. Ze liet hem haar soldeer- en lichttafels zien, en de bakken met gesneden glas waar ze ramen van maakte. Een grote kast stond vol met potten witsel en kit, met daartussen oude jampotten met penselen en ander gereedschap. Het grootste deel van het atelier werd gevuld met hoge rekken met glasplaten tot aan het plafond. 'Ik verzamel al het glas dat ik tegenkom,' zei Lucy. 'Soms vind ik antiek glas dat ik kan gebruiken bij restauratieprojecten.'

'Wat is dit?' Sam liep naar een stapel blauwgroen glas met zilveraccenten. 'Wat prachtig.'

Ze ging naast hem staan en streelde met haar vingers de glasplaat. 'O, dat was de vondst van het jaar, echt. Hij zou worden gebruikt bij een groot kunstwerk in Tacoma, maar ze kregen de financiering niet rond, dus heeft al dit prachtige glas meer dan twintig jaar bij iemand in de schuur gestaan. Die man wilde het op een gegeven moment kwijt, en ik hoorde erover van een wederzijdse kennis. Ik kreeg het voor bijna niks.'

'Wat ga je ermee doen?' vroeg Sam, die glimlachte om haar enthousiasme.

'Ik weet het nog niet. Iets speciaals. Kijk nou hoe de kleur in het glas wordt weerkaatst, al die blauw- en groentinten.' Voordat ze het in de gaten had, keek ze hem aan en zei ze: 'Net als jouw ogen.'

Hij trok zijn wenkbrauwen op.

'Ik bedoel er niks mee hoor,' zei Lucy haastig.

'Te laat. Ik heb het al verkeerd opgevat.' Sam liep naar de grote elektrische oven in de hoek. 'Wat een geweldige oven. Hoe heet wordt hij?'

'Tot ruim 800 °C. Ik gebruik hem om glas te mengen of smelten. Soms gebruik ik vormpjes om glas te gieten.'

'Je blaast het glas niet?'

Lucy schudde haar hoofd. 'Daarvoor zou ik een grotere oven nodig hebben die altijd heet blijft. En ook al heb ik het wel gedaan, glasblazen is niet mijn sterkste kant. Ik ben meer van de ramen.'

'Waarom?'

'Het is... spelen met licht. Een manier om je wereldbeeld te delen. Je kunt emoties zichtbaar maken.'

Sam knikte naar de speakers op haar werktafel. 'Luister je onder het werken altijd naar muziek?'

'Meestal wel. Als ik glas aan het snijden ben, moet het wel stil zijn. Maar op andere momenten zet ik wat muziek op.'

Sam keek verder rond en bekeek de potten met gekleurde glazen staven en scherven. 'Heb je glas altijd al zo mooi gevonden?'

'Eigenlijk al vanaf groep vier. Mijn vader nam me mee naar een glasblazer. Sindsdien is het echt een obsessie. Als ik te lang niet aan het werk ben, mis ik het echt. Het is een vorm van meditatie, het houdt me geaard.'

Sam liep naar de tafel en keek naar de schets die ze had gemaakt. 'Is glas mannelijk of vrouwelijk?'

Lucy lachte verbaasd; die vraag had ze nog nooit gekregen. Ze dacht er zorgvuldig over na. Je moest het glas laten doen wat het wilde, het niet controleren, het rustig maar krachtig behandelen. 'Vrouwelijk,' zei ze. 'En wijn dan? Is dat vrouwelijk of mannelijk?'

'Het Franse woord voor wijn, *vin*, is mannelijk. Maar ik vind dat het afhangt van de wijn. Natuurlijk…,' Sam grinnikte even, '…is er genoeg in te brengen tegen het seksistische taalgebruik in de wijnwereld. Bijvoorbeeld dat een chardonnay als vrouwelijk wordt gezien, omdat de wijn licht en verfijnd is, of een stevige cabernet mannelijk. Maar soms is er geen andere manier om een wijn te beschrijven.' Hij bekeek de schets opnieuw. 'Vind je het moeilijk om je werken los te laten?'

'Ik heb altijd moeite met afscheid nemen,' zei Lucy, een beetje verlegen lachend. 'Maar het gaat steeds beter.'

Na een tijdje liepen ze van het atelier naar de flat, door de straten van Friday Harbor. Ouderwetse ijssalons en koffiehuisjes stonden schouder aan schouder met moderne kunstgaleries en trendy restaurants. Zelfs het getoeter van de aankomende veerboot kon de lome, vochtige stilte niet verstoren. Een geur van zeewater en diesel hing in de lucht, en zo nu en dan was een vleugje zonnebrandolie en gefrituurde vis te ruiken.

Het multifunctionele gebouw waar de flat was gesitueerd, stond aan West Street, aan het eind van het voetgangersgebied dat bij Front Street begon. Met zijn dakterras en grote ramen zag het er modern en hip uit. Lucy probeerde haar bewondering niet eens te verbergen toen ze het appartement binnen liepen. Het was strak ingericht, met wat moderne kunst, en de kamers waren afgewerkt in hout en natuurlijke tinten.

'Wat vind je ervan?' vroeg Sam, toekijkend hoe Lucy het uitzicht vanuit alle hoeken van de woonkamer testte.

'Fantastisch,' zei ze weemoedig. 'Maar dit kan ik toch nooit betalen.'

'Hoe weet je dat? We hebben het nog niet eens over de prijs gehad.'

'Omdat het veel mooier is dan alle andere appartementen waarin ik ooit heb gewoond, en die kon ik amper betalen.'

'Mark zit echt omhoog. En dit is niet een appartement dat bij iedereen past.'

'Wie zou het niet geweldig vinden?'

'Mensen die niet houden van trappen lopen. Mensen die wat meer privacy willen dan al deze ramen bieden.'

'Ik vind het perfect.'

'Dan is er vast wel iets te regelen.'

'Wat bedoel je daarmee?' vroeg Lucy, direct achterdochtig.

'Ik bedoel dat ik ervoor zal zorgen dat de huur betaalbaar is.' Ze schudde haar hoofd. 'Ik wil jou niets verschuldigd zijn.'

'Ben je ook niet.'

'Natuurlijk wel, als jij zoiets voor me doet. Me financiële gunsten verleent.'

Sam fronste zijn wenkbrauwen. 'Denk je dat ik je hiermee probeer te versieren?' Hij liep op haar af en Lucy deed instinctief een stap achteruit, tot ze met haar rug tegen het granieten keukenblad stond. 'Denk je dat ik op een dag met een snor en hoge hoed voor de deur sta, en om seks vraag in plaats van de huur?'

'Natuurlijk denk ik dat niet.' Lucy werd zenuwachtig toen hij zijn handen aan weerszijden van haar heupen op het keukenblad zette. 'Ik voel... ik voel me er gewoon niet prettig bij.'

Sam leunde naar haar toe zonder haar aan te raken. Hij was zo dichtbij dat ze niet anders kon dan naar zijn gladde, gebruinde nek kijken.

'Lucy,' zei hij. 'Je gedraagt je alsof ik je ergens toe dwing. Dat doe ik niet. Als je meer wilt dan vriendschap, dan ben ik blijer dan een duif met een frietje. Maar ondertussen zou ik het fijn vinden als je me niet in dezelfde categorie plaatst als die lul van een Kevin Pearson.'

Lucy knipperde verbaasd met haar ogen. Ze haalde schokkerig adem, alsof er elke keer een dominosteentje omviel. 'H-hoe weet je zijn naam?'

'Hij kwam gisteren langs, wilde me om een gunst vragen. Een gunst met betrekking tot jou.'

'Hoe... ken je hem?'

'Natuurlijk ken ik hem. In de brugklas deed ik zijn huiswerk om te voorkomen dat hij me achter het fietsenhok in elkaar zou rammen.'

'Ik... wat heeft hij je verteld? Wat wilde hij van je?'

'Hij zei dat hij met je zus gaat trouwen. En hij zei dat je ouders niet willen betalen voor de bruiloft, tenzij Alice het goedmaakt met jou.'

'Dat laatste wist ik niet. Alice maakt zich vast enorme zorgen. Mijn ouders stoppen haar al jaren geld toe.'

Sam duwde zichzelf van haar af en liep naar een hoge kruk. Hij ging zitten. 'Blijkbaar denken Kevin en Alice dat het probleem wordt opgelost als jij iemand anders ontmoet. Ze willen dat iemand jou zo verleidt dat je door de endorfinen je goedkeuring geeft voor hun huwelijk.'

'En die iemand ben jij?' vroeg ze ongelovig. 'Meneer Endorfine?'

'Aangenaam.'

Ze kreeg het gevoel alsof een deken van woede haar verstikte. 'Wat moet ik nu doen?'

Sam reageerde met schouderophalen. 'Doe wat je wilt doen.'

'Ook al zou ik het willen, nu ga ik zéker niet met je uit. Ze zouden me dan achter mijn rug uitlachen omdat ik zo onnozel was.'

'Maar eigenlijk lach jij het laatst,' benadrukte Sam.

'Maakt me niet uit. Ik zou liever hebben dat het nooit was gebeurd.'

'Prima,' zei hij. 'Ik zeg wel dat je er niet in trapte. Dat ik niet je type ben. Maar wees niet verbaasd als ze iemand anders proberen te strikken.'

Lucy kon een lach niet onderdrukken. 'Dit is echt ongelooflijk... waarom kunnen ze me niet gewoon met rust laten?'

'Blijkbaar,' zei Sam, 'geven je ouders alleen hun zegen aan Alice's huwelijk – en zetten ze de geldkraan weer open – als aan één voorwaarde is voldaan.'

'En dat is?'

'Dat jij gelukkig bent.'

'O mijn God,' riep Lucy wanhopig uit. 'Mijn familie is echt *bizar*!'

'Geloof me, het is nog niks vergeleken met de Nolans.'

Ze hoorde amper wat hij zei. '*Nu* vinden ze mijn geluk ineens belangrijk?' zei ze. 'Ze hebben duizenden keren de kans gehad om partij voor mij te kiezen en *nu* ineens willen ze dat ik gelukkig ben? Ze kunnen mijn rug op! En jij ook!'

'Hé, ik ben alleen maar de boodschapper.'

'O ja,' zei Lucy, hem woest aankijkend. 'Jij bent niet het probleem. Jij bent de oplossing. Mijn dosis endorfine. Nou, ik ben er klaar voor. Kom maar op.'

Sam knipperde met zijn ogen. 'Met wat?'

'Endorfine. Als iedereen wil dat ik gelukkig word, nou, toe maar. Dus, geef me je allerbeste shot gelukzaligmakende endorfine.'

Hij keek haar scheef aan. 'Misschien kunnen we beter eerst even gaan lunchen.'

'Nee,' zei Lucy, woedend. 'We doen het nu. Waar is de slaapkamer?'

Sam kon niet kiezen of hij nu moest gaan lachen of zich zorgen moest maken. 'Als je wraakseks wilt, dan wil ik je daar best bij helpen. Maar wil je mij eerst alsjeblieft vertellen op wie je zo boos bent?'

'Op iedereen. Ook op mezelf.'

'Nou, dan lost het weinig op als je met mij het bed in duikt.' Sam zweeg. 'Hoewel ik dat natuurlijk prima zou vinden. Maar dat is niet het punt.' Hij liep op haar af, legde zijn hand op haar schouder en glimlachte. 'Even diep ademhalen. Toe maar. Ademen.'

Lucy gehoorzaamde. Ze haalde een keer diep adem en blies uit. En nog een keer. Tot de rode waas voor haar ogen was verdwenen. Ze liet verslagen haar schouders hangen.

'Kom, we gaan lunchen,' zei Sam. 'We trekken een fles wijn open en gaan praten. En als je dan nog zin hebt in wat endorfine, dan zal ik kijken wat ik voor je kan doen.'

Tien

Ze verlieten het appartement, staken Front Street over en gingen naar Kapitein Hook, een populair visrestaurant. In de zomer was er in Friday Harbor geen fijnere plek om te lunchen dan op het terras, met uitzicht op het eilandje Shaw. Sam bestelde een fles witte wijn en jakobsschelpen uit Alaska omwikkeld met bacon, geroosterd, en geserveerd met een maïssalsa. De zoete, op de tong smeltende jakobsschelpen waren heerlijk in combinatie met het zoute van de bacon en het rokerig zoete van de maïs.

Terwijl ze nipte aan haar gekoelde chardonnay en genoot van Sams nonchalante charme, merkte Lucy dat ze eindelijk begon te ontspannen. Ze vertelde Sam over haar jeugd, de hersenvliesontsteking van Alice en de gevolgen ervan; hoe de verhoudingen in het gezin daarna voorgoed waren verstoord.

'Ik was altijd jaloers op Alice,' zei Lucy. 'Maar uiteindelijk realiseerde ik me dat daar geen enkele reden voor was. Zij groeide op in de verwachting dat alles voor haar werd gedaan, dat ze alles kreeg, en dat is een vreselijke manier van leven. Ze maakt nooit iets af. Ik denk dat mijn moeder er spijt van heeft dat ze haar zo heeft verwend, maar nu is het te laat. Alice verandert niet meer.'

'Het is nooit te laat om te veranderen.'

'Dat zou je niet zeggen als je Alice kent. Het zit echt heel diep. Ik snap serieus niet wat Kevin in haar ziet.'

Sams ogen gingen verborgen achter een pilotenzonnebril. 'En wat zag jij in Kevin?'

Lucy beet op haar onderlip. 'In het begin was hij echt heel attent,' zei ze uiteindelijk. 'Aanhankelijk. Betrouwbaar.'

'En de seks?'

Lucy begon te blozen en keek even om zich heen om te zien of iemand hen kon horen. 'Wat heeft dat ermee te maken?'

Sam haalde lichtjes zijn schouders op. 'Seks is de kanarie in de kolenmijn.' Lucy keek hem niet-begrijpend aan, dus ging hij verder. 'Mijnwerkers namen altijd een kanarie mee naar beneden, de mijn in. Als er een koolstofdioxidelek was, viel de kanarie als eerste dood neer. Dan wisten ze dat ze naar boven moesten. Dus... hoe was de seks?'

'Ik wil er niet over praten,' zei Lucy bits.

Hij glimlachte een beetje spottend. 'Laat maar. Ik weet het antwoord al.'

Ze kreeg grote ogen. 'Heeft Kevin je verteld over ons seksleven?'

Sam kneep zijn ogen samen en dacht na. 'Iets over smeervet, startkabels, een duikmasker...'

'Het was *volledig normaal,*' fluisterde Lucy, nu vuurrood. 'Heel gewone, saaie seks.'

'Dat was mijn tweede gok,' zei hij gewichtig.

Ze fronste haar wenkbrauwen. 'Als je me de hele lunch gaat zitten uitlachen...'

'Ik ga je niet uitlachen. Ik plaag gewoon. Dat is anders.'

'Ik houd niet plagen.'

'Begrepen,' zei Sam, zachter. 'Ik houd al op.'

Toen de serveerster kwam vragen of ze nog wat wilden bestellen, keek Lucy Sam nadenkend aan. Hij was een wandelende paradox... een beruchte vrouwenversierder die veel meer tijd doorbracht in zijn wijngaard dan op vrouwenjacht... een man die iedereen liet denken dat hij totaal niet serieus was, maar tegelijkertijd wel verantwoordelijk was voor een kind.

'Ik vind het gek dat ik je nog nooit eerder heb ontmoet,' zei ze. 'Zeker omdat we allebei vrienden zijn van Justine.'

'Ik heb niet echt tijd voor een sociaal leven sinds ik met de wijngaard ben begonnen. Het is veel werk, vooral in het begin. Niet iets waar je in het weekend gewoon vrij van kunt nemen. En het afgelopen jaar had Holly alle aandacht nodig van Mark en mij.'

'Jullie hebben allebei veel voor haar opgeofferd, niet?'

'Het is geen opoffering. Holly is het beste wat me ooit is over-komen. Wat kinderen betreft, krijg je veel meer terug dan je geeft.' Sam dacht even na. 'Ik kreeg er ook een broer bij.'

'Konden jij en Mark het eerder niet zo goed vinden?'

Sam schudde zijn hoofd. 'Maar het afgelopen jaar hebben we elkaar echt leren kennen. We moeten blind op elkaar kunnen vertrouwen. En eigenlijk is hij best een aardige vent.'

'Ik krijg de indruk,' zei ze aarzelend, 'dat jullie uit een… lastig gezin komen.'

'Het was geen gezin. Zo zag het er misschien aan de buiten-kant uit, maar het was net zomin een gezin als de karkassen die bij de slager hangen een kudde koeien zijn.'

'Wat naar,' zei Lucy. 'Had een van je ouders problemen?'

Sam aarzelde zo lang dat Lucy dacht dat hij niet meer zou antwoorden. 'Elk dorp heeft zijn eigen dronkenlap,' zei hij uit-eindelijk. 'En wij hadden er twee voor de prijs van één.' Hij glim-lachte wrang. 'Een stel getrouwde alcoholisten die elkaar met liefde de dood in dreven.'

'Hebben ze ooit hulp gezocht?'

Hij schudde zijn hoofd. 'En ook als een van hen dat had ge-daan, dan is het bijna onmogelijk om van de alcohol af te ko-men als je onder één dak woont met iemand die nog wel drinkt.'

Het gesprek had een heel andere wending gekregen, gren-zen werden afgetast, dit was gevaarlijk terrein.

'Zijn ze altijd zo geweest?' vroeg Lucy.

'Zolang ik me kan herinneren. Zodra we oud genoeg waren, zijn we een voor een uit huis gegaan. Tot alleen Alex nog over was. En nu…'

'Is hij alcoholverslaafd?'

'Ik weet niet zeker waar ik die grens moet trekken. Maar als hij hem nog niet heeft overschreden, dan gaat dat binnenkort wel gebeuren.'

Geen wonder dat hij zo'n moeite had om zich te binden, dacht Lucy. Geen wonder dat hij een probleem had met relaties die verder gingen dan het fysieke. Eén drinkende ouder was al genoeg om een gezin te ontwrichten. De kinderen waren altijd op hun hoede, groeiden op met manipulatie en geweld. Maar met twee alcoholisten in huis… was het nergens veilig. Niemand die je kon vertrouwen.

'En ondanks de problemen van je ouders,' vroeg Lucy, 'besloot je toch om de wijn in te gaan?'

'Ja hoor. Dat mijn ouders drinken, betekent niet dat ik niet van wijn mag houden. Trouwens, ik zie mezelf meer als druiventeler dan wijnmaker. Druivenboer.'

Lucy vond dat grappig. Hij was zo nonchalant en sexy, met zijn donkere pilotenbril op, dat Sam totaal niet op een boer leek. 'Wat vind je het leukst aan het telen van druiven?'

'Het is een mix van wetenschap, hard werken… en een beetje magie.'

'Magic,' herhaalde Lucy. Ze staarde hem aan.

'Echt. Een wijnboer kan elk jaar dezelfde druif op dezelfde plek neerzetten, en toch elk jaar een ander resultaat krijgen. Het aroma van de druiven vertelt je veel over de samenstelling van de grond, het aantal uren zonneschijn, hoe hard het waaide en hoeveel regen er viel. Het is een unieke expressie van een plek en een seizoen. De Fransen noemen het *terroir*.'

Het gesprek werd onderbroken door de serveerster, die hun waterglazen bijvulde. De lunch verliep verder heel plezierig en Lucy ontspande zich, en genoot veel meer dan ze had verwacht.

Sam kon zich op een fantastische manier op één persoon focussen, erg vleiend voor een vrouw met een gekwetst ego. Hij was slim, bescheiden en zo charmant dat ze gemakkelijk voor hem kon vallen.

Maar toch vergat ze niet dat hij het type was dat je overdonderde, nam wat hij wilde en je ervan overtuigde dat dit ook was wat jij wilde. Hij liet je achter hem aan rennen, tot jij uitgeput was en hij, zonder om te kijken, alweer op zoek was naar een volgend slachtoffer. En jij had geen enkele reden om te klagen, omdat hij je helemaal niets had beloofd.

Uiteindelijk kwam de serveerster met de rekening. Sam legde zijn hand over die van Lucy toen ze haar tas wilde pakken. 'Waag het niet,' zei hij, waarna hij de serveerster zijn creditcard gaf.

'Dit was geen afspraakje, ik betaal de helft,' protesteerde Lucy.

'Ik betaal, als dank voor je gezelschap.'

'Dank je,' zei ze, gemeend. 'Het was echt gezellig. Ik heb zelfs zo genoten dat niets dit meer kan verpesten.'

'Klop het af.' Hij voegde de daad bij het woord.

Ze lachte. 'Ben je zo bijgelovig?'

'Natuurlijk. Ik kom van het eiland. Ik ben opgegroeid met bijgeloof.'

'Zoals?' vroeg Lucy, geïnteresseerd.

'De wensstenen op South Beach. Die ken je toch wel? Nee? Mensen lopen daar altijd te zoeken. Gladde stenen met een witte ring erom. Als je er eentje vindt, doe je een wens en gooi je de steen weer in zee.'

'Heb jij dat ook gedaan?'

'Een paar keer.'

'En, zijn je wensen uitgekomen?'

'Nog niet. Maar wensen hebben geen uiterste houdbaarheidsdatum.'

'Ik ben niet bijgelovig,' zei Lucy. 'Maar ik geloof wel in magie.'

'Ik ook. Het heet wetenschap.'

'Ik geloof echt in magie,' zei Lucy iets nadrukkelijker.

'Zoals?'

Voordat Lucy antwoord kon geven, zag ze een stel het terras op lopen. Ze werd lijkbleek. '*Shit*,' fluisterde ze. Het blosje op haar wangen was helemaal verdwenen. Ze voelde zich niet goed worden. 'Je had gelijk. Ik heb het ongeluk over mezelf afgeroepen.'

Sam volgde haar blik en zag Kevin en Alice. Hij fronste zijn wenkbrauwen en pakte haar hand beet. 'Kijk me aan, Lucy.'

Ze keek hem aan en slaagde erin om zwakjes te glimlachen. 'Nu is er geen ontwijken meer aan, hè?'

'Nee.' Hij hield haar hand stevig vast, geruststellend. 'Maar je hoeft ook nergens bang voor te zijn.'

'Ik ben niet bang. Ik ben er gewoon nog niet aan toe.'

'Hoe wil je dit gaan spelen?'

Lucy keek hem wanhopig aan en nam toen een spontaan besluit. 'Kus me,' zei ze.

Sam knipperde een paar keer met zijn ogen. 'Nu?'

'Ja.'

'Wat voor soort kus?'

'Hoe bedoel je, wat voor soort kus. Gewoon, een kus.'

'Een vriendschappelijke kus, een romantische kus? Hebben we een soort van verkering of...'

'O, hemeltjelief,' riep ze uit en trok zijn hoofd omlaag naar het hare.

✦ Elf ✦

Sam reageerde zonder te aarzelen toen hij Lucy's kleine hand in zijn nek voelde. Hij had haar al de hele lunch willen zoenen; hij was gefascineerd door haar stekelige kwetsbaarheid, de manier waarop hij haar ogen maar niet kon doorgronden. Hij bleef maar denken aan hoe ze zo vol passie en warmte over haar werk had gesproken, hoe haar vingers onbewust over het glas streelden alsof het de huid van haar minnaar was.

Hij wilde Lucy meenemen naar zijn bed en haar daar houden tot al die spanning uit haar lichaam was verdwenen en ze loom en voldaan in zijn armen lag. Hij wilde haar proeven en drukte zijn lippen tegen de hare, raakte met het puntje van zijn tong de hare aan. De glazige zachtheid wond hem op en hij voelde de hitte door zijn lichaam stromen. Haar lichaam was frêle maar sterk, gaf zich nog niet helemaal aan hem over. Dat sprankje star verzet zorgde ervoor dat hij haar wilde vastpakken, haar tegen zich aan wilde drukken tot ze waren samengesmolten.

Hij realiseerde zich dat deze intieme scène iets te ver ging voor de openbaarheid – en hij was bang dat hij zichzelf niet in kon houden – en daarom brak hij de kus af en bewoog hij zijn hoofd net genoeg naar achteren om in haar glazige, groene ogen te kunnen kijken. Haar porseleinen huid gloeide. Haar ademhaling verwarmde zijn lippen bij elke uitademing, zinnenprikkelend.

Lucy's ogen schoten heen en weer. 'Ze hebben ons gezien,' fluisterde ze.

De woorden onderbraken zijn gedachten over wat hij met haar wilde doen en Sam voelde zich ietwat geïrriteerd. Hij wilde helemaal niets te maken hebben met die twee idioten, wilde niet praten, wilde niets anders doen dan zijn vriendin meenemen naar zijn bed.

Hij voelde een lichte paniek opkomen. *Zijn vriendin...?* Zoiets had hij nog nooit gedacht. De behoefte om een specifieke vrouw te claimen, haar exclusief te willen bezitten, dat paste niet bij hem. Zou nooit bij hem passen.

Dus waarom wilde hij het zo graag?

Hij legde een arm om Lucy's schouders en draaide zich om naar Kevin en Alice, die hen zo ontzet aankeken dat het bijna komisch was.

'Nolan,' zei Kevin. Hij durfde Lucy niet aan te kijken.

'Pearson.'

Ietwat ongemakkelijk stelde Kevin hem voor. 'Sam Nolan, dit is mijn... vriendin, Alice.'

Alice stak een slanke arm uit en Sam drukte haar de hand. Een hele rits armbanden tinkelde om haar pols. Ze was net als Lucy slank, met hetzelfde donkere, dikke haar. Ze was echter té dun en hoekig, wiebelde op hoge sleehakken, met jukbeenderen die als vangrails vooruit staken. Door de zware make-up had ze ogen als wasbeertjes en glom ze ongemakkelijk. Hoewel Sam al had besloten dat hij Alice niet mocht, had hij toch medelijden met haar. Ze zag eruit als een vrouw die te hard haar best deed, een vrouw die haar onzekerheid verraadde in haar noeste pogingen om die te verbergen.

'Ik ben zijn verloofde,' zei Alice broos.

'Gefeliciteerd,' zei Lucy. Hoewel ze haar best deed om haar gevoelens te verbergen, waren pijn, woede en kwetsbaarheid razendsnel na elkaar op haar gezicht te lezen.

Alice keek haar aan. 'Ik wist niet hoe ik het je moest vertellen.'

'Ik heb al met mam gesproken,' antwoordde Lucy. 'Hebben jullie al een datum?'

'We zitten te denken aan het eind van de zomer.'

Sam besloot dat het gesprek lang genoeg had geduurd. Het was tijd om te vertrekken voordat het vuurwerk begon. 'Veel succes,' zei hij kortaf, Lucy met zich mee trekkend. 'We moeten gaan.'

'Nog een fijne lunch,' voegde Lucy er wat monotoon aan toe.

Sam hield Lucy's hand beet toen ze naar buiten liepen. Ze had een vreemde blik op haar gezicht, afstandelijk. Hij had het gevoel dat als hij Lucy nu losliet, ze verdoofd zou rondlopen, als een achtergelaten winkelkarretje dat stuurloos over een parkeerterrein rolt.

Ze staken de straat over en liepen in de richting van het atelier.

'Waarom zei ik dat?' vroeg Lucy plotseling.

'Wat?'

'"Nog een fijne lunch." Dat meende ik helemaal niet. Ik hoop dat ze een vreselijke lunch hebben. Ik hoop dat ze erin stikken.'

'Geloof me,' zei Sam droogjes, 'niemand dacht dat je het meende.'

'Alice zag er erg dun uit. Niet gelukkig. Wat vind je van haar?'

'Ik denk dat jij honderd Alices waard bent.' Sam ruilde met haar van plek en liep langs de stoeprand.

'Maar waarom heeft Kevin...' Ze schudde ongeduldig haar hoofd en maakte de zin niet af.

Sam aarzelde even. Niet omdat hij een reden moest bedenken, hij wist wel waarom. Maar Lucy deed iets met hem, riep een soort kwetsbaarheid in hem op, een onbestemd gevoel van *iets...* hij wist niet wat, maar het voelde onprettig.

'Kevin koos voor je zus omdat hij zich superieur wil voelen,' zei hij.

'Hoe weet jij dat?'

'Omdat hij het type is dat een vrouw wil die afhankelijk van hem is. Hij moet de baas zijn. Hij voelde zich om nogal duidelijke redenen tot jou aangetrokken, maar op de lange termijn zou het nooit wat worden.'

Lucy knikte, alsof dat haar vermoedens bevestigde. 'Maar waarom al zo snel trouwen? Toen ik mam aan de telefoon had, zei ze dat Alice net haar baan heeft verloren. Misschien wist ze niet wat ze anders moest doen. Maar dat verklaart nog niet waarom Kevin erin meegaat.'

'Zou je hem terugnemen?'

'Nooit.' Haar stem kreeg iets troosteloos. 'Maar ik dacht dat hij gelukkig was met mij, terwijl dat duidelijk niet zo was. Niet goed voor je ego.'

Sam bleef op de hoek van de straat staan en draaide zich naar haar om. Hij wilde niets liever dan haar meenemen naar het appartement en haar laten zien hoe hij dacht haar gekrenkte ego te kunnen genezen. Terwijl hij haar smalle, gevoelige gezicht bekeek, bedacht hij dat dit voor hem een nieuwe ervaring was... een aantrekkingskracht die elke seconde die hij met haar doorbracht sterker leek te worden.

Maar hoe erg zou hij haar kwetsen als het weer voorbij was? Met een geamuseerd gevoel van zelfspot realiseerde Sam zich dat zijn instinct om haar te verleiden even sterk was als het verlangen om haar voor hemzelf te waarschuwen.

Hij glimlachte lichtjes, tilde zijn hand op en streek langs haar kaaklijn. 'Je neemt het leven behoorlijk serieus, niet?'

Ze fronste. 'Hoe moet ik het anders nemen?'

Sam grijnsde. Met beide handen pakte hij haar gezicht en zachtjes drukte hij een kus op haar lippen. Haar huid was heet, hij voelde haar hartslag tegen zijn vingers als een kloppende tatoeage. Het contact, hoe kort ook, had hem meer opgewonden dan hij had gewild, en veel sneller dan hij had verwacht.

Hij ging rechtop staan en haalde een paar keer diep adem, om dat pijnlijke verlangen weg te wensen.

'Als je ooit interesse hebt in een zinloze fysieke relatie die absoluut nergens naartoe gaat,' zei hij, 'dan hoop ik dat je me dat laat weten.'

Ze liepen zwijgend verder tot ze voor Lucy's atelier stonden.

Lucy bleef voor de deur staan. 'Ik heb wel interesse in de flat, Sam,' zei ze voorzichtig. 'Maar niet als dat problemen op gaat leveren.'

'Nee hoor,' zei Sam, die net tot de conclusie was gekomen dat hoe graag hij ook iets wilde beginnen met Lucy Marinn, deze verhouding nooit goed af zou kunnen lopen. Hij glimlachte en gaf haar nog een platonische omhelzing. 'Ik geef het door aan Mark en bel je nog.'

'Oké.' Lucy trok zich terug en glimlachte onzeker. 'Bedankt voor de lunch. En nog meer dat je me door de eerste confrontatie met Kevin en Alice hebt geloodst.'

'Ik heb niets gedaan,' zei hij. 'Je had het zelf ook prima gedaan.'

'Ik weet het. Maar met jou was het gemakkelijker.'

'Goed,' zei hij, nog een keer glimlachend voordat hij wegliep.

'Het zit scheef,' zei Holly die ochtend toen ze de keuken binnenkwam.

Sam keek op van zijn muesli. 'Wat zit scheef?'

Het meisje draaide zich om en liet haar achterhoofd zien. Ze had Sam gevraagd om twee staarten te maken, een proces dat begon met het trekken van een kaarsrechte middenscheiding. De staarten mochten niet te laag hangen, of te hoog, niet te los zijn en ook niet te strak. Gewoonlijk deed Mark haar haar, omdat hij het precies zo kon als ze wilde. Maar Mark was bij Maggie blijven slapen, en was, anders dan normaal, nog niet teruggekomen.

Sam keek naar de middenscheiding op Holly's achterhoofd. 'Hij is zo recht als een kattenstaart.'

Ze keek hem lichtelijk wanhopig aan. 'Kattenstaarten zijn niet recht.'

'Wel als je eraan trekt,' zei hij, plagerig aan een van haar staarten trekkend. Hij zette een kom muesli voor haar op tafel.

'Je komt te laat op school als ik het opnieuw moet doen.'

Holly zuchtte diep. 'Dus moet ik de hele dag *zo* rondlopen.' Ze hield haar hoofd iets scheef zodat de staarten recht hingen.

Sam lachte en verslikte zich bijna in zijn koffie. 'Als je je ontbijt snel opeet, kan ik het misschien nog herstellen.'

'Wat herstellen?' zei Mark, die net de keuken binnen kwam lopen. Hij liep op Holly af en ging naast haar op zijn knieën zitten. 'Goeiemorgen, schatje.'

Ze sloeg haar armen om zijn nek. 'Goeiemorgen, oom Mark.' Ze gaf hem een kus en drukte haar gezicht tegen zijn schouder. 'Kun jij mijn haar doen?'

Mark keek haar meelevend aan. 'Heeft Sam het weer scheef gedaan? Ik doe het zo. Maar eet eerst je ontbijt op, nu het nog knapperig is.'

'Hoe gaat het?' vroeg Sam, terwijl Mark de koffiepot leeggoot en het oude filter in de prullenbak gooide. 'Alles oké?'

Mark knikte, maar keek vermoeid en ietwat van streek. 'Heerlijk gegeten met Maggie gisteravond, alles gaat goed, we zitten alleen even met een wat lastige planning.' Hij zweeg en keek Sam fronsend aan. 'We zijn bezig met de bruiloft. Hij moet misschien iets worden vervroegd. Ik vertel je later meer.'

'Waarom zo'n haast?' vroeg Sam. 'Het is niet zo dat een verloving verloopt of zo.'

Mark vulde het koffiezetapparaat bij. Hij wierp Sam een steelse blik toe. 'Nou, er zit toch wat haast achter.'

'Ik snap het niet. Waarom…' Toen begreep hij het. Sam keek hem met grote ogen aan. 'Hebben we het over een negenmaandendeadline?' vroeg hij voorzichtig.

Een licht knikje.

'Krijgt Maggie een baby?' vroeg Holly met een mond vol muesli.

Mark draaide zich om en vloekte stilletjes, terwijl Sam Holly ongelovig aankeek. 'Hoe wist je wat ik vroeg?'

'Discovery Channel.'

'Bedankt, Sam,' mompelde Mark.

Sam grinnikte en sloeg zijn armen om hem heen. 'Gefeliciteerd.'

Holly sprong van haar stoel en begon op en neer te springen.

'Mag ik helpen met de baby? Mag ik een naam helpen bedenken? Krijg ik vrij van school als de baby komt? Wanneer komt de baby?'

'Ja, ja, ja en dat weten we nog niet,' zei Mark. 'Lieverd, kunnen we dit nog even stil houden? Maggie en ik willen het nog niet vertellen.'

'Tuurlijk,' zei Holly stralend. 'Ik kan heel goed geheimen bewaren.'

Mark en Sam wisselden een gelaten blik, omdat ze allebei heel goed beseften dat aan het eind van de dag de hele lagere school het zou weten.

Toen Mark Holly naar school had gebracht en weer thuiskwam, was Sam bezig met het beitsen van de nieuwe lambrisering in de woonkamer. De beits, een donker walnootbruin, rook sterk, ook al had Sam de ramen geopend voor extra ventilatie.

'Alleen binnenkomen als je high wilt worden,' waarschuwde Sam.

'In dat geval kom ik je zeker helpen.'

Sam grinnikte even toen Mark de kamer in liep. 'Beetje onverwacht nieuws? Hadden jullie nog geen plannen?'

'Nee.' Mark zuchtte diep en ging naast hem zitten. Hij pakte een kwast.

'Lambrisering beitsen is rotwerk,' zei Sam. 'Je moet het goed in de groeven duwen. En, hoe reageerde jij toen Maggie het je vertelde?'

'Honderdtien procent positief natuurlijk. Ik zei dat dit het beste nieuws was dat ik ooit had gehoord, dat ik van haar hield en dat alles geweldig zou worden.'

'Wat is dan het probleem?' vroeg Sam.

'Ik ben doodsbang.'

Sam lachte stilletjes. 'Dat is heel normaal, denk ik.'

'Ik maak me vooral zorgen om Holly. Ik wil niet dat ze zich opzijgeschoven voelt. Ik wil wat extra tijd en aandacht aan haar besteden, dat Maggie en ik laten zien dat we van haar houden.'

'Ik denk dat Holly precies het tegenovergestelde nodig heeft,' zei Sam. 'Jemig, Mark, wij tweeën, en soms Alex ook nog, zitten haar al een jaar op de lip. Het arme kind kan wel even een pauze gebruiken. En straks met de baby heeft Holly er gezelschap bij. Ze vindt het vast fantastisch.'

Mark keek hem twijfelend aan. 'Denk je?'

'Ik weet het wel zeker. Een moeder, een vader en een klein broertje of zusje: een perfect gezin.'

Mark veegde de beits heen en weer. Het bleef een paar minuten stil voor hij de moed op had gebracht om eindelijk toe te geven wat hem nou zo dwarszat. 'Ik hoop echt dat ik goed genoeg voor ze kan zijn, Sam.'

Sam snapte het helemaal. Als je uit een disfunctioneel gezin kwam als het hunne, had je er geen idee van hoe dingen werkten. Je had geen goed voorbeeld, geen hoofd vol herinneringen om op terug te grijpen als je wilde weten hoe je een bepaalde situatie moest aanpakken. Je wilde alleen maar niet zo worden als je ouders. Maar garanties waren er niet. Alleen de hoop dat als jij gewoon alles heel anders deed dan je ouders, het misschien wél goed zou gaan.

'Je bent al goed genoeg,' zei Sam.

'Ik ben nog niet klaar voor het vaderschap. Ik ben zo bang dat ik steken laat vallen.'

'Maak je geen zorgen over steken. Zolang je de baby maar niet laat vallen.'

Mark keek hem geïrriteerd aan. 'Ik probeer je te vertellen dat ik denk dat ik minder perfect ben dan iedereen denkt.'

'Daar twijfel ik niet aan,' zei Sam, grinnikend om Marks boze gezicht. Nuchter ging hij verder: 'Jij, Alex en ik hebben als Nolans heel wat meegemaakt. Maar jij bent toch het beste terechtgekomen. Ik zie jou al helemaal voor me met een kindje in je armen. Dat je een goede relatie hebt, is al heel wat, zeker als je mij en Alex bekijkt.'

'Ik heb het ook gemakkelijker gehad dan jij en Alex,' zei Mark na een korte stilte. 'Mam en pap waren in het begin van hun huwelijk nog niet zo erg. Pas nadat Alex was geboren, ging het echt mis met de alcohol. Ik heb dus kunnen profiteren van... nou ja, niet een perfect gezinsleven... maar in elk geval van een oké jeugd. Jij hebt die nooit gehad.'

'Ik had de Harbisons,' zei Sam.

Mark liet zijn verfkwast boven de pot hangen. 'Die was ik helemaal vergeten.'

'Ik zou net zo zijn geëindigd als Alex,' zei Sam, 'misschien nog wel erger, als zij er niet waren geweest. Fred had zelf geen kinderen, maar wist beter wat vaders moesten doen dan de onze. Wat me weer terugbrengt bij wat ik wilde zeg... het komt helemaal goed met jou.'

'Hoe weet je dat?'

'Herinner je je nog dat toen we Holly net hadden, ze om tien uur 's avonds tegen de muren opklom, en de kinderarts ons moest uitleggen wat "oververmoeid" betekende?'

'Ja. Maar wat heeft dat hiermee te maken?'

'Wij hadden er geen idee van hoe we kinderen moesten opvoeden. Zelfs de simpelste dingen wisten we niet. Maar toch gaat het fantastisch met Holly. Jij hebt het meer dan goed gedaan. Ga dus gewoon verder met improviseren en uitproberen; zo doen de meeste ouders het, denk ik. En als je dan toch nog twijfelt, doe dan wat je hart je ingeeft. Want dat is het belangrijkste. Dat je je hart, je liefde met iemand kunt delen.'

'Jezus, je wordt wel sentimenteel van dit spul zeg.' Mark keek al veel minder gespannen en glimlachte. 'Dankjewel.'

'Geen dank.'

'Nu jij mij van al die handige adviezen voorziet... hoe groot is de kans dat jij je gaat bedenken?'

'Over trouwen? Echt niet. Ik hou te veel van vrouwen om een van hen dat aan te doen. Ik ben net zomin geschikt voor het huwelijk als Alex.'

'Hé... heb jij Alex nog gezien?'

'Een paar dagen geleden nog,' zei Sam. 'Heel eventjes maar.'

'Hoe gaat het met hem?'

'Hij is oververmoeid.'

Mark glimlachte zakjes. 'Elke keer wanneer ik Alex zag, was hij ladderzat.'

'Ik denk dat hij niet anders meer kan.' Sam zweeg. 'Hij zit ook diep in de schulden. Darcy heeft hem totaal uitgekleed.'

'Boontje komt om zijn loontje. Hij had nooit met haar moeten trouwen.'

'Da's waar.'

Ze zaten nog een paar minuten zwijgend te beitsen. 'Kunnen we iets doen?' vroeg Mark uiteindelijk.

'Wachten tot hij zijn dieptepunt heeft bereikt.'

'En wat als hij te pletter slaat? Onze ouders hebben het ook niet overleefd.'

Sam werd misselijk van de verfdamp, drukte de deksel op de beitspot en liep naar het open raam. Hij ademde een paar keer diep in. Frisse lucht. 'Misschien kunnen we een interventie doen,' zei hij met twijfel in zijn stem.

'Als dat betekent dat we hem een schop onder zijn kont kunnen geven, graag.'

Sam keek even over zijn schouder naar de wijngaard, waar de groene ranken inmiddels hun takken naar de hemel uitstrekten. 'Bij Alex gaat dat niet helpen,' hoorde hij zichzelf zeggen. De lucht was doordrenkt met de geur van rijpende druiven, de zinderende warmte van de zon op de dakpannen, zoete bramen en de zoute, vruchtbare geur van False Bay.

Toen het vorig jaar heel slecht ging, kwam Alex om wat te klussen of om gewoon op de veranda te zitten. Soms had Sam hem ertoe kunnen overhalen met hem door de wijngaard of naar de baai te wandelen. Maar Sam had het gevoel gehad dat Alex zijn omgeving totaal niet waarnam... hij leefde zijn leven zonder het te ervaren.

Van alle Nolans had Alex het 't zwaarst gehad. De vele jaren van verwaarlozing door zijn ouders hadden hem totaal gebroken. Alex probeerde, ook al leefden Jessica en Alan al lang niet meer, wanhopig zijn hoofd boven water te houden. Hij zakte echter steeds vaker en langer onder het water weg. En er was zo weinig dat ze konden doen om Alex te redden. Als je te dicht bij een drenkeling komt, grijpt die je vast om je mee onder water te trekken. En Sam wist niet of hij wel in staat was om iemand te redden – hij wist niet eens of hij zichzelf wel kon redden.

Lucy werd de volgende ochtend verward wakker. Ze had heftige dromen gehad, vol beelden van lichamen die om elkaar heen kronkelden, sensueel en gespannen... Ze had ook zichzelf gezien, vastgepind onder het zware maar welkome gewicht van een man. Ze had gedroomd over Sam, besefte ze geïrriteerd. Misschien was het een goed teken; het was in elk geval een teken dat ze Kevin aan het loslaten was. Maar aan de andere kant was het ook idioot. Sam had duidelijk aangegeven dat hij geen interesse had in een serieuze relatie.

Wat zij nodig had, besloot Lucy, was frisse lucht en beweging. Ze liep van het pension naar haar atelier om haar fiets en helm op te halen. Het was een prachtige dag, zonnig met een licht briesje, perfect voor een tochtje langs de lokale lavendelboerderij om handgemaakte zeep en badolie te halen.

Ze fietste op haar gemak over Roche Harbor Road. Hoewel dit de drukste weg was op het eiland, was er een vrij brede strook voor fietsers. Het uitzicht op de boomgaarden, weilanden, vijvers en bossen was prachtig. De prettige monotonie van het ritje bracht haar helemaal tot rust.

Ze dacht na over hoe ze zich gisteren had gevoeld, toen ze Kevin en Alice samen had gezien. Tot haar genoegen realiseerde ze zich dat ze niets meer voor hem voelde. Het echte probleem, en de reden waarom ze toch nog verdriet had, was haar relatie met Alice. Lucy besefte dat vergeving ook voor haar zelf belangrijk was. Anders zou de pijn van het verraad haar blijven achtervolgen. Maar wat als Alice weigerde berouw te tonen? Hoe vergaf je iemand die zich totaal niet schuldig voelde voor wat ze had gedaan?

Lucy hoorde een auto aankomen en reed zo dicht mogelijk langs de berm, om de chauffeur meer ruimte te geven. Maar het volgende moment voelde ze dat de auto te hard reed en hoorde ze het geluid van de motor direct achter zich. Ze keek over haar schouder. De auto, een grote vierdeurs, begon te slingeren en kwam recht op haar af. Een flits, en ze voelde hoe de auto haar aanzoog net voordat hij haar fiets raakte. Het idyllische tafereeltje spatte uiteen als een kaartenhuis dat omver wordt geblazen. Ze vloog door de lucht, zweefde, buitelde over zichzelf tussen de luchtmoleculen, vlagen van bos, asfalt en metaal, en zag toen met de snelheid van het licht de grond op zich af komen.

Toen ze haar ogen opende, dacht ze eerst dat het ochtend was, tijd om op te staan. Maar ze lag niet in bed. Ze lag in het gras. Boven zich zag ze de hoofden van een man en een vrouw.

'Je mag haar niet verplaatsen,' waarschuwde de vrouw. Ze hield een mobieltje tegen haar oor.

'Ik doe alleen haar helm af,' zei de man.

'Ik denk dat je dat ook niet moet doen. Misschien heeft ze haar rug gebroken ofzo.'

De man keek bezorgd toen Lucy zich probeerde te bewegen. 'Wacht, rustig aan. Hoe heet je?'

'Lucy,' hijgde ze, morrelend aan het kinriempje van haar helm.

'Hier, ik help je even.'

'Hal, ik zei toch…,' begon de vrouw.

'Ik denk dat het wel kan. Ze beweegt haar armen en haar benen.' Hij klikte de helm los en haalde hem voorzichtig van Lucy's hoofd. 'Nee, nog niet gaan zitten. Je hebt een behoorlijke smak gemaakt.'

Lucy bleef stil liggen en inventariseerde waar het zeer deed.

Haar rechterzij voelde beurs en branderig, haar schouder klopte lichtjes en ze had gigantische hoofdpijn. Het ergste waren haar rechterbeen en voet, die voelden alsof ze in brand stonden.

De vrouw boog zich over haar heen. 'Er is een ambulance onderweg. Kan ik iemand voor je bellen?'

Ze klappertandde. Hoe harder ze probeerde om het te stoppen, hoe erger het werd. Ze had het koud, en het afgekoelde zweet verzamelde zich onder haar kleren. Haar neus was verstopt met bloed, stof en de geur van zout en metaal..

'Rustig, rustig,' zei de man, terwijl Lucy steeds sneller en ondieper begon te ademen. 'Haar pupillen zijn vergroot.'

'Shock.' De vrouwenstem leek van ver weg te komen, gevolgd door ruis.

Ze dacht aan een naam. Justine. Het bij elkaar zoeken van de lettergrepen voelde als bladeren zoeken in een storm. Ze hoorde geluid uit haar mond komen. Was de naam duidelijk genoeg?

'Oké,' zei de man geruststellend. 'Probeer maar niet meer te praten.'

Meer geluiden, auto's, knipperlichten, de rode gloed van een ambulance. Stemmen. Vragen. Het steeds vagere bewustzijn van onbekende handen op haar lichaam, een zuurstofmasker over haar mond en neus, de prik van een infuusnaald. En toen zakte alles weg en tuimelde ze in het niets.

Twaalf

Lucy kwam beetje bij beetje weer bij bewustzijn; alle puzzelstukjes lagen door elkaar en ze snapte niet helemaal wat er aan de hand was. De geur van latex, pleisters, ontsmettingsmiddel. Het geluid van stemmen, rollende wielen van een kar of bed, rinkelende telefoon, gebliep van een monitor. Tot haar grote schrik praatte ze als een actrice die slecht was nagesynchroniseerd; de woorden klopten niet helemaal met haar mond.

Ze droeg een dun ziekenhuisjasje waarvan ze niet wist wanneer ze het had aangekregen. In haar hand zat een infuus, vastgeplakt met een pleister. Elke keer wanneer een verpleegkundige het gordijn opzij schoof om bij haar te komen kijken, maakten de wieltjes boven in de rail een gek geluid, alsof er iemand eieren stond te kloppen in een metalen mengkom.

Haar rechterbeen en -enkel zaten in een spalk. Ze herinnerde zich vaag dat ze was onderzocht en dat er röntgenfoto's waren gemaakt. Ook al besefte ze dat ze enorm veel mazzel had gehad, dat het veel slechter had kunnen aflopen, toch verstikte het verdriet haar als een dikke deken. Ze draaide haar hoofd opzij en hoorde het plastic in het kussen onder haar hoofd kraken. Een traan die over haar wang liep, werd opgeslurpt door de kussenhoes.

'Hier.' De verpleegkundige gaf haar een zakdoek. 'Dat is heel normaal na een ongeluk,' zei ze toen Lucy haar ogen depte. 'Dat zal de komende dagen nog wel vaker gebeuren.'

'Dank je.' Lucy kneep in de zakdoek. 'Wat is er mis met mijn been?'

'De arts is je röntgenfoto's aan het bekijken. Hij komt zo langs om met je te praten.' De vrouw glimlachte vriendelijk. 'Je hebt trouwens bezoek.' Ze schoof het gordijn opzij en bleef even geschrokken staan. 'O! Je had eigenlijk even moeten wachten in de familiekamer.'

'Ik moest haar zien,' zei Justine vastberaden.

Lucy moest een beetje glimlachen.

Justine kwam als een frisse wind binnenwaaien. Haar paardenstaart zwiepte heen en weer en haar aanwezigheid verwarmde de kille, steriele ziekenhuiskamer. Lucy kreeg tranen in haar ogen van opluchting dat ze haar vriendin weer zag.

'Lucy... lieverd...' Justine liep naar haar bed en legde voorzichtig de infuusslang opzij die onder Lucy's arm klem zat. 'Mijn God. Ik durf je amper te knuffelen. Hoe erg is het? Iets gebroken?'

Lucy schudde haar hoofd. 'De dokter komt zo.' Ze pakte Justines hand, de woorden tuimelden over elkaar heen. 'Ik was aan het fietsen en ben zomaar omver gereden. Die auto slingerde alsof de bestuurder dronken was. Ik denk dat het een vrouw was. Ik weet niet waarom ze niet stopte. Ik weet niet waar mijn fiets is, of mijn tas, mijn telefoon...'

'Rustig maar.' Justine kneep in haar hand. 'Het was geen dronken bestuurder, maar een oude vrouw. Ze dacht dat ze tegen een tak was gereden, maar stopte iets verderop en liep toen terug om te kijken. Ze was zo geschrokken toen ze zag wat er was gebeurd dat het stel dat jou vond dacht dat ze een hartaanval zou krijgen.'

'Arme vrouw,' mompelde Lucy.

'Je tas en telefoon zijn hier. Je fiets is kaduuk.'

'Het was een antieke Schwinn, zei Lucy verdrietig. 'Uit de jaren zestig. Allemaal originele onderdelen.'

'Een fiets is te vervangen. Jij niet.'

'Wat lief dat je bent gekomen,' zei Lucy. 'Ik weet hoe druk jullie het hebben.'

'Wat dacht je dan! Niemand is belangrijker dan jij en Zoë. Zij wilde ook komen, maar er moest iemand in het pension blijven.' Justine zweeg even. 'Voor ik het vergeet, Duane zei dat ik moest zeggen dat ze weten wat er mis was met je auto. Problemen met de cilinderdruk.'

'Wat betekent dat?'

'Er is iets mis met de kleppen of zuigerveren, pakkingen... Duane heeft hem naar de garage gebracht, om hem te repareren. Geen idee hoe lang het gaat duren.'

Lucy schudde haar hoofd, vermoeid en gedesoriënteerd. 'Mijn been ligt in de kreukels, dus ik kan de komende tijd toch niet rijden.'

'Je hebt een heel leger van motorrijders tot je beschikking als je ergens naartoe wilt.' Justine zweeg even. 'Zolang je het niet erg vindt om achter op een Harley te zitten.'

Lucy toverde een magere glimlach tevoorschijn.

De arts, een man met zwart haar, vermoeide ogen en een vriendelijke glimlach, kwam binnen.

'Ik ben dokter Nagano,' zei hij tegen Lucy. 'Ken je me nog?'

'Zo ongeveer,' zei Lucy wat schaapachtig. 'U vroeg of ik mijn neus kon aanraken. En wat mijn tweede naam was.'

'Hoort bij de test. Je hebt een lichte hersenschudding en moet een paar dagen rust houden. En als ik zo naar je röntgenfoto's kijk, zal dat niet zo'n probleem worden.'

'U bedoelt mijn been? Gebroken?'

Dokter Nagano schudde zijn hoofd.

'O, mooi,' zei Lucy.

'Eigenlijk was een breuk beter geweest. Een bot heelt sneller dan verrekte gewrichtsbanden.'

'Heb ik dat? Een verrekte gewrichtsband?'

'Drie. Plus een haarscheurtje in je fibula, het dunnere van de botten in je onderbeen. Je moet de komende drie dagen in elk geval in bed blijven.'

'Mag ik niet eens naar de wc?'

'Nee. Je mag er totaal geen druk op zetten. Been omhoog en koelen met ijs. Die gewrichtsbanden hebben tijd nodig om te genezen. Ik geef je duidelijke instructies voor als je straks naar huis mag. Over drie dagen kom je terug voor een luchtspalk en krukken.'

'En hoe lang gaat dit duren?'

'De spalk moet je minimaal drie maanden dragen.'

'Goeie God.' Lucy sloot haar ogen.

'En ander letsel?' hoorde ze Justine vragen.

'Wat schaafwonden en blauwe plekken, niets ernstigs. Het belangrijkste is dat we die hersenschudding in de gaten houden... let op hoofdpijn, misselijkheid, verwardheid... dan moet ze direct weer komen.'

'Gesnopen,' zei Justine.

Toen de arts weer was vertrokken, deed Lucy haar ogen open en zag ze Justine over haar voorhoofd wrijven, alsof het een verkreukeld papiertje was dat ze probeerde glad te strijken.

'O,' mompelde Lucy geschrokken. 'Jij en Zoë hebben je handen al vol, nietwaar?' Ze waren al een paar dagen bezig met de voorbereidingen van een grote bruiloft dit weekend. 'Dit komt wel heel slecht uit.'

'Je deed het niet met opzet,' zei Justine. 'En aan worden gereden door een auto komt nooit uit.'

'Ik moet nadenken over wat ik moet doen... waar ik naartoe kan...'

'Maak je geen zorgen, zei Justine beslist. 'Jij hebt al je energie nodig om beter te worden. *Niet* gaan stressen. Ik regel wel wat.'

'Het spijt me zo,' zei Lucy. Ze voelde de tranen weer komen. 'Zit je weer met mij in je maag.'

'Hou je mond.' Justine pakte een schone zakdoek en snoot Lucy's neus alsof ze een kind was. 'Vrienden zijn de sportbeha's van het leven. We laten elkaar niet zitten. Oké?'

Lucy knikte.

Justine stond op en glimlachte. 'Ik ga even wat telefoontjes plegen buiten. Nergens naartoe gaan, hè!'

Sam was enorm geschrokken toen Justine hem belde met het nieuws. 'Ik kom eraan,' had hij gezegd. Hij had direct opgehangen en stond nog geen kwartier later bij het ziekenhuis.

Hij liep met grote stappen naar binnen en zag Justine zitten in de familiekamer.

'Sam,' zei ze, zwakjes glimlachend. 'Bedankt voor het komen. Wat een gedoe zeg.'

'Hoe gaat het met Lucy?' vroeg hij bot.

'Een lichte hersenschudding, wat blauwe plekken en schaafwonden, en een been in de kreukels. Verrekte gewrichtsbanden en een scheur.'

'Verdomme,' siste hij. 'Hoe is het gebeurd?'

Justine legde het snel uit en hij luisterde aandachtig. '... Dus ze mag een paar dagen *niks* doen,' besloot ze. 'En ook al weegt Lucy amper iets, Zoë en ik kunnen haar niet overal naartoe tillen.'

'Ik help wel,' zei Sam direct.

Justine slaakte een zucht van verlichting. 'God zij dank. Je bent geweldig. Ik wist wel dat je genoeg ruimte hebt, en Zoë en ik hebben echt een helse bruiloft dit weekend. We hebben echt geen tijd, en zouden nooit...'

'Ho, wacht even.' Sam onderbrak haar. 'Lucy kan niet bij mij blijven.'

Justine zette haar handen in haar heupen en keek hem wanhopig aan. 'Maar je zei dat je wilde helpen.'

'Ja, *helpen*. Ze kan niet blijven.'

'Waarom niet?'

Sam wist even niet wat hij moest zeggen. Hij had nog nooit een vrouw bij hem thuis laten overnachten. En hij wilde *al helemaal* niet dat Lucy bij hem thuis kwam. Zeker niet nu ze gewond en behoeftig was. Hij verstarde helemaal en begon te zweten.

'Kan ze niet ergens anders naartoe?' vroeg hij getergd. 'En haar ouders dan?'

'Die wonen in Pasadena.'

'Heeft ze geen andere vrienden?'

'Ja, maar niet op het eiland. Alle gezamenlijke vrienden, op mij en Zoë na, hebben haar in de steek gelaten toen Kevin bij haar weg ging. Ze wilden hem niet kwetsen door voor haar te kiezen.' Met extreem veel geduld vroeg Justine: 'Wat is precies het probleem, Sam?'

'Ik ken haar amper,' protesteerde hij.

'Je vindt haar leuk. Ik had amper opgehangen of je was hier al.'

'Ik ken Lucy niet goed genoeg om haar in en uit bed te tillen, te wassen, verband te verwisselen en zo.'

'Wat, word je nu ineens preuts? Kom nou, Sam. Jij hebt al heel wat vrouwen gehad. Je hebt alles al een keer gezien.'

'Dat is het niet.' Sam ijsbeerde heen en weer en haalde een hand door zijn haar. Hoe kon hij uitleggen dat hij bang was dat hij verliefd zou worden op Lucy? Dat het probleem eigenlijk was dat hij juist voor haar *wilde* zorgen? Dat hij zichzelf niet vertrouwde? Hij zou haar willen zoenen, de situatie uitbuiten, haar pijn doen.

Hij stopte met ijsberen en keek Justine boos aan. 'Kijk,' brieste hij. 'Ik wil haar gewoon niet te dichtbij. Ik wil niet dat ze afhankelijk van me is.'

Justine keek hem met samengeknepen ogen aan, met een blik die kon doden. 'Ben je echt *zo'n* enorme zak, Sam?'

'Natuurlijk,' beet hij terug. 'Dacht je echt dat ik normaal was?'

Justine siste. 'Weet je wat? Sorry dat ik het heb gevraagd. Mijn fout.'

Sam gromde toen ze zich omdraaide. 'Wat ga je doen?'

'Maak jij je daar maar geen zorgen om. Niet jouw probleem.'

'Wie bel je?' wilde hij weten.

'Duane. Hij en zijn vrienden willen vast wel voor haar zorgen.'

Sam keek haar met open mond aan. 'Je vertrouwt een gewonde vrouw die stijf staat van de medicijnen toe aan een stelletje *bikers*?'

'Het zijn geweldige jongens. Ze hebben hun eigen kerk.'

Hij werd witheet. 'Je eigen kerk wil nog niet zeggen dat je goed bent. Het betekent alleen dat je geen belasting hoeft te betalen.'

'Je hoeft niet tegen me te schreeuwen.'

'Ik schreeuw niet.'

'Nou, je fluistert anders ook niet, Sam.' Justine pakte haar telefoon en tikte een paar keer op het scherm.

'Nee,' gromde hij.

'Nee, wat?'

Sam haalde even diep adem. Hij wilde het liefst zijn vuist in de muur zetten. 'Ik...' Hij schraapte zijn keel en keek haar woedend aan. 'Ik doe het wel.'

'Ze mag bij jou blijven?' wilde ze nog even zeker weten.

'Ja,' zei hij knarsetandend.

'Goed. Dank je. Mijn God, wat een drama.' Justine liep hoofdschuddend naar de gang om een blikje drinken uit de automaat te halen.

Lucy knipperde een paar keer met haar ogen toen ze Sam Nolan door het gordijn zag komen. 'Wat doe jij hier?' vroeg ze zwakjes.

'Justine belde me.'

'Dat had ze niet moeten doen. Het spijt me.'

Hij bekeek haar van top tot teen. Zijn stem klonk tegelijk zacht en nors. 'Heb je pijn?'

'Het valt mee.' Lucy wees naar het infuus. 'Ze hebben me aangesloten op een of andere pijnstiller.' Geïrriteerd voegde ze eraan toe: 'Er zit een naald in mijn hand.'

'Je mag zo naar huis.'

Ze keek naar Sams T-shirt, donkerblauw met een witte afbeelding van iets wat op een ouderwetse telefooncel leek. 'Wat is dat voor telefooncel?'

'Dat is een politietelefoon. Uit *Dr. Who.*' Hij zag dat ze niet wist wat hij bedoelde, en legde het uit: 'Het is een ruimteschip waarmee je door de tijd kunt reizen.'

Ze begon een beetje te lachen. 'Nerd,' zei ze, waarna ze haar neus snoot.

Sam ging wat dichterbij staan en legde zijn hand op haar heup. Hij zag de rand van het verband en trok de ziekenhuisdeken wat hoger over haar gespalkte been. Eigenlijk voelde het heel eigen om haar aan te raken. Lucy keek hem verbaasd aan. Ze probeerde erachter te komen wat er met hem aan de hand was. Hij stond daar alsof hij hier totaal niet wilde zijn.

'Je kijkt boos,' zei ze.

'Ben ik niet.'

'Je hebt je kaken op elkaar geklemd.'

'Zo heb ik altijd mijn mond dicht.'

'Je ogen schieten vuur.'

'Komt door de verlichting hier.'

'Er is iets aan de hand,' hield ze vol.

Sam pakte haar ijskoude hand vast, heel voorzichtig, zodat de oximeter die op haar wijsvinger was geklemd niet los kwam. Hij wreef voorzichtig met zijn duim over haar vingers. 'De komende paar dagen heb je hulp nodig. Dit kun je niet in je eentje.' Een lange pauze. 'Dus neem ik je mee naar Rainshadow Road.'

Lucy keek hem met grote ogen aan en trok haar hand los. 'Nee. Ik... *nee*, dat doe ik niet. Heeft Justine je daarom gebeld? God. Ik kan echt niet met jou meegaan.'

Sam keek haar met kille ogen aan. 'Wat was je dan van plan, Lucy? Wilde je naar het pension? Waar je de hele dag alleen ligt en niemand je kan helpen? Ook al hadden Zoë en Justine geen grote bruiloft dit weekend, dan nog zouden ze je de trap niet op en af krijgen.'

Lucy drukte een zweterige hand tegen haar hoofd, dat al weer begon te kloppen. 'Ik... ik bel mijn ouders wel.'

'Die wonen vijftienhonderd kilometer hier vandaan.'

Ze was zo bezorgd en uitgeput dat ze alweer tegen de tranen moest vechten. Ze voelde zich zo machteloos dat ze haar handen voor haar ogen hield en gefrustreerd begon te kreunen. 'Jij hebt het te druk. De wijngaard...'

'Ik heb personeel.'

'En je broer en Holly?'

'Die vinden het niet erg. Het is een groot huis.'

Terwijl ze zich begon te realiseren dat het niet anders kon, realiseerde Lucy zich ineens ook dat Sam haar zou helpen met wassen, eten en aankleden; intieme zaken die al erg waren als ze werd geholpen door iemand die ze lang kende. En hij leek het ook niet echt leuk te vinden.

'Er moet een andere oplossing zijn,' zei Lucy, wanhopig nadenkend. Ze ademde een keer diep in, en nog een keer, maar kreeg niet genoeg lucht binnen om dat drukkende gevoel op haar longen te verlichten.

'Verdomme, nou moet je niet gaan hyperventileren.' Sam legde zijn hand op haar borst en maakte een rustige cirkelbeweging. Ze schrok van de intimiteit van het gebaar.

'Wie heeft jou toestemming gegeven om...,' begon ze onzeker.

'De komende paar dagen,' zei Sam, terwijl hij naar de grond keek, 'zul je eraan moeten wennen dat ik je aanraak.' Hij bleef wrijven en Lucy gaf zich over. Tot haar grote verbazing begon ze zelfs een beetje te huilen. Ze sloot haar ogen. 'Jij laat mij voor je zorgen,' hoorde ze hem zeggen. 'Het heeft geen zin om tegen te stribbelen, dat kost alleen maar energie. Jij komt met mij mee naar huis.'

❦ Dertien ❦

Het was vroeg in de avond toen Sams pick-up de oprit aan Rainshadow Road op draaide. Hij had Lucy's ontslagformulieren ondertekend, een hele stapel informatiebrochures en recepten voor medicijnen in de handen gedrukt gekregen en was samen met Lucy, die in een rolstoel zat die door een verpleegkundige werd geduwd, naar buiten gelopen. Justine was meegelopen naar de auto, irritant vrolijk.

'Nou, jongens,' had ze gekwetterd. 'Dit gaat helemaal goed komen. Sam, ik ben je echt eeuwig dankbaar. Lucy, je gaat het geweldig vinden. Sams huis is echt fantastisch. En ooit, op een dag, kijken we hier allemaal op terug en… wat zei je, Sam?'

'Ik zei: "Hou je mond, Justine,"' mompelde hij, terwijl hij Lucy uit de rolstoel tilde.

Onverstoorbaar liep Justine achter hen aan, terwijl Sam met Lucy in zijn armen naar de bijrijderkant liep. 'Ik heb wat spullen voor je in een tas gestopt, Lucy. Morgen komen Zoë en ik langs om meer van je spullen te brengen.'

'Dank je.' Lucy had haar armen om Sams schouders geslagen. Hij had haar opgetild alsof ze en veertje was. Zijn schouders voelden hard tegen haar handpalmen. Zijn huid rook heerlijk, schoon en een beetje zout, als de zee, en fris als een tuin vol groene planten en bladeren.

Sam zette Lucy in de truck, schoof haar stoel achteruit en maakte haar veiligheidsriem vast. Alles op een bedreven en efficiënte maar onpersoonlijke manier. Hij keek haar waakzaam aan. Ze begon zich af te vragen wat Justine had gezegd om hem over te halen voor haar te zorgen. *'Hij wil dit helemaal niet,'* had ze Justine toegefluisterd, waarna Justine had teruggefluisterd: *'Jawel, hoor. Hij is alleen een beetje zenuwachtig.'*

Maar Sam zag er helemaal niet zenuwachtig uit. Hij leek geïrriteerd. Zonder een woord te wisselen, reden ze naar de wijngaard. Hoewel de vering van Sams truck uitstekend was, verstarde Lucy bij elke hobbel in de weg. Ze had pijn en was uitgeput, en ze had zichzelf nog nooit zo tot last gevoeld.

Uiteindelijk reden ze de bocht om en zag ze een victoriaans huis, versierd met geveltjes, balustrades, een centrale koepel en een balkon met uitzicht. In het licht van de ondergaande zon leek het witgeschilderde huis de kleur van roomijs te hebben. Tegen de muren groeiden rode rozen, afgewisseld met hier en daar witte hortensia's. Iets verderop stond een robuuste grijze schuur, waarachter de rijen druivenranken begonnen die zich over het perceel slingerden als kinderen die in de pauze lekker buiten mochten spelen.

Lucy keek vol verwondering om zich heen. Als San Juan een andere wereld was dan het vasteland, dan was dit een wereld in een wereld. Het huis stond hen met open ramen op te wachten, ademde de frisse zeebries in, zoog het maanlicht en de rondzwevende herinneringen op. Het huis leek op haar te hebben gewacht.

Sam, die Lucy van opzij bekeek, verbaasde zich niet over haar reactie. Hij parkeerde de truck naast het huis. 'Ja,' zei hij, alsof ze hem een vraag had gesteld, 'zo voelde ik me ook toen ik het huis voor het eerst zag.'

Hij stapte uit en liep om de auto heen naar Lucy's kant. Hij leunde over haar heen om haar veiligheidsriem los te klikken. 'Sla je armen om mijn nek,' zei hij.

Lucy aarzelde maar deed toch wat hij zij. Hij tilde haar op, heel voorzichtig, zodat hij haar gespalkte been geen pijn deed. Zodra hij zijn armen om haar heen sloeg, werd Lucy zich bewust van een nieuw, onverwacht gevoel, alsof iets in haar zich overgaf, versmolt. Ze legde haar hoofd op zijn schouder, het voelde zo zwaar dat ze het amper rechtop kon houden. Sam mompelde: 'Het is al oké,' en 'het komt allemaal goed,' waardoor ze zich realiseerde dat ze enorm trilde.

Ze liepen de trap op naar een brede overdekte veranda met een lichtblauw plafond. 'Haintblauw noemen ze dat,' zei Sam toen hij Lucy omhoog zag kijken. 'We hebben geprobeerd de kleur zo goed mogelijk na te maken. Vroeger schilderden heel veel mensen de plafonds van veranda's blauw. Volgens sommigen om vogels en insecten te bedotten, die denken dat het de lucht is. Volgens anderen om geesten af te schrikken.'

De woordenvloed deed Lucy realiseren dat Sam inderdaad een beetje nerveus was, zoals Justine al had gezegd. Het was voor hen allebei een ongemakkelijke situatie.

'Weet je familie dat ik er ben?' vroeg ze.

Hij knikte. 'Ik heb ze vanuit het ziekenhuis gebeld.'

De voordeur ging open en er viel een lange reep licht over de veranda. In de opening stond een man met donker haar. Hij hield de deur open, terwijl een blond meisje en een buldog naar buiten kwamen. De man was een iets oudere, dikkere versie van Sam, met dezelfde ruwe schoonheid. En hij had dezelfde fantastische glimlach. 'Welkom op Rainshadow Road,' zei hij tegen Lucy. 'Ik ben Mark.'

'Het spijt me dat ik hier... ik...'

'Geen probleem,' zei Mark. Hij keek even naar Sam. 'Wat kan ik doen?'

'Haar tas ligt nog in de auto.'

'Ik haal hem wel.' Mark liep naar de auto.

'Maak eens wat ruimte,' zei Sam tegen het meisje en de hond. Ze schuifelden aan de kant. 'Ik breng Lucy naar boven.'

Ze liepen de hal in, met donkere vloeren en een hoog cassetteplafond. De muren waren roomwit geschilderd en er hingen diverse lijsten met botanische afbeeldingen.

'Maggie is aan het koken,' zei Holly, die achter hen aan liep. 'Kippensoep en broodjes, en bananenpudding voor toe. *Echte* pudding, niet uit een pakje.'

'Ik dacht al dat het te goed rook, dat kon Mark niet zijn,' zei Sam.

'Maggie en ik hebben je bed verschoond. Ze zei dat ik haar goed had geholpen.'

'Grote meid. Ga je maar even opfrissen voor het eten.'

'Mag ik met Lucy praten?'

'Later, speculaasje. Lucy is moe.'

'Hi, Holly,' wist Lucy nog over zijn schouder heen te zeggen. Het meisje keek haar met een stralend gezicht aan. 'Oom Sam heeft nog nooit iemand uitgenodigd om te komen slapen. Jij bent zijn eerste!'

'En bedankt, Holly,' mompelde Sam, terwijl hij Lucy de brede mahoniehouten trap op droeg.

Lucy lachte zwakjes. 'Het spijt me. Ik weet dat Justine je heeft gevraagd. Ik...'

'Justine kan mij niet dwingen iets te doen wat ik niet wil.'

Lucy liet haar hoofd weer op zijn schouders zakken. Ze durfde hem niet aan te kijken toen ze zei: 'Je wilt me helemaal niet.'

Sam koos zijn woorden met zorg. 'Ik houd dingen graag simpel. Net als jij.'

Boven werd Lucy's blik getrokken door een enorm raam met uitzicht op de oprijlaan. Het was een prachtig glas-in-loodraam, met een kale boom die met zijn takken een oranje wintermaan vasthield.

Maar toen Lucy knipperde, verdwenen de kleuren en patronen. Het raam was weg. Er was niets meer te zien dan helder, doorzichtig glas.

'Wacht even. Wat is dat?'

Sam draaide zich om, om te kijken waar ze naar zat te staren. 'Het raam?'

'Hier zat een glas-in-loodraam,' zei Lucy duf.

'Dat zou best kunnen.'

'Nee, echt. Met een boom en een maan.'

'Wat er ook zat, het zit er al een hele tijd niet meer. Iemand heeft ooit geprobeerd dit huis in appartementen op te delen.' Sam liep weg van het raam. 'Je had het moeten zien toen ik het kocht. Hoogpolig tapijt in sommige kamers. Hier dragende muren weggehaald en daar dunne hardboardwandjes erbij geplaatst. Mijn broer Alex heeft samen met zijn bouwvakkers de muren weer hersteld en draagbalken geplaatst. Het staat nu weer als een huis.'

'Het is prachtig. Net een sprookje. Het voelt alsof ik hier al eerder ben geweest, of erover heb gedroomd.' Haar hoofd was moe, ze kon niet meer helder denken.

Hij bracht haar naar een lange, rechthoekige kamer, parallel aan de erker, met gelambriseerde wanden, een openhaard in de hoek en grote ramen van waaruit je het glinsterende, nu vlakke water van False Bay kon zien. De ramen aan de uiteinden waren voorzien van een hor en opengezet, zodat het lekker door kon waaien.

'Daar zijn we dan.' Sam liet haar op een groot bed zakken met een zeegrasgroen hoofdeinde en een blauwe quilt, die al open was gevouwen.

'Is dit jouw kamer? Jouw bed?'

'Ja.'

Lucy probeerde rechtop te gaan zitten. 'Sam, nee…'

'Blijf liggen,' zei hij. 'Ik meen het, Lucy. Je doet jezelf nog pijn. Jij krijgt het bed. Ik slaap op een logeerbed in een andere kamer.'

'Ik kan je toch niet uit je eigen kamer schoppen. Ik slaap wel op het logeerbed.'

'Jij gaat slapen waar ik je neerleg.' Sam dekte haar toe met de sneeuwwit en blauwe quilt. Hij ging naast haar zitten en keek haar aan. Misschien kwam het door de gloed van de ondergaande zon, maar zijn gezicht leek wat zachter te zijn geworden. Hij stak zijn hand uit om een losse lok achter haar oor te duwen. 'Denk je dat je lang genoeg wakker kunt blijven om wat soep te eten?'

Lucy schudde haar hoofd.

'Lekker slapen, dan. Ik kom zo weer even bij je kijken.'

Lucy bleef nog een tijdje stil liggen. De kamer was rustig en koel, en in de verte hoorde ze het ritmische kabbelen van de branding. Vage, prettige geluiden dreven door de vloer en muren omhoog, stemmen onderbroken door gelach, het kletteren van pannen, borden en bestek. De geluiden van een gezin, van een thuis, die als een slaapliedje op de lucht zweefden.

Sam bleef even voor het raam op de overloop staan. Net voor zonsondergang was de maan opgekomen, gloeiend als een grote witgouden cirkel tegen de paarsrode lucht. Wetenschappers stelden dat de grootte van de maan tijdens de zonnewende een optische illusie was, dat het menselijk oog de afstand niet goed kan inschatten zonder hulp van visuele aanwijzingen. Sommige illusies waren nog realistischer dan de werkelijkheid.

Sam had ooit een verhaal gelezen over een oude Chinese dichter, die was verdronken toen hij de reflectie van de maan wilde omhelzen. Hij zat langs de rivier de Yangtze rijstwijn te drinken; te veel wijn, wat hem uiteindelijk fataal werd. God wist heel goed dat je niets te kiezen had als je iets of iemand heel graag wilde hebben, hoe onbereikbaar ook. En als je de keuze had, dan nog. De fatale aantrekkingskracht van het maanlicht...

Lucy lag in zijn bed, zo kwetsbaar als een geknakte orchidee. Hij zou zo graag op de gang, voor de slaapkamerdeur gaan zitten, met zijn rug tegen de muur, wachtend op een teken dat ze iets nodig had. Hij dwong zichzelf om naar beneden te gaan, waar Renfield heen en weer banjerde met een oude sok in zijn bek. Mark zat te bellen met de tandarts om een afspraak te maken.

Hij liep de keuken in, naar het kookeiland waar Maggie slagroom stond te kloppen.

Maggie Conroy was mooi op een wat provinciale manier: geen verblindende schoonheid, maar met zo'n geweldige persoonlijkheid dat ze groter leek dan ze was. Pas wanneer je naast haar stond, besefte je dat ze amper langer kon zijn dan 1 meter 50.

'1 Meter 51,' zei Maggie altijd. Alsof die ene centimeter het verschil maakte.

In het verleden was Mark vooral gevallen op cheerleaders, de meisjes die er geweldig uitzagen maar die verder niks om het lijf hadden. Gelukkig was Mark, toen hij toe was aan een serieuze relatie, Maggie tegengekomen, wier gekke optimisme precies was wat de familie nodig had gehad.

Zwijgend ging Sam naast haar staan, nam de kom en de garde over en ging verder met het kloppen van de slagroom.

'Dank je,' zei Maggie, die haar verkrampte hand losschudde. 'Waarom gebruik je de mixer niet?'

'Heeft Mark dat niet gezegd?' Maggie keek hem schattig maar schuldbewust aan en liet haar hoofd hangen. 'Ik heb vorige week de mixer door laten branden. Ik beloof dat ik een nieuwe zal kopen.'

'Maakt niet uit,' zei Sam, terwijl hij door bleef kloppen. 'We zijn hier wel gewend aan rampen in de keuken. Zij het dat Mark en ik die gewoonlijk veroorzaken. Hoe heb je dat voor elkaar gekregen?'

'Ik wilde pizzadeeg maken, en het was wat te dik en stijf, en toen begon de mixer te roken en rook ik vuur.'

Sam grinnikte en tilde de garde uit de room. Er bleef een mooie stevige piek achter. 'Maggie, lieverd, pizza is niet iets wat je thuis maakt. Pizza is wat je haalt als je geen zin hebt om iets te maken.'

'Ik wilde een gezonde pizza maken.'

'Pizza's horen niet gezond te zijn. Daarom is het pizza.' Hij gaf haar de kom. Ze dekte hem af met keukenfolie en zette hem in de koelkast.

Nadat ze de koelkast weer dicht had gedaan, die was ingebouwd in een kast met roomkleurige deurtjes om niet op te vallen in de keuken, liep Maggie naar de grote soeppan die op het vuur stond om even te roeren. 'Hoe gaat het me je vriendin?' vroeg ze. 'Lucy heet ze toch?'

'Ja. Komt wel goed.'

Maggie keek hem van opzij aan. 'En jij?'

'Geweldig,' zei hij, net iets te snel.

Ze begon de dampende soep in kommen te scheppen. 'Moet ik ook wat voor haar opscheppen?'

'Nee, die is onder zeil.' Sam pakte de fles wijn die al was ontkurkt en schonk een glas in.

'Dus je hebt Lucy meegenomen om hier te herstellen,' zei Maggie. 'En je gaat voor haar zorgen. Ze betekent dus veel voor jou.'

'Nee hoor.' Sam probeerde zo nonchalant mogelijk te antwoorden. 'We zijn gewoon vrienden.'

'Gewoon vrienden?'

'Ja.'

'En kan die vriendschap tot meer leiden?'

'Nee.' Opnieuw, een iets te snel antwoord. Hij keek boos toen hij zag dat Maggie stond te glimlachen. 'Ze wil mijn soort niet meer.'

'Wat soort is dat? Seks met een prachtige vrouw zonder verplichtingen?'

'Exact.'

'Als je de juiste vrouw tegenkomt, wil je misschien iets voor de langere termijn.'

Sam schudde zijn hoofd. 'Ik doe niet aan langere termijn.' Hij dekte de tafel en ging Mark en Holly zoeken om ze te vertellen dat het eten klaar was. Hij zag ze in de woonkamer zitten. Hij bleef even in de brede deuropening staan, waar een stuk muur was weggebroken om de kamer groter te maken.

Mark en Holly zaten tegen elkaar aan op de bank, een antiek exemplaar dat Maggie had gevonden en dat Mark per se van haar had moeten kopen. In oorspronkelijke staat was de bank een monster geweest, vol scheuren en mottengaten. Maar toen het rozenhout was geschuurd en gelakt, en de bank opnieuw was bekleed met saliegroen fluweel, bleek al snel dat hij perfect in het huis paste.

Holly's benen bungelden in de lucht. Ze slingerde haar voeten heen en weer terwijl Mark de weekplanner in zat te vullen op de salontafel.

'…als je bij de tandarts bent, gaat hij vragen hoe vaak je flost,' zei Mark. 'Wat is dan jouw antwoord?'

'Ik zeg: "Wat is flos?" giechelde Holly, waarna Mark haar een por gaf en haar hoofd kuste.

Niet voor de eerste keer was Sam geraakt door het gemak waarmee Mark in de vaderrol was gestapt. Hij had vroeger nooit gedacht dat Mark geschikt zou zijn voor het vaderschap… maar hij had het razendsnel geleerd toen Holly bij hen was komen wonen.

Mark leunde op de tafel om nog iets in de planner te schrijven. 'Heeft Maggie die balletschoentjes voor je dansles al besteld?'

'Weet ik niet.'

'Oké, ik vraag het zo wel.'

'Oom Mark?'

'Mmmn-hmm?'

'De baby wordt mijn neefje of nichtje, nietwaar?'

De pen bleef in de lucht hangen. Mark legde hem voorzichtig neer en keek het meisje met een serieuze blik aan. 'Technisch gezien wel, ja. Maar…' Hij zweeg even en dacht na over hoe hij het zou verwoorden. 'Maar ik denk dat het zal voelen alsof de baby je broertje of zusje is. Omdat jullie samen opgroeien.'

'Sommige kinderen in mijn klas denken dat je mijn vader bent. Je ziet eruit als een vader.'

Sam, die op het punt stond om iets te zeggen, deed zijn mond weer dicht. Hij wilde de magie niet verbreken door ofwel weg te lopen of ze te onderbreken. Hij kon niet anders dan blijven staan, verstild toekijken in het besef dat hier iets belangrijks gebeurde.

Mark keek Holly vragend aan. 'Wat zeg je dan tegen je vrienden, als ze je vragen of ik je vader ben?'

'Ik laat ze dat gewoon denken.' Holly zweeg. 'Of is dat verkeerd?'

Mark schudde zijn hoofd. 'Natuurlijk niet.' Zijn stem klonk hees.

'Moet ik je nog steeds oom Mark noemen als de baby er is?'

Mark pakte een van Holly's handen beet, die absurd klein waren vergeleken met de zijne, en legde zijn andere hand erbovenop. 'Je mag me noemen wat jij wilt, Holly.'

Het meisje leunde tegen hem aan, tot ze met haar hoofd op zijn arm lag. 'Ik wil je papa noemen. Ik wil dat jij mijn papa bent.'

Mark was sprakeloos. Dit had hij duidelijk niet verwacht, en het was ook nooit zo in hem opgekomen. Hij schraapte zijn keel en drukte zijn gezicht tegen haar lichte, maanblonde haar. 'Dat zou ik fantastisch vinden. Ik... ja.' Hij tilde haar op schoot en omhelsde haar, streek haar wat onhandig door het haar. Hij mompelde wat, enkele lettergrepen die hij keer op keer herhaalde.

Sam kreeg een brok in zijn keel. Hij stond net buiten het moment, maar er tegelijkertijd ook in.

'Ik krijg geen lucht,' piepte Holly een lange minuut later.

Mark liet haar los en Holly gleed van zijn schoot.

Renfield was de kamer in gewaggeld; er bungelde een verkreukeld servetje uit zijn mond.

'Renfield,' zei Holly bozig, 'dat mag je niet opeten.'

De hond was blij dat hij haar aandacht had gekregen, en liep met het servet in zijn mond weer de kamer uit.

'Ik pak hem wel,' zei Holly. Ze wreef met haar neus tegen die van Mark. 'Papa,' zei giechelend, om daarna achter de hond aan te rennen.

Sam had zijn broer nog nooit zo nederig gezien. Hij liep de kamer in toen Mark net zuchtend zijn ogen droog depte.

Mark zag hem binnenkomen, knipperde met zijn ogen en begon hakkelend, 'Sam...'

'Ik heb het gehoord,' zei Sam zachtjes. Hij glimlachte. 'Het klopt, Mark. Holly heeft gelijk. Je ziet eruit als een vader.'

Veertien

Er dreven stemmen de slaapkamer binnen.

'...Lucy kan beter mijn roze badkamer gebruiken,' zei Holly. 'Die is mooier dan de jouwe.'

'Dat klopt,' antwoordde Sam. 'Maar Lucy moet zo de douche in kunnen. Ze kan niet in en uit bad stappen.'

'Maar mag ze wel mijn badkamer bekijken? En mijn kamer?'

'Ja hoor, je mag haar straks een officiële rondleiding geven. Maar nu moet je je sokken aantrekken. Je komt nog te laat op school.'

Lucy snoof de vluchtige geur van het kussen in; bladeren, verse regen en net omgehakte dennenbomen. Het was de geur van Sam, zo aantrekkelijk dat ze haar neus dieper in het warme donskussen boorde.

Ze herinnerde zich vaag dat ze midden in de nacht wakker was geworden omdat ze pijn had. Ze herinnerde zich dat Sam als een soort schaduw de kamer binnen was gekomen. Haar pillen en een glas water had gegeven, en haar had ondersteund terwijl ze de medicijnen innam. Ze was nog een keer wakker geworden, zich half bewust hoe hij de koude gelpacks rond haar been had vervangen, en ze hem had gezegd dat hij niet voor haar op hoefde te blijven, dat hij ook moest gaan slapen.

'Sssst...,' had hij gemompeld, terwijl hij de lakens rechttrok. 'Het is al goed.'

Terwijl het lichter werd, lag Lucy stilletjes te luisteren naar het geluid van stemmen, ontbijt, een rinkelende telefoon, een zoektocht door het hele huis naar een kwijtgeraakte schoolmap en toestemmingsbriefje voor een schooluitje. Uiteindelijk had ze een auto horen wegrijden.

Voetstappen op de trap. Een klopje op de deur en daarna Sams hoofd. 'Hoe gaat het?' Het geluid van zijn nog wat krakende bariton klonk haar als muziek in de oren.

'Nog wat pijn.'

'Waarschijnlijk heel veel pijn.' Sam kwam binnen met een dienblad met haar ontbijt erop. Ze begon te blozen toen ze hem daar zo in zijn flanellen pyjamabroek en wit T-shirt binnen zag lopen, een beetje slaapdronken en erg sexy. 'Het is tijd voor je medicijnen, maar je moet eerst iets eten. Wat dacht je van een gekookt eitje op toast?'

'Heerlijk.'

'Daarna kun je even douchen.'

Lucy werd nog roder en voelde hoe haar hart sneller ging kloppen. Ze wilde heel graag douchen, maar in haar huidige toestand was wel duidelijk dat ze heel wat hulp nodig had. 'En hoe gaan we dat doen?' wist ze nog net uit te brengen.

Sam zette het dienblad op het bed en hielp Lucy overeind. Hij schoof een extra kussen achter haar en antwoordde heel neutraal: 'Je kunt zo naar binnen lopen. Je kunt op een plastic stoel gaan zitten en jezelf wassen met de douchekop. Ik help je wel even naar binnen en naar buiten, maar voor de rest kun je het volgens mij wel zelf.'

'Dank je,' zei ze opgelucht. 'Dat klinkt goed.' Ze pakte een stuk beboterde toast en smeerde er wat jam op. 'Waarom heb je een losse douchekop en niet zo'n moderne stortdouche?'

Hij keek haar vragend aan. 'Hoezo?'

'Nou. Het is toch iets wat ik eerder verwacht bij een ouder iemand, niet bij een vent van jouw leeftijd.'

'Ik kan niet altijd overal even goed bij,' zei Sam nuchter. Toen hij zag dat ze begon te glimlachen, voegde hij eraan toe: 'En we wassen Renfield er altijd.'

Sam liep de badkamer in om zich te wassen en te scheren. Hij kwam weer naar buiten in een versleten spijkerbroek en een T-shirt met de tekst schrödinger's cat is alive.

'Wat betekent dat?' vroeg Lucy.

'Het is een principe uit de kwantumtheorie.' Sam zette een plastic tas op de grond en tilde het dienblad van Lucy's schoot.

'Schrödinger was een wetenschapper die met zijn theorie van een kat in een afgesloten doos, met een radioactieve bron en een flesje gif, wilde aantonen hoe observatie het resultaat kan beïnvloeden.'

'Wat gebeurde er met de kat?'

'Hou je van katten?'

'Ja.'

'Dan zal ik je de uitleg over zijn theorie verder besparen.'

Ze keek hem meesmuilend aan. 'Heb je geen T-shirts met leuke teksten?'

'Dit is een leuke tekst,' zei Sam. 'Ik kan het je alleen niet vertellen omdat je me anders misschien gaat afkatten.'

Lucy begon te grinniken. Maar toen Sam weer naar het bed liep en haar dekens vastpakte, werd ze stil en kromp ze een beetje ineen terwijl haar hart tegelijk een sprongetje maakte.

Sam liet direct de deken los en keek haar met een open blik aan. Hij keek naar haar strak over elkaar geslagen armen. 'Voordat we beginnen,' zei hij zachtjes, 'moeten we eerst even een paar puntjes bespreken.'

'Puntjes?' vroeg Lucy achterdochtig.

'Figuurlijk, bedoel ik. Het feit dat het best wat ongemakkelijk is om een vrouw de douche in te helpen met wie ik niet eerst naar bed ben geweest.'

'Ik ga echt niet met je naar bed om het gemakkelijker voor je te maken,' zei Lucy.

Hij moest lachen. 'Ik wil je niet kwetsen, maar je hebt een ziekenhuisjasje aan met gele eendjes erop, je been zit in het verband en bent bont en blauw. Dat is niet echt opwindend, kan ik je vertellen. Je zit ook nog onder de medicijnen, zodat je niet in staat bent om beslissingen te nemen. Oftewel, ik ga je echt niet proberen te versieren.' Hij zweeg even. 'Voel je je nu beter?'

'Ja, maar...' Lucy keek hem met rode wangen aan. 'Als jij me helpt, zie je toch het een en ander.'

Met een uitgestreken gezicht, maar toch licht opgekrulde mondhoeken keek hij haar aan. 'Dat is een risico dat ik best durf te nemen.'

Lucy slaakte een diepe zucht. 'Ik heb geen andere keuze.' Ze duwde de kussens naar achteren en probeerde rechtop te gaan zitten.

Sam kwam direct aansnellen en legde zijn arm achter haar rug. 'Nee, laat mij dat maar doen. Je maakt het alleen maar erger als je het halfslachtig doet. Ik help je naar de rand van het bed. Even rechtop zitten en dan je benen laten hangen... ja, zo.' Zijn ademhaling stokte kort toen Lucy de zoom van haar ziekenhuisjasje naar beneden trok, dat tot haar heupen omhoog was opgekropen. 'Oké.' Hij durfde weer adem te halen. 'De spalk mag er niet af. Maar de verpleegkundige zei dat we er een plastic zak omheen konden binden, zodat hij niet nat wordt.' Hij pakte de plastic tas en haalde er een dikke rol doorzichtig folie uit.

Lucy bleef rustig wachten tot Sam haar hele onderbeen had ingepakt. Hij werkte voorzichtig en snel, maar kon toch niet voorkomen dat hij zo nu en dan per ongeluk met zijn vingertoppen langs haar knie of kuit streek, wat haar de rillingen gaf. Hij zat voorover gebogen en ze keek naar zijn donkere, dikke haar. Zelf boog ze ook iets voorover om de geur op te snuiven die opsteeg vanuit zijn nek; de geur van de zomer, van zon en gemaaid gras.

Toen Sam tevreden was over hoe haar been was ingepakt, keek hij naar haar omhoog. 'Hoe voelt dat? Te strak?'

'Perfect.' Lucy zag dat hij ook bloosde, dat onder het zongebruinde kleurtje op zijn wangen iets roods schemerde. En hij ademde zwaar. 'Je zei dat je niet opgewonden zou raken.'

Sam probeerde schuldig te kijken. 'Het spijt me. Maar jou inpakken in verhuistape is het leukste wat ik sinds school heb gedaan.' Toen hij opstond en Lucy van het bed tilde, greep ze zich automatisch vast. Zijn kracht gaf haar even vlinders.

'Wil je een moment... pauzeren?' vroeg ze tactvol.

Sam schudde zijn hoofd en zijn ogen glinsterden kort berouwvol. 'Laten we er gewoon maar van uitgaan dat dit mijn douchegezicht is. Maak je geen zorgen. Ik doe niks.'

'Ik maak me ook geen zorgen. Ik wil alleen niet dat je me laat vallen.'

'Seksuele opwinding maakt me niet zwak,' zei hij. 'Het tast wel mijn hersens aan. Maar die heb ik niet nodig om je de douche in te helpen.'

Lucy glimlachte onzeker en hield zijn stevige schouders vast terwijl hij de badkamer in liep. 'Jij bent aardig gespierd.'

'Komt door de wijngaard. We werken biologisch en dat betekent meer handwerk – schoffelen en knippen – omdat we geen pesticiden gebruiken. Scheelt een abonnement op de sportschool.'

Hij werd nerveus en praatte iets te snel. Lucy vond dat wel interessant. Tot nu toe had ze Sam behoorlijk beheerst en rustig gevonden. Ze had gedacht dat hij zelfverzekerd zou zijn in een situatie als deze. In plaats daarvan was het alsof hij deze gedwongen intimiteit net zo ongemakkelijk vond als zij.

De badkamer was netjes en minimaal ingericht, met ivoorwitte tegels en mahoniehouten kastjes, en een grote spiegel boven een wastafel op een sokkel. Nadat hij Lucy op de plastic stoel in de douchecabine had laten zakken, liet Sam haar zien hoe ze de douche kon aanzetten en instellen. 'Zodra ik weg ben,' zei hij, nadat hij haar de douchekop had gegeven, 'kun je gewoon dat jasje aan de kant gooien en het water aanzetten. Neem de tijd. Ik wacht buiten. Als je problemen hebt of iets nodig hebt, geef je maar een gil.'

'Dank je.'

Ze voelde nu pas echt hoeveel pijn ze had na het ongeluk. Lucy schoof moeizaam heen en weer om het ziekenhuisjasje uit te krijgen en gooide het op de grond. Daarna draaide ze de kraan open, stelde de temperatuur in en richtte de douchekop op haar lichaam. 'Au,' zei ze, toen de schaafplekken en wondjes begonnen te prikken. 'Au, au...'

'Gaat het?' hoorde ze Sam vanuit de slaapkamer vragen.

'Het doet zeer en is tegelijkertijd ook heerlijk.'

'Hulp nodig?'

'Nee, dank je.'

Het kostte veel moeite om zichzelf in te zepen en af te spoelen. Uiteindelijk besloot Lucy dat het toch te lastig was om haar eigen haar te wassen. 'Sam,' riep ze gefrustreerd.

'Ja?'

'Je moet me helpen.'

'Waarmee?'

'Mijn haar. Het lukt me niet. Zou je kunnen komen?'

Hij aarzelde. 'Je kunt het niet zelf?'

'Nee. Ik kan niet bij de shampoo, mijn rechterarm doet zeer en het is lastig om lang haar met maar één hand te wassen.' Terwijl ze dat zei, draaide ze de kraan dicht en liet ze de douchekop op de grond zakken. Met een van pijn vertrokken gezicht sloeg ze de handdoek om haar lichaam.

'Oké,' hoorde ze hem zeggen. 'Ik kom naar binnen.'

Toen Sam de badkamer binnen liep, keek hij als een man die net te horen heeft gekregen dat zijn hond is overleden. Hij stapte de open douche in en pakte de douchekop van de grond. Hij rommelde wat met de knop en de thermostaat om de druk en temperatuur aan te passen. Lucy merkte dat zijn ademhaling weer was veranderd en zei: 'Met die galm hier klink je net als Darth Vader.'

'Ik kan er niets aan doen,' zei hij gespannen. 'Jij zit daar zo rozig te dampen…'

'Het spijt me.' Ze keek hem berouwvol aan. 'Ik hoop dat het niet te veel pijn doet.'

'Nu niet.' Ze voelde Sams hand tegen haar achterhoofd. Terwijl ze omhoog keek in zijn blauwgroene ogen, zei hij: 'Het doet alleen pijn als ik er niets aan kan doen.'

De manier waarop hij haar hoofd en haren aanraakte, de ruwe en tegelijkertijd zachte toon van zijn stem, gaf haar een fladderig gevoel in haar buik. 'Je bent aan het flirten,' zei ze.

'Ik neem het terug,' zei hij direct.

'Te laat.' Ze glimlachte, sloot haar ogen en liet hem haar haren wassen.

Het voelde heerlijk om daar zo te zitten terwijl Sam de shampoo over haar haar verdeelde en met zijn stevige vingers haar hoofdhuid masseerde. Hij nam de tijd en paste goed op dat ze geen water of shampoo in haar ogen kreeg. De geur van rozemarijn en munt steeg op in de met stoom gevulde badkamer... dat was de geur die ze eerder had geroken, bedacht ze nu. Ze ademde diep in en kantelde ontspannen haar hoofd achterover.

Uiteindelijk draaide Sam de kraan dicht en hing hij de douchekop weer in de houder. Lucy wrong het water uit haar haar. Ze liet haar ogen dwalen over Sams kleren, vochtig en vol waterspetters, de pijpen van zijn spijkerbroek doorweekt. 'Ik heb je nat gemaakt,' zei ze verontschuldigend. Sam keek haar aan en liet zijn ogen rusten op de plek waar de vochtige handdoek net boven haar tepels hing. 'Ik overleef het wel.'

'Ik heb niks om aan te trekken.'

Hij bleef haar aankijken. 'Vervelend.'

'Heb jij iets voor me?' En omdat hij daar niet op reageerde, zwaaide Lucy haar hand heen en weer voor zijn ogen. 'Sam. Kom terug van de donkere zijde.'

Sam knipperde een paar keer met zijn ogen, en de glazige blik was verdwenen. 'Ik haal zo wel even een schoon T-shirt voor je'. Met Sams hulp wikkelde Lucy een handdoek als een tulband om haar haar. Hij hield haar voorzichtig vast, terwijl ze op één been voor de wasbak stond om haar tanden te poetsen. Daarna tilde hij haar weer in bed, gaf haar een T-shirt en draaide zich tactvol om terwijl ze het aantrok. De tulband schoot los en hing zwaar aan haar haar. Lucy trok de handdoek los en haalde haar vingers door haar dampende warrige lokken.

'Wat is dit?' vroeg ze, kijkend naar de vierkanten en letters voor op het T-shirt.

'Het periodiek systeem.' Sam ging op zijn hurken zitten om haar spalk weer uit het plastic te bevrijden.

'O, goed. Stel je eens voor dat ik niet meer wist wat het chemische symbool voor rodium was.'

'Element 45,' zei Sam, terwijl hij met een klein schaartje de lagen nat plastic doorknipte.

Lucy glimlachte. 'Hoe wist je dat?'

'Het ligt op je linkerborst.' Sam gooide de plasticfolie in een hoek en bekeek de spalk. 'Als je er de energie voor hebt, kan ik je wel naar beneden tillen? Heb je even een ander uitzicht. Daar kun je genieten van een grote bank, een flatscreentelevisie en Renfield om je gezelschap te houden.'

Ze zag hoe het daglicht met zijn haar speelde en was een beetje van haar stuk gebracht door het gevoel dat haar overspoelde, sterker dan dankbaarheid of pure lichamelijke aantrekkingskracht. Haar hart klopte op allerlei plekken tegelijk in haar lichaam, en ze voelde dat ze onmogelijke dingen wilde, begeerde.

'Dank je,' zei ze. 'Dank dat je voor me wilt zorgen.'

'Geen probleem.'

Langzaam strekte Lucy haar hand uit naar zijn hoofd en streek met haar vingers door de bevredigend zware lokken. Het voelde ongelooflijk goed om hem aan te raken. Ze wilde zijn hele lichaam voelen, elk hoekje ervan leren kennen.

Ze dacht dat Sam zou tegenstribbelen. In plaats daarvan zweeg hij, boog zijn hoofd verder voorover. Toen haar hand langs zijn achterhoofd naar zijn nek gleed, voelde ze zijn adem stokken.

'Dit is verkeerd,' zei Lucy zachtjes. 'Of niet?'

Sam keek op, zijn oogleden half gesloten over zijn onwerkelijk blauwe ogen, de spieren in zijn gezicht gespannen. Hij zei niets. Hij hoefde niets te zeggen. Het antwoord was af te lezen aan de blik op zijn gezicht, op haar gezicht, de spanning die tussen hen in hing, die hun longen met elke ademtocht vulde.

Zeker verkeerd. Het soort verkeerd dat niets te maken had met spalken, verband en ziek zijn.

Sam schudde zijn hoofd alsof hij een gedachte af wilde schudden, en pakte de dekens. 'Ik laat je even een paar minuutjes... dan kan ik...'

In een onbesuisd moment sloeg Lucy haar arm om zijn nek en drukte haar mond tegen de zijne. Het was gek, roekeloos en het kon haar niets schelen. Het duurde een halve seconde voordat Sam reageerde, maar toen beantwoordde hij haar kus en ontsnapte er een licht gekreun uit zijn keel.

Hij had haar eerder gekust, maar dit voelde anders. Dit was een dagdroom, een gevoel van vallen zonder vangnet. Ze sloot haar ogen voor het uitzicht door de ramen, de blauwe oceaan, de witte zon. Sam sloeg zijn armen om haar rug, ondersteunde haar, terwijl zijn lippen de hare onderzochten en de kleine kreunen die vanuit haar binnenste omhoog kwamen vingen. Ze voelde zich slap, liet zich tegen zijn borst aan zakken, wilde met hem versmelten. Sam maakte zijn lippen los van de hare, kuste haar nek, gleed met zijn tong en tanden richting haar schouder. 'Ik wil je geen pijn doen,' zei hij tegen haar huid. 'Lucy, ik ben niet...'

Ze zocht blind naar zijn mond, streek met haar geopende lippen over zijn gladgeschoren kaak tot Sam even rilde en haar opnieuw kuste. Hij lokte haar met zijn mond, ging dieper en dieper tot Lucy met trillende handen de rug van zijn T-shirt vastgreep.

Een van zijn handen kroop onder haar T-shirt, zijn vingers koel en ruw tegen de brandende huid in haar zij. Haar borsten zwollen opgewonden op onder haar loszittende kleding, haar tepels groeiden in afwachting van zijn aanraking. Ze pakte zijn hand, duwde hem omhoog. 'Ja...'

'Nee. God, Lucy...' Hij vloekte even, brak zijn acties af en schoof het T-shirt weer omlaag. Hij dwong zichzelf om haar los te laten en wreef met beide handen over zijn gezicht, alsof hij zichzelf wakker wilde maken uit een diepe slaap. Toen Lucy hem weer wilde vastpakken, greep hij in een reflex haar polsen beet en duwde ze tegen het kussen.

Sam wendde zijn blik af, slikte een paar keer hard. 'Doe iets,' mompelde hij. 'Of ik...'

Lucy's ogen flitsten heen en weer. Ze realiseerde zich dat hij probeerde zichzelf onder controle te krijgen. 'Wat... wat wil je dat ik doe?'

Toen Sam eindelijk in staat was om te antwoorden, klonk zijn stem schril. 'Een beetje afleiding zou fijn zijn.'

Lucy keek naar beneden naar het periodieke system op haar T-shirt. 'Waar is glas?' vroeg ze, terwijl ze de elementen onderstoboven probeerde te lezen.

'Niet in het periodiek systeem. Glas is een samengestelde stof. Het is vooral silica, dat is... jemig, ik kan niet meer helder denken. SiO_2. Hier...' Hij raakte de Si aan, net rechtsonder haar borst. 'En hier.' Zijn duim streek over de O links, net boven haar linkertepel.

'Glas bestaat ook uit natriumcarbonaat,' zei ze.

'Ik denk dat dat...' Sam aarzelde, kon zich moeilijk concentreren. '...Na_2CO_3.' Hij bestudeerde de voorkant van het T-shirt en schudde zijn hoofd. 'Natriumcarbonaat kan ik niet aanwijzen. Gevaarlijk territorium.'

'En calciumoxide?'

Hij liet zijn ogen over het shirt dwalen tot hij het vond. Hij schudde zijn hoofd. 'Ik zou je binnen vijf seconden op je rug hebben.'

Ze schrokken beiden van het harde, schelle geluid van de deurbel, een ouderwetse Victoriaanse trekbel.

Sam liep met een diepe zucht langzaam bij het bed vandaan. 'Toen ik zei dat ik je niet zou versieren...' Hij duwde de deur open en bleef in de deuropening staan, waar hij nog een paar keer diep inademde. 'Had ik erop gerekend dat het een wederzijdse afspraak was. Vanaf nu handen weg. Oké?'

'Ja, maar hoe ga je dan voor mij zorgen als je...'

'Niet mijn handen,' zei Sam. 'De jouwe.'

Er werd nog een paar keer aan de deurbel getrokken terwijl Sam de trap af liep naar beneden. Warmte en opwinding stroomden door zijn lichaam, waardoor het onmogelijk was om nog helder te denken. Hij wilde Lucy, wilde langzaam de liefde met haar bedrijven en haar in de ogen kijken terwijl hij haar binnendrong, en het dan *uren* laten duren.

Tegen de tijd dat Sam bij de voordeur aankwam, was hij voldoende afgekoeld. Hij stond oog in oog met zijn broer Alex, die er nog bozer en dunner uitzag dan gewoonlijk; zijn ondervoede lijf leek niet meer dan een skelet in te ruime kleren. Alex was na de scheiding blijkbaar nog verder in het dal weggezakt.

'Waarom heb je verdomme de deuren op slot?' wilde Alex weten.

'Hé, Al,' zei Sam kortaf. 'Het is goed om je te zien. Ik had je toch een sleutel gegeven?'

'Die zit aan mijn andere sleutelbos. Je wist dat ik vanochtend zou komen. Als je wilt dat ik gratis kom klussen, kun je op zijn minst de deur voor me openlaten.'

'Ik had wel meer dingen aan mijn hoofd dan op jou zitten wachten.'

Alex liep langs hem naar binnen, met een oude metalen gereedschapskist in zijn hand. Zoals gewoonlijk beende hij direct naar de keuken, waar hij voor zichzelf een kop dampend hete koffie in zou schenken, om deze daarna zonder enige omhaal op te drinken en ergens in huis verder te gaan met een klus. Tot nu toe had hij alle betaling geweigerd, hoewel hij een klein fortuin had kunnen verdienen als hij hetzelfde werk voor iemand anders had gedaan. Alex was projectontwikkelaar, maar was zijn loopbaan begonnen als timmerman. Hij leverde altijd onberispelijk werk af.

Hij had uren in het huis geklust: muren skimmen, scheuren in het stucwerk repareren, houtwerk herstellen, vloeren leggen, leidingen aanleggen. Soms deed hij werk dat Mark of Sam al had gedaan nog een keer, omdat niemand aan zijn hoge eisen kon voldoen. Waarom Alex precies bereid was om zo veel energie in het huis te steken, was de andere Nolans een raadsel.

'Ik denk dat hij het ziet als ontspanning, een hobby,' had Mark geopperd.

'Ik ben er helemaal voor,' had Sam geantwoord, 'al is het maar omdat hij niet drinkt als hij aan het werk is. Dit huis is misschien wel het enige dat voorkomt dat zijn lever verandert in een drilpudding.'

Terwijl hij zijn jongere broer nakeek, bedacht Sam dat de stress en de alcohol zijn sporen nu wel echt begonnen na te laten. Alex' ex-vrouw, Darcy, was nooit een echt zorgzame vrouw geweest, maar ze had hem altijd wel zover gekregen dat ze een paar avonden per week uit eten gingen. Sam vroeg zich af wanneer Alex voor het laatst goed had gegeten.

'Al, zal ik een omelet voor je maken voor je begint?'

'Geen honger. Alleen koffie.'

'Oké.' Sam liep achter hem aan. 'Trouwens... het zou fijn zijn als je niet te veel lawaai maakt vandaag. Een vriendin van me is blijven slapen en ze heeft rust nodig.'

'Zeg maar dat ze haar roes ergens anders moet uitslapen. Ik moet schuren.'

'Doe dat later maar,' zei Sam. 'En ze heeft geen kater. Ze heeft gisteren een ongeluk gehad.'

Voordat Alex kon antwoorden, ging de deurbel.

'Dat is waarschijnlijk een van haar vriendinnen,' mompelde Sam. 'Doe gewoon even normaal, Alex.'

Alex wierp hem een veelzeggende blik toe en liep door naar de keuken.

Hoofdschuddend liep Sam terug naar de voordeur. De bezoeker bleek een weelderige blondine in een capribroek, ballerina's en een mouwloos bloesje, dat ze op haar buik had vastgeknoopt. Met haar goed gevormde lichaam, grote blauwe ogen en goudblonde krullen tot aan haar kin leek ze net een ouderwetse filmster of misschien een showgirl.

'Ik ben Zoë Hoffman,' zei ze vrolijk. 'Ik kom even wat spullen brengen voor Lucy. Komt het uit? Ik kan anders later wel terugkomen, hoor.'

'Het komt supergoed uit.' Sam keek haar glimlachend aan. 'Kom binnen.' Zoë had een grote doos met muffins in haar handen, waar een warme, zoete geur vanaf kwam. Ze struikelde over de drempel en Sam stak automatisch zijn hand uit om haar op te vangen.

'Ik ben zo'n kluns,' zei ze lachend. Er danste een karnemelk blonde krul voor één oog.

'God zij dank dat je niet echt bent gevallen,' zei Sam. 'Ik had niet graag willen kiezen tussen jou en de muffins.'

Ze gaf hem de doos en liep achter hem aan naar de keuken. 'Hoe gaat het met Lucy?'

'Beter dan ik had verwacht. Ze heeft goed geslapen, maar heeft wel veel pijn. Ze zit nog onder de pijnstillers.'

'Het is zo fijn dat je haar kunt helpen. Justine en ik zijn je erg dankbaar.'

Zoë was sexy op een bijna verontschuldigende manier; ze liep met haar schouders omlaag en iets naar voren. Ze was verrassend verlegen voor een vrouw die zo sensueel was. Misschien was dat het probleem – Sam gokte dat ze meer dan eens voor de verkeerde man was gevallen.

Ze liepen de ruime keuken in, met een emaillen gasfornuis in een met roomkleurige tegels getooide nis, keukenkastjes met glazen frontjes en een zwarte vloer van walnotenhout. Zoë liet vol bewondering haar blik ronddwalen, van de balken in het hoge plafond tot de gigantische zeepstenen gootsteen. Maar ze kreeg pas echt grote ogen toen Alex, die bij het koffieapparaat stond, zich omdraaide. Sam vroeg zich af wat ze van zijn broer zou vinden, die op dit moment wel iets weg had van de duivel met een kater.

'Hallo,' zei Zoë stilletjes, nadat Sam ze aan elkaar had voorgesteld. Alex antwoordde met een kort knikje. Geen van beiden maakte aanstalten om elkaar de hand te schudden. Zoë keek Sam aan. 'Heb je misschien een taartschaal om de muffins op te zetten?'

'Ergens in een van de kastjes bij de koelkast. Alex, kun jij haar helpen? Dan ga ik even bij Lucy kijken.' Sam keek opzij naar Zoë. 'Ik zal haar vragen of ze beneden in de woonkamer wil zitten of dat ze liever heeft dat jij naar boven komt.'

'Natuurlijk,' zei Zoë. Ze liep naar de kastjes.

Alex dook naar de deuropening toen Sam naar buiten wilde. Op fluistertoon zei hij: 'Ik heb dingen te doen. Ik heb geen tijd om hier te staan kletsen met Betty Boop.'

Sam zag Zoë's schouders verstijven; ze had Alex' opmerking duidelijk gehoord. 'Al,' zei hij zachtjes, 'je hoeft alleen maar dat stomme bord voor haar te pakken.'

Zoë vond de schaal met bijbehorende glazen stolp in een van de keukenkastjes, maar ze kon er net niet bij. Ze zuchtte even en duwde de krul achter haar oren die steeds voor haar oog danste. Ze hoorde dat Alex Nolan aan kwam lopen en er liep een rilling over haar rug. 'Daar staat 'ie,' zei ze en deed een stap opzij.

Alex kon er gemakkelijk bij, en zette de schaal en de stolp op het granieten keukenblad. Hij was lang en bonkig, alsof hij al in geen weken goed had gegeten. De wat wrede blik op zijn gezicht deed niet af aan het feit dat hij ongelooflijk knap was. Of misschien was het niet wreed, maar bitter. Het was een gezicht dat veel vrouwen aantrekkelijk zouden vinden, maar dat Zoë zenuwachtig maakte.

Eigenlijk werd ze van alle mannen zenuwachtig.

Zoë dacht dat, nu hij had gedaan wat hij moest doen, Alex de keuken wel uit zou gaan. Ze hoopte dat hij weg zou gaan. In plaats daarvan bleef hij gewoon staan, leunend op het keukenblad, zijn dure horloge glinsterend in het licht dat door de ramen binnenviel.

Zoë probeerde hem te negeren en zette het bord naast de doos met muffins. Voorzichtig haalde ze de muffins een voor een uit de doos om ze op het bord te zetten. De geur van fruit, suiker en kruimeldeeg verspreidde zich door de keuken. Ze hoorde hoe Alex het aroma opsnoof, en toen nog een keer.

Ze keek hem even steels aan en zag de donkere kringen onder zijn felle blauwgroene ogen. Hij zag eruit als iemand die in geen maanden goed had geslapen. 'Je kunt wel gaan hoor,' zei Zoë. 'Je hoeft echt niet te blijven kletsen.'

Alex deed niet eens moeite om zich te verontschuldigen voor zijn gedrag. 'Wat zit erin?' zei hij bijna beschuldigend, achterdochtig.

Zoë deinsde even achteruit en kon amper iets zeggen. 'Bosbessen. Hier, neem er eentje.'

Hij schudde zijn hoofd en pakte zijn koffiemok.

Ze zag dat zijn hand trilde en dat het donkere vocht in het kopje begon te sidderen. Zoë sloeg haar ogen neer. Waarom zou hij trillende handen hebben? Een zenuwstoring? Alcoholmisbruik? Vaak viel een teken van zwakte bij iemand die fysiek zo imposant was meer op dan bij een kleiner iemand.

Hoewel ze hem irritant vond, won Zoë's barmhartigheid het toch. Ze had nooit een huilend kind, gewond dier of iemand die er eenzaam of hongerig uitzag voorbij kunnen lopen zonder te helpen. Zeker als mensen honger hadden, want als er iets was dat Zoë graag deed, dan was het mensen voeden. Ze hield van het zichtbare plezier dat mensen hadden als ze iets lekkers aten, iets voedzaams dat met zorg en liefde was bereid.

Zonder iets te zeggen, legde Zoë een muffin op Alex' schoteltje, terwijl hij het kopje nog in de hand had. Ze keek hem niet aan, maar ging verder met het overzetten van de muffins. Hoewel ze bang was dat hij de muffin terug zou gooien of iets denigrerends zou zeggen, bleef het stil.

Vanuit een ooghoek zag ze dat hij de muffin oppakte.

Hij liep naar buiten en gromde even, wat zij interpreteerde als een dankjewel.

Alex liep naar de veranda en controleerde of de deur niet in het slot viel. Hij hield de muffin voorzichtig in zijn hand; het ongebleekte papiertje glinsterde van de boter en het koekkruim kleefde aan zijn vingers.

Hij ging in een van rieten stoelen zitten, over de muffin gebogen alsof iemand zomaar voorbij kon lopen om hem af te pakken.

Hij had al een tijd moeite met eten. Geen trek, geen zin, en wanneer hij toch iets probeerde te eten, had hij moeite met slikken. Hij had het steeds koud, zocht dan de warmte van alcohol op, en dronk altijd meer dan zijn lichaam kon hebben. Nu de scheiding officieel was uitgesproken, waren er genoeg vrouwen die hem wel wilden troosten, maar hij had totaal geen interesse.

Hij dacht aan de kleine blondine in de keuken, die op een aandoenlijke manier aantrekkelijk was, met haar grote ogen en perfecte pruilmondje... en onder die blouse een lichaam met rondingen als een achtbaan. Niet helemaal zijn smaak.

Toen hij een hap nam van de muffin, werd hij bijna omver geblazen door de tongstrelende mix van zuur en zoet. Het ding was compact en toch luchtig. Hij kauwde heel langzaam en gaf zich er helemaal aan over. Het was de eerste keer in maanden dat hij iets proefde, echt smaken ervoer.

Terwijl hij beheerst de muffin hap voor hap opat, voelde hij tegelijkertijd een enorm gevoel van opluchting over zich heen komen. De harde lijnen op zijn gezicht werden zachter. Hij kon zweren dat Zoë iets in de muffins had gedaan, iets illegaals, en het maakte hem niets uit. Het gaf hem een puur, goed gevoel... het gevoel dat hij zich na een zware dag in een warm bad kon laten zakken. Zijn handen trilden ook niet meer.

Hij bleef nog even zitten, genietend van alle sensaties, nog eventjes. Daarna liep hij weer naar binnen, pakte zijn gereedschapskist en sloop stil als een kat naar zolder. Hij wilde dit fijne gevoel vasthouden, vastberaden het door niets of niemand te laten afnemen.

Op weg naar boven kwam hij Sam tegen, die een slanke jonge brunette met grote groene ogen in zijn armen had. Ze droeg een badjas en een van haar benen zat ingespalkt. 'Alex,' zei Sam zonder te stoppen, 'dit is Lucy.'

'Hoi,' mompelde Alex, ook doorlopend, op weg naar de zolder.

'Gaat het?' vroeg Zoë Lucy, toen Sam hen alleen had gelaten.

Lucy glimlachte. 'Ik geloof het wel. Zoals je kunt zien...' Ze wees naar de gigantische groene fluwelen bank, de ijspakkingen die Sam om haar been had gelegd, de roomwitte deken waarmee hij haar had toegedekt, en de karaf met water op het tafeltje naast haar. 'De verzorging is hier prima.'

'Sam lijkt me erg aardig,' zei Zoë, met een glinstering in haar blauwe ogen. 'Zoals Justine al zei. Ik denk ook dat hij jou aardig vindt.'

'Sam houdt van vrouwen,' antwoordde Lucy licht spottend. 'En ja, het is een leuke vent.' Ze zweeg even, om eraan toe te voegen: 'Waarom ga je niet eens met hem uit?'

'Ik?' Zoë schudde haar hoofd en keek haar verbaasd aan. 'Jullie hebben al iets samen.'

'Echt niet. Nooit niet. Sam is erg eerlijk, Zoë, en hij heeft heel duidelijk aangegeven dat hij zich niet aan een vrouw wil binden. En hoewel het erg verleidelijk is om mezelf te laten gaan en wat plezier te hebben samen...' Lucy aarzelde en begon te fluisteren. 'Hij is een vreselijke hartenbreker, Zoë. Het type waar je je zo in verliest dat je nog gaat denken dat jij hem wel kunt veranderen. En na alles wat ik heb meegemaakt... Ik ben niet sterk genoeg om opnieuw zoveel pijn te doorstaan.'

'Ik begrijp het.' Zoë's glimlach was warm en meelevend. 'Ik vind dat heel verstandig van je. Soms is opgeven wat je het liefste wilt, het beste wat je voor jezelf kunt doen.'

❧ Vijftien ❧

Na Zoë's bezoek liet Lucy zich onderuit zakken op de bank, met haar mobieltje en e-reader. Sam had verse ijspakkingen om haar been gelegd en haar een karaf vers koud water gebracht voordat hij met nog een paar anderen in de wijngaard aan het werk ging. Ze waren druk bezig met schoffelen en het wegknippen van de bladeren die de ontwikkelende druiven uit de zon hielden.

'Ik ben drie kwartier tot een uur weg,' zei Sam. 'Ik heb mijn mobiel mee. Bel me als je iets nodig hebt.'

'Ik red me wel.' Lucy trok een moeilijk gezicht. 'Ik moet mijn moeder bellen om te vertellen wat er is gebeurd. Ik zal al mijn overredingskracht nodig hebben om te voorkomen dat ze op het eerstvolgende vliegtuig stapt om te komen kijken hoe het is.'

'Ze is van harte welkom.'

'Dank je. Fijn om te horen. Maar het laatste wat ik wil, is te worden bemoederd door mijn moeder.'

'Het aanbod staat.' Sam liep naar de bank om Renfield te aaien, die naast Lucy zat. 'Goed oppassen,' zei hij tegen de buldog, die hem met een ernstig gezicht aankeek.

'Hij is prettig gezelschap,' zei Lucy. 'Hij is in elk geval stil.'

'Buldogs zijn niet van die blaffers.' Hij zweeg even en keek Renfield streng aan. 'Helaas hebben ze wel erg last van winderigheid.'

Renfield keek hem schijnheilig aan, waardoor Lucy in de lach schoot. Ze boog voorover om de hond over zijn rimpelige vel te aaien, terwijl Sam naar buiten liep.

Hoewel het nog ochtend was, was het al heet en brandde de zon door de dunne sliertbewolking. De horren aan weerszijden van het huis zorgden ervoor dat de oceaanwind lekker kon doorwaaien.

Lucy keek om zich heen de prachtig afgewerkte kamer rond, naar de vloer van zwart walnotenhout, het Perzisch tapijt in roomwit, saliegroen en ambergeel en de prachtig gerestaureerde plafondlijsten.

Ze pakte haar mobiele telefoon, koos het nummer van haar ouders en hoorde haar moeder antwoorden.

Hoe goed Lucy ook haar best deed om het verhaal af te zwakken, haar moeder begreep direct wat er was gebeurd en was bijna buiten zinnen van bezorgdheid.

'Ik kom eraan. Ik neem het volgende vliegtuig.'

'Mam, nee. Je kunt toch niets doen.'

'Maakt niet uit. Ik wil je zien.'

'Dat hoeft niet. Er wordt goed voor me gezorgd, ik lig hier prima en...'

'Wie zorgt er voor je? Justine?'

'Nee, eigenlijk logeer ik bij... een vriend.'

'Wie?'

'Hij heet Sam Nolan.'

Na een gespannen stilte zei haar moeder: 'Je hebt het nooit eerder over hem gehad. Hoe lang ken je hem al?'

'Niet zo lang, maar...'

'Logeer je in zijn appartement?'

'Het is geen appartement. Hij heeft een huis.'

'Is hij getrouwd?'

Lucy haalde de telefoon van haar oor en keek er vol ongeloof naar. Ze bracht het weer naar haar gezicht en zei: 'Natuurlijk niet. Ik ga niet uit met andermans vriendjes of echtgenoten.' Ze kon zichzelf niet meer inhouden en voegde eraan toe: 'Dat is je andere dochter.'

'Lucy,' zei haar moeder vittend. 'Papa en ik wilden volgende week even bij Alice langs... Ik bel direct om de vluchten te verzetten.'

'Dat hoeft echt niet. Eigenlijk heb ik liever dat jullie niet...'

'Ik wil die Sam van jou graag ontmoeten.'

Lucy gniffelde een beetje om de manier waarop haar moeder het zei. 'Hij is een enorm aardige vent. Eigenlijk is hij de perfecte schoonzoon.'

'Is het al zo serieus?'

'Nee... o god, nee... We hebben helemaal niets. Ik bedoel alleen maar, dat hij het type is dat jij voor mij zou uitzoeken. Hij heeft een wijngaard. Hij teelt biologisch druiven en maakt wijn, en hij helpt bij de opvoeding van zijn nichtje, dat haar moeder heeft verloren.' Terwijl ze het zei, keek Lucy door de ramen achter de bank. Ze zag Sams gespierde lijf tussen een groep mannen met scheppen staan. Het was al behoorlijk warm en daarom liep een aantal van hen met ontbloot bovenlijf. Sam was aan het rommelen met het startkoord van een mechanische ploeg. Hij bleef even staan om met zijn onderarm over zijn bezwete voorhoofd te vegen.

'Is hij gescheiden?' vroeg zijn moeder.

'Nooit getrouwd.'

'Hij klinkt te perfect. Wat is er mis met hem?'

'Bindingsangst.'

'O, zo zijn ze allemaal, tot je ze het licht laat zien.'

'Dit is niet zomaar een beetje angst om zich te binden. Dit is een bewuste keuze.'

'Zijn zijn ouders nog in beeld?'

'Beiden overleden.'

'Mooi, dat scheelt weer gedoe met de feestdagen.'

'Mam!'

'Ik maakte een grapje,' zei haar moeder.

'Nou... dat betwijfel ik,' zei Lucy. Als ze belden, leek het soms alsof ze twee verschillende gesprekken voerden. Lucy vermoedde dat zo ongeveer de helft van wat ze had gezegd het ene oor in en het andere weer uit was gegaan.

Ze bleef naar Sam kijken, die op de ontsteker drukte om gas in de motor te pompen.

'Weet je, mam, je hebt meer vragen gesteld over hem dan over mijn toestand.'

'Hoe ziet hij eruit? Harig, kaal? Lang, kort? Hou oud is hij?'

'Hij is...' Lucy maakte de zin niet af; ze kon even niet meer helder denken toen ze Sam zijn T-shirt zag uittrekken, er zijn gezicht en nek mee afveegde en het daarna op de grond gooide. Hij had een fantastisch lichaam, slank en lang, enorm gespierd.

'Wat is er?' vroeg haar moeder. 'Alles oké?'

'Ja hoor,' wist Lucy nog uit te brengen, terwijl ze Sams gebruinde rug op en neer zag bewegen terwijl hij herhaaldelijk aan het startkoord van de ploeg trok. De motor wilde niet aanslaan en daarom liet hij het handvat los en overlegde met een van zijn werknemers. Zijn houding was ontspannen; hij had zijn duimen in de broeksband van zijn spijkerbroek gestoken. 'Sorry, ik werd even afgeleid. Ik zit nog onder de medicijnen.'

'We hadden het over Sam,' herhaalde haar moeder nog een keer.

'O. Ja. Hij heeft... kort haar, geen snor of baard. Een beetje een nerd, eigenlijk.' *Met het lichaam van een Griekse god.*

'Hij klinkt in elk geval heel anders.'

'Je bedoelt anders dan Kevin, je toekomstige schoonzoon?'

Haar moeder mompelde wat. 'Dat moet ik nog zien. Dat is ook een van de redenen waarom ik Alice wil zien. Ik heb het idee dat het allemaal wat ingewikkelder in elkaar zit dan zij beweert.'

'Waarom...' Lucy zweeg toen ze een vreemd gejammer hoorde. Ze ging rechtop zitten en keek om zich heen. Renfield was nergens te bekennen. Ze hoorde een metalen gekletter, alsof er een pan of vergiet op de grond viel, gevolgd door gejank en nog een jammerende uithaal. 'O-o. Mam, ik moet ophangen. Ik denk dat er iets is met de hond.'

'Bel me straks weer terug. Ik ben nog niet uitgepraat.'

'Oké. Ik moet gaan.' Lucy hing snel op en belde Sams nummer, ondertussen kijkend of ze Renfield ergens kon zien. De hond maakte geluiden alsof hij werd geslacht. Ze hoorde Sams stem. 'Lucy.'

'Er is iets met Renfield. Hij zit te janken. Ik denk dat hij in de keuken is, maar ik weet het niet zeker.'

'Ik kom eraan.'

In de minuut die Sam nodig had om naar het huis te rennen, zag Lucy nagelbijtend te wachten. Ze kon niets doen. Ze riep Renfield een paar keer en de hond reageerde met gejank. Het gekletter, gesnuif en gehuil kwam dichterbij, totdat hij uiteindelijk de woonkamer binnen kwam waggelen.

Op een of andere manier was de hond met zijn kop vast komen te zitten in een roestige cilinder. Hij was buiten zinnen en liep zo met zijn kop te schudden dat Lucy haar ijspakkingen aan de kant duwde en ging kijken hoe ze bij hem kon komen zonder op haar gespalkte been te hoeven staan.

'Waag het niet om van die bank af te komen,' zei Sam haastig toen hij de woonkamer binnenkwam. 'Renfield, hoe heb je dat voor elkaar gekregen?'

'Wat is het überhaupt?' vroeg Lucy.

'Een cilinder voor een rookpot.' Sam ging op zijn knieën zitten en pakte de hond beet, die bleef schudden en jammeren. 'Rustig, kerel. Zitten. *Zit.*'

Hij drukte het gedrongen, wriemelende lijfje tegen de grond en begon de metalen buis van zijn hoofd te trekken.

'Wat is een rookpot?'

'We branden er kerosine in om de boomgaard te verwarmen als het gaat vriezen.'

Renfields kop zat onder het vuil en roet, waardoor de vouwen en kreukels in zijn gezicht nog dieper leken. De hond begon tegen Sam op te springen uit dankbaarheid.

'Rustig aan. Rustig maar.' Sam aaide de hond en probeerde hem wat gerust te stellen. 'Hij is waarschijnlijk achter naar buiten geglipt. Daar ligt een stapel troep die we nog naar de stort moeten brengen. Voor een hond genoeg rommel om in de problemen te komen.'

Lucy knikte, gebiologeerd door de aanblik van een ontblote Sam, zijn zongebruinde spieren glinsterend van het zweet.

'Ik ga hem buiten even wassen,' zei Sam, terwijl hij de roetzwarte hond boos aankeek. 'Als het aan mij had gelegen, hadden we een mooie golden retriever of labrador genomen... een *nuttige* hond die roofdieren en ongedierte buiten de wijngaard houdt.'

'Heb je Renfield niet zelf uitgekozen?'

'Wat dacht jij. Hij was een asielgeval dat Maggie probeerde te slijten. En Mark was zo verliefd dat hij direct aanbood om de hond in huis te nemen.'

'Wat lief.'

Sam rolde met zijn ogen. 'Mark was een enorme sukkel. Deze hond kan niet eens trucjes doen. Hij kan je niet bijhouden als je even lekker wilt gaan wandelen. De rekening van de dierenarts is bijna net zo hoog als de nationale schuld en hij gaat altijd ergens liggen waar je over hem struikelt.' Maar terwijl hij dat allemaal zei, legde hij zijn hand op Renfields rug en kriebelde hij hem in zijn nek. Renfield sloot zijn ogen en knorde tevreden. 'Kom mee, gekkerd. We gaan wel even achterom.' Sam pakte de rookpotcilinder op en ging staan. Hij keek Lucy aan. 'Red jij je? Dan ga ik hem wassen.'

Lucy kon maar met moeite haar ogen van zijn half ontklede lichaam afhouden en zette haar e-reader aan. 'Ja, ik heb alles wat ik nodig heb.'

'Wat lees je?'

'Een biografie van Thomas Jefferson.'

'Ik houd van Jefferson. Hij was een echte wijnkenner.'

'Had hij een wijngaard?'

'Ja, bij Monticello. Maar hij experimenteerde meer dan dat hij serieus druiven teelde. Hij probeerde Europese soorten te telen, vinifera, die in Frankrijk en Italië de meest fantastische wijnen geven. Maar de vinifera waren niet bestand tegen het weer, de ziekten en het ongedierte in de Nieuwe Wereld.'

Hij hield overduidelijk veel van zijn vak. Om hem echt te begrijpen, dacht Lucy, moest ze meer te weten komen over wijnbouw, waarom het zo belangrijk voor hem was, met welke uitdagingen hij te maken had. 'Ik zou willen dat ik met je door de wijngaard kon wandelen,' zei ze weemoedig. 'Het ziet er vanaf hier prachtig uit.'

'Morgen neem ik je mee naar buiten om je iets heel speciaals te laten zien.'

'Wat dan?'

'Een mysterieuze wijnstok.'

Lucy keek hem verbaasd aan en glimlachte. 'Wat maakt hem zo mysterieus?'

'Ik vond hem een paar jaar geleden. Hij groeide tegen de rand van het perceel, op een plek die plaats zou gaan maken voor een weg. Het transplanteren van een zo grote en oude wijnstok was een hele operatie. Dus heb ik Kevin gevraagd om me te helpen. Met boomscheppen hebben we een zo groot mogelijke kluit uitgegraven en hem naar de wijngaard verkast. Hij overleefde de transplantatie, maar hij heeft nog heel wat zorg en liefde nodig.'

'Wat voor druiven groeien eraan?'

'Dat is het interessante. Ik heb iemand aan de universiteit gevraagd om hem te identificeren en tot nu toe heeft hij nog niets gevonden. We hebben monsters en foto's gestuurd naar een paar ampelografisch deskundigen in Washington en Californië – hij is nergens te vinden. Waarschijnlijk is het een wilde hybride die is voortgekomen uit een natuurlijke kruisbestuiving.'

'Is dat zeldzaam?'

'Heel zeldzaam.'

'Denk je dat er een goede wijn van kan worden gemaakt?'

'Waarschijnlijk niet,' zei hij lachend.

'Waarom doe je dan zoveel moeite?'

'Je weet maar nooit. Misschien geven deze druiven de wijn bepaalde kenmerken die je nooit zou verwachten. Iets wat het terroir hier nog beter weerspiegelt dan je als teler kunt plannen. Je moet...'

Sam zweeg even en zocht de juiste woorden. Lucy zei zachtjes: 'Je moet er gewoon in geloven.'

Sam keek haar indringend aan. 'Ja.'

Lucy snapte het maar al te goed. Soms moest je in het leven risico's nemen en ging je als gevolg daarvan enorm op je bek. Maar anders zou je altijd hebben gedacht: *wat als ik het toch had gedaan...* Al die keuzes die je niet hebt gemaakt, de dingen die je niet hebt ervaren.

Nadat Sam Renfield had afgeboend, ging hij nog een uurtje naar de wijngaard. Daarna keek hij bij Lucy, die op de bank in slaap was gevallen. Hij stond in de deuropening en liet zijn blik langzaam over haar lichaam gaan. Lucy had iets speciaals, iets mysterieus. Ze leek zo uit een schilderij te zijn gestapt... Antiope of de dromende Ophelia. Haar donkere haar lag als een bloemenkrans om haar hoofd op het lichtgroene fluweel, haar huid zo bleek als nachtlelies. In het zonlicht boven haar dansten stofdeeltjes als een sterrenstelsel door de lucht.

Sam was gefascineerd door de mix van kwetsbaarheid en kracht in Lucy. Hij wilde haar geheimen kennen, die dingen te weten komen die een vrouw alleen aan haar minnaar vertelt. En dat was behoorlijk eng. Zulke gedachten had hij nog nooit gehad. Maar hij zou haar met rust laten, ook al zou het al zijn krachten kosten.

Lucy bewoog en gaapte. Ze opende haar ogen en keek hem even verward aan, met haar oogleden nog zwaar boven haar diepgroene slaperige ogen. 'Ik droomde,' zei ze op een zweverige toon.

Sam liep naar haar toe, niet in staat om de wens te weerstaan om even een lok haar aan te raken. 'Waarover?'

'Ik was hier. Iemand leidde me rond... door het huis zoals het was.'

'Was ik dat?'

'Nee. Het was een man die ik nog nooit heb ontmoet.'

Sam glimlachte lichtjes en liet de haarlok los. 'Ik weet niet of ik het wel fijn vind dat jij met een andere vent door mijn huis sluipt.'

'Hij woonde hier lang geleden. Zijn kleren waren...
ouderwets.'

'Zei hij ook iets?'

'Nee. Maar hij liet me alles zien. Het huis was anders.
Donkerder. De meubels waren antiek en overal hing druk behang op de muren. In deze kamer met groene strepen. En het
plafond was ook behangen, met in elke hoek een vierkant met
een vogel erin.'

Sam staarde haar met grote ogen aan. Lucy kon onmogelijk
weten dat hij en Alex een lelijk verlaagd plafond hadden verwij-
derd en daarachter het originele plafond hadden gevonden, dat
er exact zo uitzag als Lucy net beschreef. 'Wat liet hij je nog
meer zien?'

'We gingen naar de zolder op de tweede verdieping, met het
schuine dak en het kleine dakvenstertje. Daar speelden de kinderen. En het glas-in-loodraam boven op de eerste verdieping...
dat vertelde ik je gisteren, weet je nog...?'

'De boom en de maan.'

'Ja.' Lucy keek hem met een serieuze blik aan. 'Dat zat daar.
Het raam dat ik eerder zag. Een boom met kale takken, met
daarachter de maan. Het raam was prachtig, maar iets wat je in
een huis als dit niet zou verwachten. En toch hoorde het hier
helemaal thuis. Sam...' Haar gezicht vertrok terwijl ze zichzelf
rechtop duwde. 'Mag ik potlood en papier?'

'Rustig maar,' zei hij, terwijl hij haar ondersteunde. 'Niet te
snel.'

'Ik moet een schets maken voor ik het vergeet.'

'Ik zoek even iets.' Sam liep naar de kast waar ze Holly's knut-
selspullen bewaarden. Hij pakte wat potloden en een tekenblok
en vroeg: 'Is dit goed genoeg?'

Lucy knikte en strekte haar handen uit.

Ze werkte ongeveer een halfuur aan de schets. Toen Sam
haar de lunch bracht, liet ze hem de tekening zien. 'Het is nog
niet klaar,' zei ze. 'Maar dat is ongeveer wat ik zag.' De tekening

was prachtig; de contouren van de boomstam en de takken van de boom vulden het raam als een fijnmazig kantpatroon. De bovenste takken leken de maan in hun greep te houden.

'En de boom was dan van lood gedaan?' vroeg Sam, de tekening bekijkend. Lucy knikte.

Sam probeerde zich de afbeelding voor te stellen als glas-in-loodraam aan de voorkant van het huis, en voelde dat het helemaal klopte, dat het daar gewoon paste. Het huis zou pas weer compleet zijn als dat raam werd vervangen.

'Wat zou het kosten,' vroeg hij voorzichtig, 'als jij dit raam zou maken? Precies zoals je het in je droom zag.'

'Ik zou het voor niets doen,' zei Lucy gemeend. 'Je zorgt zo goed voor me...'

Sam schudde zijn hoofd. 'Dat raam is veel werk. Het is een ingewikkeld ontwerp. Wat vraag je gewoonlijk voor zoiets?'

'Het hangt af van het soort glas en de details.... met bladgoud, extra diepte, dat soort dingen. En dat is dan nog zonder het plaatsen, zeker omdat het water- en winddicht moet zijn...'

'Ongeveer.'

Lucy grijnsde even. 'Drieduizend dollar. Maar ik kan hier en daar wat geld besparen...'

'Nee. Dit moet goed gebeuren.' Sam leunde voorover en duwde een papieren servetje in Lucy's T-shirt.

'Wat vind je ervan als je het raam in je eigen tempo kunt maken en wij de huur op het appartement in Friday Harbor verlagen? Zo profiteren we allebei.'

Lucy aarzelde, en Sam begon te glimlachen. 'Je weet dat je ja gaat zeggen,' zei hij. 'je weet dat het raam er moet komen. En dat jij het moet maken.'

Zestien

De volgende twee dagen zorgde Sam als een echte professional voor Lucy, met humor en tact. In hun gesprekken meed hij persoonlijke onderwerpen, en wanneer hij haar moest aanraken, deed hij dat zorgvuldig en onpersoonlijk. Lucy respecteerde zijn beslissing om een veilige afstand tussen hen te bewaren en deed daarom haar best erin mee te gaan.

Sam genoot zichtbaar van het werk in de wijngaard, het ploegen en schoffelen, de verzorging van de wijnstokken, hoeveel kracht, energie en geduld het ook vroeg. Terwijl hij haar het hele proces uitlegde, begon Lucy meer en meer te begrijpen wat terroir was, hoe belangrijk het was om de juiste druif op de juiste plek te laten groeien, en hoe zo een uniek karakter werd ontwikkeld. Er was een verschil, zo had Sam uitgelegd, tussen druiven telen als een puur technisch proces zien, en echt communiceren met het land, een relatie waarin je geeft en neemt.

Nu ze de Nolans van zo dichtbij meemaakte, zag Lucy dat de drie mannen een hechte eenheid vormden. Ze hadden hun eigen routines en gingen op vaste tijden eten en slapen. Het was duidelijk dat Holly bij alles voorop stond. Hoewel Mark de vaderfiguur was, speelde Sam zijn eigen speciale rol in Holly's leven. Elke dag na schooltijd zat het meisje eindeloos bij hem om te vertellen wat ze had gedaan, over haar vriendjes en vriendinnetjes, de spelletjes die ze in de pauze hadden gespeeld, en wat iedereen meenam voor de lunch, in de hoop hem over te halen ook eens snoep mee te geven. Het amuseerde en raakte Lucy om te zien hoe geduldig Sam naar Holly zat te luisteren.

Lucy begreep uit de manier waarop Holly over Sam sprak dat hij voor de avontuurfactor in hun geïmproviseerde gezin zorgde. Ze vertelde Lucy dat Sam haar mee had genomen naar de getijdenpoeltjes in False Bay en dat ze samen op kajaktocht voor de westkust van het eiland waren geweest om orka's te kijken.

Het was Sams idee geweest om samen met Holly en Mark een fort van drijfhout te bouwen op Jackson Beach. Ze hadden elkaar piratennamen gegeven – kapitein Scheurbuik, Tandloos McVies en Betsy Buskruit – en ze hadden een kampvuur gemaakt en hotdogs geroosterd.

Holly was net uit school gekomen en keek nu samen met Lucy televisie in de woonkamer. Sam was naar boven gegaan om de zolder op te ruimen. Terwijl Lucy met haar been omhoog op de bank lag, aten zij en Holly haverkoekjes en dronken ze appelsap.

'Dit zijn heel bijzondere glazen,' zei Lucy, terwijl ze een van de antieke robijnrode sapglazen omhoog hield. 'Je krijgt deze kleur alleen door goudchloride aan het glas toe te voegen.'

'Waarom zitten er zoveel bultjes in?' vroeg Holly, kijkend naar haar eigen sapglas.

'Dat is een schoenspijkerpatroon, genoemd naar de spijkers die voor schoenen worden gebruikt.' Lucy glimlachte; de interesse van het meisje was aandoenlijk. 'Weet je hoe je kunt zien of een glas met de hand is gemaakt? Aan de onderkant zie je een aanzetpunt; de plek waar de staaf van de glasblazer vastzat. Als je dat niet kunt zien, is het glas machinaal gemaakt.'

'Weet jij echt *alles* over glas?' vroeg Holly. Lucy lachte.

'Ik weet veel, maar ik leer nog elke dag nieuwe dingen.'

'Mag ik eens kijken als jij iets van glas maakt?'

'Natuurlijk. Zodra ik beter ben, mag je langskomen in het atelier. Dan maken we samen iets. Een zonnevanger, ofzo.'

'Ja, ja, dat wil ik graag,' riep Holly uit.

'We kunnen nu al beginnen, want je moet eerst een ontwerp maken. Heb je potloden en papier?'

Holly rende naar de kast, pakte haar tekenspullen en liep snel weer terug naar Lucy. 'Mag ik alles tekenen wat ik wil?'

'Wat je maar wilt. We versimpelen het later wel, om ervoor te zorgen dat de stukjes de juiste vorm en maat hebben om ze te kunnen knippen... maar nu mag je je fantasie de vrije loop laten.'

Holly ging op haar knieën bij de salontafel zitten en pakte haar tekenblok. Ze duwde voorzichtig een apothekerspot aan de kant, gevuld met mos, kleine varentjes en witte miniorchideeën.

'Wilde je altijd al glaskunstenaar worden?' vroeg ze, terwijl ze haar kleurpotloden sorteerde.

'Toen ik zo oud was als jij.' Lucy pakte voorzichtig Holly's roze honkbalpet beet en duwde hem iets naar achteren, zodat ze beter kon zien. 'Wat wil jij later worden?'

'Ballerina of directeur van een dierentuin.'

Terwijl ze toekeek hoe Holly geconcentreerd begon te tekenen, met de kleurpotloden stevig in haar knuistjes, werd Lucy vervuld met een gevoel van voldoening. Kinderen uitten zich zo natuurlijk in kunst. Lucy realiseerde zich dat ze in haar atelier glasworkshops voor kinderen zou kunnen geven. Wat was nou een leukere manier om haar kennis door te geven dan door die te delen met kinderen? Ze kon beginnen met een klein groepje en gewoon kijken hoe het ging.

Ze begon te dagdromen en liet het rode sapglas tussen haar vingers door glijden, met haar duim over het schoenspijkerpatroon wrijvend. Zonder enige waarschuwing werden haar vingers heet en begon het glas in haar hand van vorm te veranderen. Lucy schrok en wilde het glas neerzetten, maar toen was het zomaar verdwenen en schoot er een klein levend wezentje uit haar hand. Luid zoemend vloog het door de kamer.

Holly slaakte een gil en sprong op de bank, waardoor Lucy's gezicht vertrok van pijn. 'Wat is dat?'

Lucy sloeg geschrokken haar armen om het meisje. 'Het is al goed, meisje... Het is gewoon... een kolibrie?'

Zoiets was nog nooit gebeurd als iemand erbij was. Hoe kon ze dit aan Holly uitleggen? Het kleine rode vogeltje botste tegen de gesloten ramen in zijn pogingen om te ontsnappen en ze hoorden het getik van zijn pootjes en snaveltje tegen de ruit.

Lucy klemde haar kaken op elkaar en pakte het kozijn beet om het omhoog te duwen. 'Holly, kun je mij helpen?'

Samen probeerden ze het raam open te krijgen, maar het zat vast. De kolibrie vloog heen en weer, steeds opnieuw tegen het raam.

Holly gilde nog een keer. 'Ik haal oom Sam.'

'Wacht, Holly…' Maar het meisje was al weg.

Sam liet de vuilniszak die hij in zijn handen had vallen toen hij het gegil beneden hoorde. Het was Holly. Zijn gehoor was zo verfijnd geworden dat hij het verschil kon horen tussen de verschillende geluiden die Holly maakte en hij kon horen of ze gilde van plezier, angst of boosheid.

'Het is net alsof ik met dolfijnen kan praten,' had hij eens tegen Mark gezegd.

Dit was een gil van schrik. Was er iets met Lucy gebeurd? Sam rende naar de trap en nam twee of drie treden tegelijk.

'Oom Sam!' hoorde hij Holly roepen. Ze stond onder aan de trap op hem te wachten en sprong op en neer. 'Je moet komen!'

'Wat is er? Is alles oké? Is Lucy…' Toen hij achter haar aan naar de woonkamer liep, hoorde hij gezoem bij zijn oor en zag hij een flits van iets wat leek op een bij, zo groot als een golfbal. Sam moest zich beheersen niet om zich heen te gaan meppen. Gelukkig maar; toen het diertje omhoog vloog naar een hoek van de kamer en tegen de muur botste, zag hij dat het een kolibrie was. Het maakte zachte tjilpgeluidjes, zijn vleugels een waas van beweging.

Lucy zat op de bank en probeerde wanhopig het raam open te duwen.

'Stop,' beet Sam haar toe. Binnen drie stappen was hij bij haar. 'Je doet jezelf nog meer pijn.'

'Hij blijft maar tegen de muren en ramen botsen,' zei Lucy buiten adem. 'En ik krijg dit domme ding niet open…'

'Het is de vochtigheid. Het hout zet uit.' Sam duwde het raam omhoog, zodat de kolibrie naar buiten kon vliegen.

Het kleine vogeltje bleef hangen, vloog heen en weer en botste weer tegen de muur. Sam vroeg zich af hoe hij het diertje naar het raam kon loodsen zonder dat het zijn vleugels zou verwonden. Op deze manier zou hij nog van de stress of uitputting doodgaan.

'Mag ik je pet even, Holly?' zei hij. Hij pakte de roze pet van haar hoofd. Terwijl de kolibrie in de hoek van de kamer heen en weer bleef schieten, probeerde Sam het vogeltje met de pet te vangen, tot het klem zat en in de pet bleef liggen.

Holly slaakte een ademloos gilletje.

Voorzichtig pakte Sam het vogeltje in zijn handen en liep naar het open raam.

'Is hij dood?' vroeg Holly bezorgd. Ze kroop op de bank, naast Lucy.

Sam schudde zijn hoofd. 'Hij is moe,' fluisterde hij.

Ze keken met zijn drieën toe en wachtten, terwijl Sam zijn handen boven de vensterbank opende. Langzaam kwam het vogeltje wat bij. Zijn hart, niet veel groter dan een zonnebloempitje, hamerde als een overspannen muziekdoosje, te snel en zacht om te horen. Het vogeltje steeg op uit Sams handen en fladderde weg, de wijngaard in.

'Hoe is hij binnen gekomen?' vroeg Sam, die van de een naar de ander keek. 'Heeft iemand de deur open laten staan?' Hij zag dat Lucy een pokergezicht trok.

'Nee,' zei Holly met een glinstering in haar ogen. 'Lucy deed het!'

'Ze deed wat?' vroeg Sam, terwijl hij zag hoe Lucy verbleekte.

'Ze maakte hem van een sapglas,' riep Holly. 'Ze had het glas in haar hand en toen veranderde het in een vogeltje. Ja toch, Lucy?'

'Ik...' Zichtbaar geschrokken probeerde Lucy de juiste woorden te vinden; haar mond ging open en dicht. 'Ik weet niet wat er is gebeurd,' wist ze uiteindelijk uit te brengen.

'Er vloog een vogel uit je handen,' zei Holly. 'En nu is je sap-glas weg.' Ze pakte haar eigen glas en duwde het in haar handen. 'Misschien kun je het nog een keer doen.'

Lucy deinsde achteruit. 'Dank je, nee, ik... hou jij hem maar, Holly.'

Ze keek hem met zo'n schuldige blik aan dat Sam weer moest denken aan wat ze een keer had gezegd.

Ik geloof in magie.

En nu wist hij waarom.

Het maakte niet uit dat het eigenlijk niet kon. Sam wist uit eigen ervaring dat de waarheid soms totaal onmogelijk was.

Hij staarde haar aan en probeerde wijs te worden uit de wir-war van gedachten en emoties. Zijn hele volwassen leven had hij zijn gevoelens weten te ordenen, zoals andere mensen hun hak-messen bewaren in een snijblok, met de scherpe kantjes naar beneden. Maar bij Lucy lukte dat niet.

Hij had nog nooit iemand verteld over zijn gave. Het had nooit zin gehad. Maar door de gebeurtenissen was het een basis geworden voor een relatie met iemand anders. Met Lucy.

'Leuk trucje,' zei hij zachtjes. Lucy was nog bleker geworden en sloeg haar ogen neer.

'Maar het was geen trucje,' sputterde Holly. 'Het was echt.'

'Soms,' zei Sam tegen zijn nichtje, 'lijken echte dingen ma-gisch, en lijkt magie net echt.'

'Ja, maar...'

'Holly, doe me een plezier en haal Lucy's medicijnen even uit de keuken. En een glas water.'

'Oké.' Holly sprong van de bank, waardoor Lucy weer ver-schoot van de pijn.

Lucy keek hem aan met een blik van pijn en ongemak. De inspanningen van de laatste paar minuten waren te veel voor haar geweest.

'Ik haal zo wat meer ijs,' zei Sam.

Lucy knikte. Ze zat bijna te trillen van ellende. 'Dank je.'

Sam zakte door zijn knieën en hurkte neer naast de bank. Hij vroeg niet om een uitleg, maar liet een lange stilte vallen. In deze stilte pakte hij een van Lucy's handen beet, draaide hem om en streelde haar bleke vingers tot ze zich ontspanden.

Alle kleur was uit Lucy's gezicht getrokken, behalve de rode band die over haar wangen en de brug van haar neus liep. 'Wat Holly zei,' wist ze uit te brengen, 'het is niet wat je...'

'Ik begrijp het,' zei Sam.

'Ja, maar ik wil niet dat je denkt...'

'Lucy. Kijk me aan.' Hij wachtte tot ze hem in de ogen keek. *'Ik begrijp het.'*

Ze schudde ontreddeerd haar hoofd.

Hij wilde het haar dolgraag uitleggen. Hoewel hij amper kon geloven dat hij het deed, stak hij zijn andere hand uit naar de glazen pot op de salontafel. De kleine orchideetjes, grillig als altijd, waren gaan hangen en kleurden al een beetje bruin. Toen hij zijn handpalm boven de pot hield, rekten de bloemen en varenblaadjes zich uit om zijn hand aan te raken; de bloemblaadjes werden weer roomwit en de groene planten kregen weer kleur.

Lucy zweeg en keek gefascineerd van de pot naar Sams gezicht. Hij zag de verwondering in haar ogen, de glinstering van de traan in haar ooghoek, de brok in haar keel. Ze pakte zijn hand stevig vast.

'Sinds mijn tiende,' zei Sam als antwoord op haar onuitgesproken vraag. Hij had zijn geheim onthuld, voelde zijn hart kloppen in zijn keel. Hij had net iets gedeeld wat eigenlijk veel te persoonlijk, te intiem was, en het verontrustte hem dat hij dat in het geheel niet erg vond. Hij wist ook niet of hij zichzelf ervan kon weerhouden om nog meer te zeggen en te doen, om nog dichter bij haar te komen.

'Ik was zeven,' fluisterde Lucy, waarna ze zwakjes begon te glimlachen. 'Ik liet glasscherven veranderen in vuurvliegjes.'

Hij staarde haar gefascineerd aan. 'Kun je het niet controleren?'

Ze schudde haar hoofd.

'Hier zijn je pillen,' zei Holly vrolijk, die net de kamer weer binnenliep. Ze hield het potje en een grote beker water in haar handen.

'Dank je,' mompelde Lucy. Nadat ze een paar pillen had ingenomen, schraapte ze haar keel en zei ze voorzichtig. 'Holly, ik zou graag willen dat je er niet over praat, over hoe de kolibrie in deze kamer kwam…'

'O, ik weet wel dat ik het niet moet vertellen,' verzekerde Holly haar. 'De meeste mensen geloven niet in magie.' Ze schudde haar hoofd, alsof ze het zielig vond.

'Waarom een kolibrie?' vroeg Sam aan Lucy.

Ze moest nadenken over het antwoord, alsof het haar veel moeite kostte om iets nu openlijk onder woorden te brengen waar ze het nog nooit met iemand over had gehad. 'Ik weet het niet zeker. Ik moet proberen uit te vinden wat het betekent.'

Ze zweeg even en zei toen: 'Misschien dat ik niet stil moet blijven zitten. Weer in beweging moet komen.'

'De Kust-Salish zeggen dat een kolibrie verschijnt in tijden van pijn en verdriet.'

'Waarom?'

Hij pakte het potje met pillen, deed het dopje er weer op en zei toen op neutrale toon: 'Ze zeggen dat het betekent dat alles beter wordt.'

'Holly, jij bent een echte zakenvrouw,' zei Sam die avond, toen hij weer een handvol Monopoliegeld aan zijn giechelende nichtje overhandigde. 'Ik ben uit, jongens.'

Nadat ze lasagne en salade hadden gegeten waren ze met zijn vieren – Sam, Lucy, Mark en Holly – naar de woonkamer gegaan om wat bordspelletjes te spelen. De sfeer was gemoedelijk en het voelde alsof er helemaal niets vreemds was gebeurd.

'Je moet altijd proberen om een station te kopen als je de kans krijgt,' antwoordde Holly.

'Dat zeg je nu.' Sam keek Lucy even aan, die zich in de hoek van de bank had genesteld. 'Ik vind dat de bank ook wel wat meer mededogen had kunnen hebben.'

'Het spijt me,' antwoordde Lucy grijnzend. 'Regels zijn regels. En de cijfertjes liegen nooit.'

'Wat maar weer aantoont dat jij niks weet van bankieren,' zei Sam.

'We zijn nog niet klaar,' protesteerde Holly, die zag dat Mark de stukken van het bord pakte. 'Ik heb nog niet iedereen verslagen.'

'Het is tijd om te gaan slapen.'

Holly zuchtte diep. 'Als ik groot ben, ga ik nooit naar bed.'

'Ironisch,' zei Sam tegen haar, 'want je zult zien dat als je straks groot bent, je het liefst gewoon in bed blijft liggen.'

'Wij ruimen wel op,' zei Lucy tegen Mark. 'Dan kun je Holly vast naar boven brengen.'

Het kleine meisje leunde voorover om Sam een vlinderkusje te geven met haar wimpers en wreef haar neus tegen de zijne.

Terwijl Mark met Holly naar boven ging, sorteerden Lucy en Sam de stukken en het geld.

'Het is een schatje,' zei Lucy.

'We hebben geluk gehad,' zei Sam. 'Vick heeft het geweldig gedaan.'

'Jij en Mark ook. Holly is duidelijk gelukkig en wordt met alle liefde omringd.' Lucy wikkelde een elastiekje om de stapel geld en gaf het aan hem.

Sam deed de deksel op de doos en keek Lucy glimlachend aan. 'Zin in een wijntje?'

'Heerlijk.'

'Laten we buiten gaan zitten. Het is aardbeienmaan.'

'Aardbeienmaan? Wat is dat?'

'Volle maan in juni. Tijd om rijpe aardbeien te plukken. Ik dacht dat je die term misschien al wel eens had gehoord.'

'Ik ben opgegroeid met veel wetenschappelijke termen, maar deze kende ik nog niet.' Lucy voegde er grinnikend aan toe: 'Ik was ook nogal teleurgesteld toen mijn vader me vertelde dat sterrenstof eigenlijk kosmisch vuil was. Ik dacht altijd dat het glinsterde, net als elvenstof.'

Een paar minuten later had Sam haar buiten op de veranda in een rieten leunstoel neergevleid, waarna hij haar been voorzichtig op een poef legde. Nadat hij haar een glas wijn had gegeven dat smaakte naar rokerige bessen, ging Sam in de stoel naast haar zitten. Het was een prachtige heldere avond, perfect om de donkere hemel en de eindeloze ruimte tussen de sterren te zien.

'Wat fantastisch,' zei Lucy, toen ze zich realiseerde dat Sam de wijn in ouderwetse jampotjes had geschonken. 'Ik herinner me dat we bij mijn grootouders ook altijd uit deze potjes dronken.'

'Gezien recente gebeurtenissen,' zei Sam, 'heb ik maar besloten jou niet meer onze goede glazen te geven.' Hij glimlachte even.

Terwijl ze weer van hem wegkeek, zag Lucy dat het klittenband op haar spalk niet meer goed zat. Ze boog zich voorover om het weer goed te plakken, maar kon er net niet bij.

Zonder een woord te zeggen, schoot Sam haar te hulp.

'Dank je,' zei Lucy. 'Ik wil altijd dat dingen precies recht op elkaar zitten.'

'Ik weet het. De naad van je sokken moet ook recht over je tenen lopen. En je vindt het niet fijn als de verschillende dingen op je bord tegen elkaar liggen.'

Lucy keek hem schaapachtig aan. 'Valt het zo op?'

'Niet echt.'

'Echt wel. Kevin werd er gek van.'

'Ik ben erg tolerant wat ritueel gedrag betreft,' zei Sam. 'Het is eigenlijk een evolutionair voordeel. De gewoonte die honden bijvoorbeeld hebben, om eerst rondjes te draaien in hun mand voor ze gaan liggen, dat hebben ze van hun voorouders, die keken of er geen slangen of andere gevaarlijke dieren lagen.'

Lucy moest lachen. 'Ik kan geen voordelen bedenken voor mijn rituele gedrag. Mensen vinden het eigenlijk alleen maar irritant.'

'Als het heeft geholpen om Kevin af te schrikken,' zei Sam, 'zou ik zeggen dat het voordelen genoeg heeft.' Hij leunde achterover in zijn stoel en keek haar aan. 'Weet hij het?' vroeg hij uiteindelijk.

Ze wist wat hij bedoelde en schudde haar hoofd. 'Niemand weet het.'

'Alleen Holly en ik.'

'Ik was niet van plan het te doen waar zij bij was,' zei Lucy. 'Het spijt me.'

'Het is al goed.'

'Soms voel ik hevige emoties, en dan is er glas in de buurt...' Haar stem stierf weg en ze haalde een beetje hulpeloos haar schouders op.

'De emotie veroorzaakt het.' Het was meer een constatering dan een vraag.

'Ja. Holly zat te kleuren en ik dacht aan hoe geweldig het zou zijn om workshops met glas aan kinderen te geven. Om ze te laten zien wat je ermee kunt maken. En dat idee gaf me zo'n ongelooflijk gevoel van... hoop. Blijdschap.'

'Natuurlijk. Als je ergens een passie voor hebt, dan wil je die met anderen delen.'

Sinds die middag was er iets veranderd in de manier waarop ze met elkaar omgingen. Het voelde nu goed, veilig, een gevoel dat Lucy wilde koesteren. Ze keek hem aan. 'Heeft emotie ook invloed op wat jij doet? Op je gave, bedoel ik.'

'Het voelt meer als een energie. Het is heel subtiel. En ik heb het alleen hier, op het eiland. Toen ik in Californië zat, had ik mezelf er bijna van overtuigd dat het gewoon tussen mijn oren zat. Maar toen ik weer terug was, was het sterker dan ooit.'

'Hoe lang heb je in Californië gewoond?'

'Een paar jaar. Ik werkte er als assistent van een wijnmaker.'

'Alleen? Ik bedoel... had je toen geen vriendin?'

'Ik ben een paar keer uitgegaan met de dochter van de eigenaar van de wijngaard. Prachtige meid, slim, en met evenveel liefde voor wijn als ik.' Zijn stem werd mild en nadenkend. 'Ze wilde dat we ons gingen verloven. Het idee om met haar te trouwen was erg verleidelijk. Ik was gek op haar familie, de wijngaard... het zou heel gemakkelijk en handig zijn geweest.'

'En waarom deed je het niet?'

'Ik wilde haar niet zo gebruiken. En ik wist dat het niet lang zou duren.'

'Hoe wist je dat nou? Hoe kun je het weten als je het niet probeert?'

'Ik wist het zodra het idee van trouwen opkwam. Ze was ervan overtuigd dat als we het gewoon deden, naar Vegas vlogen en gewoon trouwden, dat het dan wel goed zou komen. Maar ik had het gevoel alsof iemand gewoon een keukenrol en een pak poedersuiker in de oven gooide en zei: "Nou maar wachten, misschien verandert het wel in een chocoladetaart."'

Lucy kon een glimlach niet onderdrukken. 'Misschien was ze gewoon niet de ware. Het wil niet zeggen dat je nooit gaat trouwen.'

'Ik vond het het risico niet waard.'

'Omdat je in je jeugd alleen maar de pijnlijke kant van de liefde hebt gezien.'

'Ja.'

'Maar volgens het principe dat het universum in balans moet zijn, moet er ergens iemand zijn die jou ook het *beste* van de liefde kan laten zien.'

Sam dacht er even over na en tilde zijn jampotje op om te toosten. 'Op de beste kant van de liefde. Wat die ook moge zijn.'

Terwijl ze de potjes lieten klinken, bedacht Lucy dat er waarschijnlijk heel veel vrouwen waren die Sams tegenstribbelen zagen als een uitdaging, en hem met liefde zouden willen overhalen om van gedachten te veranderen. Zo dom zou zij niet zijn.

Ook al was ze het niet met Sam eens, ze moest zijn gevoelens respecteren.

Ze had in het verleden wel geleerd dat als je van een man hield, je hem moest nemen 'zoals hij was', in de wetenschap dat je misschien wel bepaald gedrag kon veranderen – zoals zijn smaak in stropdassen – maar dat je nooit kon veranderen hoe hij diep vanbinnen in elkaar zat. En als je geluk had, kwam je een man tegen die dezelfde gevoelens voor jou had.

Dat, dacht ze, was het beste van de liefde.

⚜ Zeventien ⚜

'Vanochtend heb je een afspraak in het ziekenhuis, weet je nog?' riep Sam door de badkamerdeur heen. 'Als de arts tevreden is, krijg je de luchtspalk en krukken.'

'Ik zou zo graag weer kunnen lopen,' zei Lucy enthousiast, terwijl ze zichzelf afspoelde onder de hete douche. 'En het zou voor jou ook fijn zijn als je me niet constant hoefde te tillen.'

'Je hebt helemaal gelijk. Ik kan me niet voorstellen waarom ik dacht dat het leuk zou zijn om een halfnaakte vrouw in plastic in te pakken en met haar in mijn armen rond te lopen.'

Lucy glimlachte en draaide de kraan dicht. Ze deed de douchemuts van Hello Kitty af die ze van Holly had gekregen en sloeg een handdoek om haar lichaam. 'Je mag binnenkomen.'

Sam stapte de dampende badkamer binnen om haar te helpen. Hij was er al heel behendig in geworden... maar op een of andere manier vond hij het vandaag lastig om haar in de ogen te kijken.

De vorige avond hadden ze tot laat op de veranda gezeten, en uiteindelijk de hele fles wijn leeggedronken. Maar nu was Sam stil en afstandelijk. Het was alsof hij er een beetje genoeg van had om haar op haar wenken te bedienen.

Lucy had besloten dat ze, ongeacht wat de dokter ook zou zeggen, per se krukken wilde. Ze was nu drie dagen heen en weer gesjouwd door Sam en het was meer dan genoeg geweest.

Ze balanceerde voorzichtig op één been en hield haar handdoek stevig vast. Zorgvuldig haakte Sam een arm onder haar knieën door, tilde haar op en liep met haar naar de slaapkamer. Hij zette haar op het randje van het bed neer. Hij pakte een schaartje en begon weer door de lagen plastic te knippen die om haar bungelende been zaten.

'Je hebt al zo veel voor me gedaan,' zei Lucy zachtjes. 'Ik hoop dat ik je op een dag...'

'Het is al goed.'

'Ik wil alleen maar zeggen dat ik erg...'

'Ik weet het. Je bent me dankbaar. Je hoeft het niet elke keer te zeggen als ik je uit die stomme douche help.'

Lucy knipperde even met haar ogen, geschrokken van zijn bruuskheid. 'Sorry. Ik wist niet dat je beleefdheid zo vervelend vond.'

'Het is geen beleefdheid,' zei Sam, terwijl hij het laatste stukje plastic los knipte, 'als je daar zo nat en bijna naakt zit te zitten, me aankijkend met die grote poppenogen van je. Houd die beleefdheid maar voor je.'

'Waarom ben je zo lichtgeraakt? Heb je een kater?'

Hij keek haar spottend aan. 'Ik krijg echt geen kater van twee glazen wijn.'

'Het is omdat je dit allemaal moet doen, hè? Iedereen zou er gefrustreerd door raken. Het spijt me. Maar voor je het weet, kan ik weer weg en...'

'Lucy,' zei hij gespannen, 'stop met je te verontschuldigen. Probeer niet alles te beredeneren. Houd gewoon eens een paar minuten je mond.'

'Maar...' Ze keek hem aan en stopte direct. 'Oké, ik ben al stil.'

Toen het plastic van haar been was, keek Sam even naar de blauwe plek aan de zijkant van haar knie. Hij streek langs de rand van de donkerblauwe vlek, zo lichtjes dat ze het amper kon voelen. Hij had zijn hoofd over haar been gebogen, zodat Lucy zijn gezicht niet kon zien. Hij zette zijn handen aan weerszijden van haar heupen op het matras en kneep hard met zijn vingers in de deken. Hij voelde een diepe rilling door zijn hele lichaam, een verlangen zo groot dat hij zijn zelfbeheersing verloor.

Lucy durfde niks te zeggen. Ze staarde naar zijn kruin, gespannen schouders. Ze hoorde de echo van zijn hartslag.

Het licht gleed over zijn donkere haar. De aanraking van zijn lippen was zacht en warm op de blauwe plek, en ze schrok even.

Langzaam gleed zijn mond naar de binnenkant van haar dij-been. Hij spande zijn vingers tot hij handenvol van de deken beet hield. Lucy's adem stokte in haar keel toen hij verder naar beneden gleed tussen haar benen en zijn stevige lichaam tegen haar aan drukte.

Opnieuw een kus, hoger, waar haar huid dun en gevoelig was. Haar huid werd heet en koud onder de vochtige handdoek, en ze voelde een golf van genot door haar lichaam stromen. Langzaam ontspanden zijn handen zich onder de rand van de handdoek, waardoor het witte badstof losraakte en van haar lichaam zakte. Hij liet zijn handen omhoog glijden, over haar heupen en buik, volgend met zijn lippen die een spoor van on-draaglijke sensatie achterlieten. Hijgend liet Lucy zich achter-over vallen, zwak en gewillig. Hij duwde de handdoek open en ademde de geur van haar fris gewassen en nog nadampende li-chaam in.

In een waas van opwinding en verwarring draaide Lucy haar brandende gezicht opzij, haar ogen gesloten, om alles behalve het intense gevoel van zijn aanraking buiten te sluiten. Ze wilde het zo graag. Hij begon de liefde met haar te bedrijven, trok haar met zijn handen en mond mee in een donkere, zoete golf van verlangen. Zoiets had ze nog nooit gevoeld, een verrukking die haar botten deed smelten tot een vloeibaar vuur. Zijn dui-men streelden haar meest intieme plekje, duwden het vochtige vlees uiteen. Ze snikte even toen ze de hitte van zijn adem voel-de, de druk van zijn mond op haar lichaam. Een likje van zijn tong, een voorzichtig trekken met zijn tanden. Langzaam en rit-misch likte hij haar, een plagend en tegelijk zalig gevoel, tot haar lichaam begon te bonzen en zich verzette tegen de leegheid. Hulpeloos trok ze zich aan hem omhoog bij elke fluweelzachte werveling, het gevoel steeds warmer en intenser.

Het schrille geluid van de deurbel sneed als een mes door de sensuele hitte. Lucy bevroor, met haar hele lichaam schreeu-wend in protest. Sam bleef haar kussen en strelen, zo verloren in de gedachteloze lust van het moment dat hij het niet had gehoord. Maar opnieuw werd er aangebeld en Lucy duwde hijgend zijn hoofd van zich af.

Vloekend trok Sam zich los. Hij zocht naar de handdoek en dekte Lucy toe. Half zittend, half tegen de rand van het matras leunend hapte hij naar adem. Zijn hele lichaam trilde nog na.

'Waarschijnlijk een van mijn medewerkers,' hoorde ze hem mompelen.

'Kun je...'

'Nee.'

Hij duwde zich omhoog en liep de badkamer in. Ze hoorde de kraan. Tegen de tijd dat Sam weer naar buiten kwam, had Lucy de dekens over zich heen weten te trekken. Zijn blik was hard, zijn kaken gespannen. 'Ik ben zo terug.'

Lucy beet op haar lip en vroeg: 'Ben je boos om wat je bent begonnen of om wat je niet hebt kunnen afmaken?'

Sam keek haar somber aan. 'Allebei,' zei hij, om daarna weg te benen.

Sam liep naar beneden, verscheurd door pijn; hij voelde de lust in zijn lichaam, maar die werd overschaduwd door heftigere emoties. Woede, frustratie, onbehagen. Hij was zo dichtbij geweest, té dichtbij, en had bijna met Lucy gevreeën. Hij wist dat het verkeerd was en toch had hij het niet erg gevonden. Maar waarom had Lucy hem niet tegengehouden? Als hij de controle over de situatie kwijtraakte, over zichzelf, dan kon hij wel eens de grootste fout van zijn leven maken.

Hij liep naar de voordeur en deed open. Daar stond Lucy's zus, Alice. Hij keek haar ongelovig aan. Eventjes overwoog hij hoe heerlijk het zou zijn om haar van zijn veranda te schoppen.

Alice staarde hem met een kille blik aan, wiebelend op een paar ongelooflijk hoge hakken. Haar reebruine ogen waren groot en zwaar omlijnd met een glinsterend paarse eyeliner, waardoor ze bijna uit haar smalle gezicht leken te spatten. Haar lippen waren felroze gestift. Zelfs onder de beste omstandigheden had Sam haar irritant gevonden. Maar omdat ze hem net bij Lucy uit bed had getrokken en zijn lijf het uitschreeuwde om het af te mogen maken, was Sam niet in staat om ook maar iets van beleefdheid te veinzen.

'We stellen het enorm op prijs als mensen eerst even bellen,' zei hij.

'Ik wil mijn zus graag zien.'

'Het gaat prima met je zus.'

'Dat zou ik graag met eigen ogen willen zien.'

'Ze ligt te slapen.' Sam hield met een arm de deur beet, zodat ze er niet langs kon.

'Ik ga pas weg als je haar hebt verteld dat ik er ben,' zei Alice.

'Lucy heeft een hersenschudding.' Zonder enige zelfspot voegde hij eraan toe: 'Ze kan er nu geen stress bij hebben.'

Ze perste haar lippen op elkaar. 'Denk je dat ik haar ga kwetsen?'

'Je hebt haar al gekwetst,' zei Sam met een uitgestreken gezicht. 'Het is echt niet zo moeilijk om te begrijpen dat je hier niet zo populair bent omdat je Lucy's vriendje hebt afgepakt.'

'Jij hebt niet het recht om mij of mijn keuzes te veroordelen.'

Dat klopte. Maar gezien het feit dat Alices affaire met Kevin een kettingreactie op gang had gebracht die ertoe had geleid dat Lucy nu in Sams huis lag te herstellen van een ongeluk, vond hij dat hij toch recht van spreken had.

'Zolang Lucy hier bij mij is,' zei hij, 'is het mijn taak om voor haar te zorgen. En naar mijn mening dragen jouw keuzes niet echt bij aan Lucy's herstel.'

'Ik ga pas weg als ik met haar heb kunnen praten.' Alice duwde haar hoofd naar binnen en begon te roepen: 'Lucy? Kun je me horen? *Lucy!*'

'Het maakt mij niet uit als jij hier de hele dag als een kat op de stoep wilt gaan zitten janken...' Sam hoorde Lucy roepen. Met vlammende ogen keek hij Alice aan en zei: 'Ik ga even bij haar kijken. Blijf hier.'

'Mag ik binnen wachten?' durfde ze nog te vragen.

'Nee.' Hij gooide de deur in haar gezicht dicht.

Tegen de tijd dat Sam omhoog was gerend en de slaapkamer binnenstapte, had Lucy een kaki korte broek en T-shirt aangetrokken. Ze had genoeg van de woordenwisseling opgevangen om te weten dat Alice zonder aankondiging langs was gekomen en dat Sam niet echt blij was.

Nog een beetje wiebelig en zenuwachtig vroeg Lucy zich af wat er nou net was gebeurd. Haar reactie op zijn aanraking, de intense lust die alle andere gedachten hadden weggeduwd, had haar enorm verrast.

Ze voelde een kleur opkomen toen Sam naar haar toe liep. Zijn blik gleed over haar lichaam en hij fronste zijn wenkbrauwen. 'Hoe kom je aan die kleren?' vroeg hij. 'Ik had ze op het dressoir gelegd.'

'Ik ben heel voorzichtig geweest,' zei Lucy. 'Het was maar een stap en een sprong van het bed, en toen ik gewoon...'

'Verdomme, Lucy. Als dat been nog een keer de vloer raakt, dan ga ik...' Hij zweeg, en liet de dreigementen in de lucht hangen.

'Ga je me dan zonder eten naar bed sturen?' stelde Lucy voor. 'Of pak je me mijn mobieltje af?'

'Wat dacht je van een ouderwets pak slag?'

Maar ze had de schrik in zijn ogen gezien, en wist wat er achter zijn irritatie zat. Ze glimlachte stiekem. 'Holly vertelde me dat je tegen lijfstraffen bent.'

Sam staarde haar aan en liet zijn schouders zakken. De harde lijnen om zijn mond werden milder. 'Ik wil voor jou best een uitzondering maken.'

Haar glimlach werd breder. 'Ben je aan het flirten?'

'Nee, ik...' Er werd aanhoudend gebeld. 'Jezus,' mompelde Sam.

'Ik kan maar beter even met haar gaan praten,' zei Lucy verontschuldigend. 'Wil je me naar beneden brengen?'

'Waarom doe je jezelf dit aan?'

'Ik kan Alice niet eeuwig blijven ontlopen. En mam komt overmorgen. Ze zou het echt geweldig vinden als haar dochters in elk geval weer met elkaar praten.'

'Het is nog te vroeg.'

'Dat vind ik ook,' gaf Lucy toe. 'Maar ze is er, dus ik kan het maar beter gewoon doen.'

Sam aarzelde en schepte haar vervolgens in zijn armen.

De aanraking schoot als een elektrische stroom door Lucy's lichaam. Ze probeerde haar reactie verborgen te houden, zich te concentreren op haar ademhaling. Maar terwijl ze zijn schouders vastpakte, zag ze de rode kleur in zijn nek, en wist ze dat zij niet de enige was die het had gevoeld.

'Dank je,' zei ze, terwijl hij zijdelings door de deuropening stapte. 'Ik weet dat je haar het liefst van het erf gooit.'

'Misschien doe ik dat straks nog wel.' Sam liep naar de trap. 'Ik houd jullie in de gaten. Zodra ze je van streek maakt, kan ze vertrekken.'

Lucy keek hem fronsend aan. 'Ik wil niet dat je als een politie-agent bij de bank blijft staan.'

'Ik ben geen lijfwacht. Maar ik blijf wel in de buurt, voor het geval je me nodig hebt.'

'Ik heb geen hulp nodig.'

'Lucy, weet je wat een hersenschudding is?'

'Ja.'

Sam ging verder alsof hij haar niet had gehoord. 'Een hersenschudding is wanneer je zo'n enorme smak maakt dat je hersenen tegen je schedel botsen, en tig neuronen het loodje leggen. Het kan slaapstoornissen veroorzaken, depressiviteit, geheugenverlies en andere problemen, zeker als je het niet rustig aan doet.' Hij zweeg even en voegde er geïrriteerd aan toe: 'En seks kan ook niet.'

'Zei de dokter dat?'

'Dat hoefde hij niet te zeggen.'

'Ik denk niet dat mijn hersenschudding te lijden heeft onder seks,' zei Lucy. 'Tenzij we ondersteboven hangen of op een trampoline liggen te hopsen.'

Ze probeerde er een grapje van te maken, maar Sam was niet in de stemming.

'We doen het helemaal niet,' zei hij vastberaden. Terwijl Sam Lucy weer met haar been languit op de bank legde, stond Renfield op van zijn kussen in de hoek. Hij waggelde naar de bank en keek hen allebei dolblij aan. Lucy stak haar hand uit om hem te aaien, terwijl Sam Alice ging halen. Hij duwde haar bot de woonkamer binnen.

Hoewel Lucy degene was die met een gespalkt been op de bank lag, zag Alice er van de twee zussen het kwetsbaarst uit. De zware make-up, de gepijnigde blik, de onhandige bewegingen door haar hoge stilettohakken, versterkten haar onzekerheid.

'Hoi,' zei Alice.

'Hoi.' Lucy glimlachte moeizaam. 'Doe alsof je thuis bent.'

Terwijl Lucy toekeek hoe Alice heel voorzichtig op de rand van een stoel ging zitten, voelde ze hun verleden als een deken over hen neerdalen. Haar relatie met Alice was hun hele leven al problematisch geweest, vol jaloezie, schuldgevoelens en rancune. Ze waren opgegroeid met het idee dat ze met elkaar moesten vechten om de aandacht van hun ouders. Hoewel Lucy altijd al had gehoopt dat het beter zou worden, was dat gevoel nu nog sterker.

Lucy zag Alice naar de hond kijken en zei: 'Dat is Renfield.'

De hond gromde en keek op naar Lucy. Er hing een klodder kwijl aan zijn ingevallen onderlip.

'Is er iets met die hond?' zei Alice met walging in haar stem.

'Je kunt beter vragen wat er niet met de hond is,' zei Sam.

Tegen Lucy zei hij: 'Je hebt tien minuten. Dan gaat je zus weer weg. Je moet rusten.'

'Oké,' zei Lucy met een flauwe glimlach.

Alice keek Sam geïrriteerd na. 'Waarom is hij zo ongelooflijk grof?'

'Hij wil me beschermen,' zei Lucy zachtjes.

'Wat heb je hem over mij verteld?'

'Heel weinig.'

'Je hebt vast verteld hoe Kevin je in de steek heeft gelaten en wat ik volgens jou...'

'Jij bent niet het enige onderwerp van gesprek in dit huis,' zei Lucy, scherper dan ze had gewild.

Alice deed haar mond dicht en keek gekwetst.

Na een ongemakkelijke stilte vroeg Lucy: 'Heeft mam je gevraagd om even bij me te gaan kijken?'

'Nee. Dat wilde ik zelf. Ik houd van je, Lucy. Ik gedraag me misschien niet altijd zoals jij dat wilt, maar ik ben nog steeds je zus.'

Lucy slikte de vinnige opmerking die ze wilde maken weer in. Ze voelde dat ze van top tot teen gespannen was en probeerde haar spieren weer te ontspannen. Ze voelde haar rug protesteren.

Waarom was Alice hier in hemelsnaam? Lucy wilde graag geloven dat ze hier was omdat ze zich zorgen om haar maakte, of dat ze nog gevoelens voor elkaar hadden. Maar blijkbaar was het feit dat ze zussen waren niet genoeg om de band tussen hen te herstellen. De pijnlijke waarheid was dat als Alice niet haar zus was geweest, Lucy niets met haar te maken zou willen hebben.

'Hoe gaat het tussen jou en Kevin?' vroeg Lucy. 'Nog druk bezig met het plannen van de bruiloft?'

'Ja. Mam en pap komen morgen om wat dingen door te praten.'

'Dus ze gaan ervoor betalen?'

'Ik geloof het wel.'

'Dat dacht ik al,' zei Lucy somber, voor ze zichzelf kon tegen-houden. Wat ze ook tegen haar hadden gezegd, natuurlijk zou-den haar ouders Alice nooit ergens de verantwoordelijkheid voor laten nemen.

'Moeten ze dat volgens jou niet doen dan?' vroeg Alice.

'Volgens jou dan wel?' wierp Lucy tegen.

'Natuurlijk. Ik ben hun dochter.' Alice keek haar met kille ogen aan. 'Jij moet één ding goed begrijpen, Lucy. Het was nooit mijn plan om jou te kwetsen. En Kevin wilde het ook niet zo. Het ging helemaal niet om jou. Jij...'

'Had de pech dat ik in de weg stond?'

'Als je het zo wilt stellen.'

'Jullie deden absoluut geen moeite om even na te denken over hoe het verder zou gaan.'

'Zo is de liefde nu eenmaal,' zei Alice, zonder een greintje schuldbewustzijn in haar stem.

'Echt?' Ze nestelde zich in een hoek van de bank en sloeg haar armen om zich heen. 'Heb je er ooit aan gedacht dat toen Kevin bedacht dat hij niet met mij verder wilde, jij misschien een goed excuus was?'

'Nee,' beet Alice terug. 'Ik had zo'n groot ego dat ik dacht hij echt verliefd op mij was geworden en dat iemand – hoe onge-looflijk jou dat ook in de oren mag klinken – mij liever heeft dan jou.'

Lucy hield haar hand op en probeerde zichzelf tot rust te manen. Dit kon alleen maar op ruzie uitlopen, en ze wist dat ze dit nu niet aankon. Alleen al het feit dat Alice hier zat, gaf haar een knallende hoofdpijn. 'Laten we het daar verder maar niet over hebben. Laten we liever nadenken over hoe het vanaf nu verder moet.'

'Waar moeten we over nadenken? Ik ga trouwen. We verge-ven en vergeten. En dat moet jij ook doen.'

'Het zit iets ingewikkelder in elkaar,' zei Lucy. 'Dit is geen soap, waar mensen zomaar alles en iedereen vergeven en het helemaal goed komt.' Ze zag Alice verstijven en bedacht net wat te laat dat ze haar baan als scriptschrijver was kwijtgeraakt. 'Sorry,' mompelde ze. 'Dat was een beetje een onfortuinlijk voorbeeld.'

'Natuurlijk,' zei Alice zuur.

Het bleef even stil. 'Ben je op zoek naar een nieuwe baan?' durfde Lucy uiteindelijk te vragen.

'Dat is privé. Maak jij je daar maar geen zorgen over.'

'Ik maak me geen zorgen, alleen...' Lucy slaakte een gefrustreerde zucht. 'Er zijn maar weinig onderwerpen veilig om over te praten.'

'Niet alles is mijn schuld. Ik kan er niets aan doen dat Kevin mij meer wilde dan jou. Hij ging toch bij je weg. En wat kon ik daaraan doen? Ik wilde gewoon gelukkig zijn.'

Begreep Alice echt niet hoe onprettig het was als dat geluk ten koste ging van anderen? En had ze verder geen toekomstplannen? Ironisch genoeg had Alice er nog nooit zo *ongelukkig* uitgezien als nu. Het probleem bij het najagen van geluk was dat het dan altijd een onhaalbaar doel bleef. Geluk was iets wat je vond als je er per ongeluk over struikelde. En wat Alice nu deed – elk pleziertje aangrijpend, alle scrupules overboord gooiend om te doen wat ze maar wilde... dat resulteerde gegarandeerd in nog meer verdriet en pijn.

Maar Lucy zei alleen maar: 'Ik wil ook dat je gelukkig bent.'

Alice snoof even, alsof ze dat niet geloofde. Lucy nam het haar niet kwalijk, want ze wist dat Alice niet begreep wat ze bedoelde.

De klok tikte een halve minuut in stilte door tot Alice weer iets zei. 'Ik wil je graag uitnodigen voor de bruiloft. Het is aan jou of je wilt komen of niet. Als jij een relatie met mij wilt, dan kan dat. Ik zou graag willen dat het weer werd zoals vroeger. Ik vind het heel rot wat er allemaal met jou is gebeurd, maar het is niet mijn schuld en ik ga er echt niet de rest van mijn leven voor boeten.'

Daarom, besefte Lucy, was haar zus langsgekomen. Om dat te zeggen.

Alice stond op. 'Ik moet gaan. Trouwens, pap en mam kunnen niet wachten om Sam te ontmoeten. Ze willen je graag meenemen uit eten morgenavond, of anders komen ze hier en nemen ze iets mee.'

'O geweldig,' zei Lucy vermoeid, 'dat zal Sam fijn vinden.'

Ze leunde met haar hoofd tegen de bank en vroeg: 'Moet hij je even uitlaten? Ik roep hem wel even.'

'Doe geen moeite,' zei Alice, luid met haar hakken op de houten vloer tikkend.

Lucy bleef nog een paar minuten stil zitten. Ze voelde op een gegeven moment dat Sam naast haar stond.

'Hoeveel heb je meegekregen?' vroeg ze zachtjes.

'Genoeg om te weten dat ze een narcistisch kreng is.'

'Ze is ongelukkig,' mompelde Lucy.

'Ze heeft gekregen wat ze wilde.'

'Ze krijgt altijd wat ze wil. Maar het maakt haar niet gelukkig.' Lucy wreef over haar pijnlijke nek. 'Mijn ouders komen morgen langs.'

'Ik hoorde het.'

'Je hoeft er niet bij te zijn hoor. Ze kunnen me wel komen ophalen, dan gaan we ergens eten. Heb jij ook even rust.'

'Ik ga mee. Dat wil ik graag.'

'Jij liever dan ik. Ik weet zeker dat ze me onder druk gaan zetten om het weer uit te praten met Alice, en om naar de bruiloft te komen. Als ik ga, wordt het een hel. Als ik niet ga, ben ik de jaloerse, verbitterde oude zus. Ik verlies hoe dan ook. De enige die wint, is Alice. Zij wint altijd.'

'Niet altijd,' zei Sam. 'En zeker niet als winnen betekent dat ze met Pearson gaat trouwen. Dat wordt pas een hel.'

'Dat ben ik met je eens.' Lucy leunde met haar hoofd tegen de bank en keek Sam aan. Ze glimlachte zwakjes. 'Het wordt tijd dat ik weer wat glas ga bewerken. Dat is het enige wat mijn gedachten van Alice, Kevin en mijn ouders kan afleiden.'

'Kan ik iets voor je doen?' vroeg Sam zachtjes.

Lucy keek in zijn blauwgroene ogen en bedacht dat Sam Nolan totaal niet paste in hoe ze haar leven had gepland en gehoopt. Hij was een complicerende factor waar ze niet op had gerekend.

Maar ondanks Sams tekortkomingen, die hij zelf ruiterlijk toegaf, was hij eerlijk en lief. Ze was in haar leven nog maar weinig van zulke mannen tegengekomen. Het probleem was alleen dat een man als Sam niet deed aan *permanent*. Daar was hij heel duidelijk over geweest.

In plaats van zich te blind te staren op wat ze niet kon krijgen... kon ze misschien beter gaan uitzoeken wat wel kon. Ze had nog nooit een relatie gehad die was gebaseerd op vriendschap en genot, zonder dat gevoelens alles in de war stuurden. Zou ze dat kunnen? Wat zou haar dat opleveren?

Een kans om te voelen, om te leren los te laten. Een kans om te genieten van pure, onvervalste lust, voordat ze verderging met de volgende fase in haar leven.

Lucy hakte de knoop door en keek hem vastberaden aan. Hij had gevraagd wat hij voor haar kon doen en zij had het antwoord.

'Ik wil dat je met me vrijt.'

Achttien

Sam staarde haar zo lang en met zo'n verbaasde blik aan, dat Lucy bijna boos werd.

'Je kijkt alsof je net een van Renfields wormtabletjes hebt doorgeslikt,' zei ze.

Sam knipperde een paar keer met zijn ogen en haalde zijn hand door zijn haar, dat in pieken rechtop bleef staan. Hij begon opgewonden door de kamer te ijsberen. 'Dit is niet de beste dag om daar grapjes over te maken.'

'Wormtabletjes?'

'Seks.' Hij zei het alsof het een vies woord was.

'Het was geen grapje.'

'We kunnen niet vrijen.'

'Waarom niet?'

'Je weet best waarom.'

'Dat is nu niet meer van toepassing,' zei Lucy op serieuze toon. 'Ik heb erover nagedacht en... stop alsjeblief even en kom naast me zitten.'

Sam kwam wat achterdochtig bij haar en ging op de salontafel zitten, tegenover haar. Hij sloeg zijn armen over elkaar en steunde ze op zijn knieën.

'Ik ken de regels,' zei Lucy. 'Geen relatie. Geen jaloezie. Geen toekomst. Het enige wat we doen, is vrijen. Lust, geen liefde.'

'Ja,' zei Sam. 'Dat zijn de regels. En dus doe ik het niet met jou.'

Lucy fronste haar wenkbrauwen. 'Je zei nog niet zo lang geleden dat als ik wraakseks wilde, jij me graag ter wille zou zijn.'

'Je dacht toch niet dat ik dat ook echt zou doen? Jij bent niet het type voor een neukmaatje.'

'Echt wel.'

'Echt *niet*, Lucy.' Sam stond op en ging verder met ijsberen.

'In het begin vind je het prima om zo nu en dan alleen seks te hebben. Maar dat duurt niet lang.'

'Wat als ik *beloof* dat ik verder niets wil?'

'Dat wil je wel.'

'Hoe weet je dat zo zeker?'

'Omdat mijn relaties alleen werken als beide mensen even oppervlakkig zijn. Ik kan prima oppervlakkig doen. Maar jij verstoort de balans.'

'Sam. Al mijn relaties waren een ramp. Geloof me, ik kan best zonder mannen leven, zelfs zonder jou. Maar toen we vanochtend boven waren... zo goed heb ik me al in geen tijden gevoeld. En ik wil het best op jouw manier proberen. Ik zie niet in wat jouw probleem is.'

Sam was midden in de kamer blijven staan. Hij keek haar verbaasd en geïrriteerd aan. Hij kon er niets tegen inbrengen. 'Nee,' zei hij uiteindelijk. Ze trok haar wenkbrauwen op. 'Is dat een definitieve nee of een ik-ga-erover-nadenken-nee?'

'Een ammenooitniet-nee.'

'Maar je gaat wel met mij en mijn ouders uit eten?'

'Ja hoor, geen probleem.'

Lucy schudde haar hoofd. Ze geloofde haar oren niet. 'Dus je wil wél met mij en mijn ouders gaan eten, maar niet met mij naar bed?'

'Ik moet toch eten,' antwoordde hij.

'Op krukken lopen is heel simpel,' zei Sam later die dag. Hij stond achter Lucy, die voor het trapje van de veranda aarzelde. 'Gezond omhoog, zeer omlaag. Ga je omhoog, dan gaat je gezonde been altijd eerst. Ga je omlaag, dan houd je je krukken en zere been voor.'

Ze waren net terug uit het ziekenhuis, waar Lucy een luchtspalk had gekregen. Ze had nog nooit op krukken gelopen en merkte dat het lastiger was dan ze had gedacht.

'Probeer je rechterbeen te ontzien,' zei Sam terwijl Lucy wiebelend over het pad liep. 'Gewoon doorzwaaien en stappen met links.'

'Hoe weet je dit?' vroeg Lucy hijgend.

'Ik heb toen ik zestien was mijn enkel gebroken. Sportblessure.'

'Voetbal?'

'Vogels kijken.'

Lucy grinnikte. 'Vogels kijken is geen sport.'

'Ik zat op zeven meter hoogte in een Douglasspar en probeerde een marmeralk te spotten. Een zeldzame vogel die nestelt in oerbossen. Natuurlijk zat ik niet vast. Ik zag een alkenjong en was zo opgewonden dat ik de tak losliet en viel. Onderweg naar beneden heb ik elke tak de hand geschud.'

'Arme ziel,' zei Lucy. 'Maar het was vast de moeite waard.'

'Natuurlijk.' Hij keek toe hoe ze verder hobbelde op haar krukken. 'Ik draag je vanaf hier wel. Je kunt straks verder oefenen.'

'Nee, die trap gaat me lukken. Het is fijn om weer wat in beweging te zijn. Nu kan ik morgen weer naar mijn atelier.'

'Morgen of overmorgen,' zei Sam. 'Doe het maar rustig aan, straks heb je twee zere benen.'

Lucy keek hem verward aan. Ze kreeg maar geen hoogte van hem. Sinds haar voorstel behandelde hij haar weer met dezelfde neutrale vriendelijkheid als in het begin, toen ze net op Rainshadow Road was aangekomen. Maar toch was het anders. Ze zag hem soms op een wat gekke, intieme manier naar haar kijken, en ze wist dat hij moest denken aan wat er was gebeurd – of bijna was gebeurd – die ochtend. En hij dacht aan haar voorstel. Ze wist dat hij het best wilde, ook al geloofde hij niet dat zij het kon.

Tegen de tijd dat Lucy eindelijk binnen was, was ze nat van het zweet en uitgeput, maar ze had het gehaald. Ze hinkte samen met Sam naar de keuken, waar Holly zat te genieten van een naschools tussendoortje. Mark zat op de grond te spelen met Renfield.

'Hé, je staat rechtop,' zei Mark, terwijl hij even glimlachend opkeek. 'Gefeliciteerd.'

'Dank je,' zei ze lachend. 'Het is fijn om weer mobiel te zijn.'

'Lucy!' Holly rende naar haar toe om haar krukken te bewonderen. 'Die zijn cool! Mag ik eens proberen?'

'Het is geen speelgoed, lieverd,' zei Sam. Hij boog voorover en gaf haar een kus. Hij hielp Lucy op een kruk bij het kookeiland en zette de krukken naast haar neer. Hij keek opzij naar Mark, die Renfield tegen de grond had gepind en zijn mond openhield met zijn handen in stevige tuinhandschoenen gestoken. 'Wat ben jij aan het doen?'

'Ik probeer hem zijn derde epilepsiepil te geven.'

'Hij hoeft er maar één.'

'Wat ik bedoel te zeggen, is dat dit de derde poging is.' Mark keek boos naar de tegenstribbelende hond. 'Hij kauwde het eerste stuk en hoestte vervolgens het poeder recht in mijn gezicht. De tweede keer wist ik zijn mond open te wrikken met een lepel en de pil naar binnen te schuiven. Hij spuugde de pil uit en at de lepel op.'

'Hij slikte hem niet door hoor,' zei Holly. 'Hij hoestte hem net op tijd weer op.'

Sam schudde zijn hoofd en liep naar de koelkast. Hij pakte een stukje kaas en gaf het aan Mark. 'Doe hier de pil eens in.'

'Hij is lactose-intolerant,' zei Mark. 'Dan krijgt hij last van winderigheid.'

'Geloof me,' antwoordde Sam, 'niemand merkt het verschil.'

Mark keek sceptisch, maar duwde de capsule in het blokje kaas en hield het de buldog voor.

Renfield schrokte de kaas naar binnen en waggelde de keuken weer uit.

'Raad eens?' vroeg Holly aan Lucy, terwijl ze op haar knieën op de grond zat om de luchtspalk te bekijken. 'Pap en Maggie gaan over twee maanden trouwen. En ik mag mee op huwelijksreis!'

'Hebben jullie eindelijk een datum geprikt?' vroeg Sam.

'Midden augustus.' Mark liep naar de gootsteen om zijn handen te wassen. 'Maggie wil trouwen op een veerboot.'

'Je maakt een grapje,' zei Sam.

'Nee.' Mark droogde zijn handen af. Hij draaide zich om en zei tegen Lucy: 'Toen we elkaar net kenden, kwamen we elkaar vaak tegen op de veerboot. Maggie moest wel naast me komen zitten en kwam er toen achter hoe woest aantrekkelijk ik was.'

'Even woest als het weer,' zei Sam, in elkaar duikend toen Mark hem voor de grap wilde slaan. 'Maar waarom trouwen in zo'n waterbak?'

'Geloof het of niet, maar we zijn niet de eersten die het doen. De ceremonie vindt niet plaats op een varende boot, trouwens, maar op een antieke veerboot op Lake Union, met een prachtig uitzicht op de stad en de Space Needle.'

'Wat romantisch,' zei Lucy.

'Ik ben bruidsmeisje,' zei Holly, 'en oom Sam is papa's getuige.'

'Is dat zo?' vroeg Sam.

'Wie kent er anders genoeg foute moppen om een speech te geven op de receptie?' vroeg Mark. Hij keek zijn broer grinnikend aan. 'Wil je mijn getuige zijn, Sam? Na alles wat we samen hebben meegemaakt, ben jij de enige die ik het zou willen vragen. Ik vind je zelfs bijna aardig.'

'Ik doe het,' zei Sam, 'maar alleen als je de hond meeneemt als jullie het huis uit gaan.'

'Afgesproken.' Ze keken elkaar even aan en sloegen elkaar op de rug. Het was bijna etenstijd en Mark en Holly vertrokken om Maggie van haar werk te halen en samen te gaan eten. 'Veel plezier,' zei Mark terwijl hij en Holly hand in hand naar buiten liepen. 'Wacht maar niet op ons, we zijn pas laat weer thuis.'

'Feeeeeest!' riep Holly uit, waarna ze de deur dichttrok.

Lucy en Sam bleven samen achter. Sam staarde zijn broer nog een tijd na, diep in gedachten verzonken. Toen keek hij naar

Lucy en veranderde de uitdrukking op zijn gezicht. De spanning was om te snijden.

Vanaf de kruk vroeg Lucy: 'Wat eten we?'

'Biefstuk, aardappelen en salade.'

'Klinkt goed. Kan ik helpen? Ik kan de groente snijden voor de salade.'

Sam legde een snijplank, hakmes en rauwe groenten en sla bij haar neer. Terwijl Lucy de komkommer en gele paprika's in blokjes sneed, trok Sam een fles wijn open en schonk hij twee glazen in.

'Geen jampotjes?' vroeg Lucy plagerig toen Sam haar een kristallen glas overhandigde, gevuld met een donkere, glinsterende cabernet.

'Niet voor deze wijn.' Hij hield het glas omhoog voor een toost. 'Op Mark en Maggie.'

'Denk je echt dat Alex het niet erg vindt dat jij Marks getuige bent?' vroeg Lucy.

'Helemaal niet. Ze hebben niet zoveel contact.'

'Komt dat door het leeftijdsverschil?'

'Deels. Maar ze zijn gewoon ook heel verschillend. Mark is de typische oudere broer. Als hij zich ergens zorgen over maakt, wordt hij bazig en dominant, waar Alex echt niet tegen kan.'

'Wat zeg jij als ze ruzie hebben?'

'Net voordat ik dekking zoek, bedoel je?' merkte Sam droogjes op. 'Ik zeg tegen Mark dat hij Alex echt niet kan veranderen en hem niet van de fles kan helpen. Dat moet Alex zelf doen. En ik heb tegen Alex gezegd dat ik hem op een gegeven moment naar een kliniek ga slepen. Niet het soort kliniek waar vips van hun verslaving af worden geholpen met massages en lekker eten. Het soort kliniek met een hoog hek en schrikdraad, een enge kamergenoot en waar je zelf het toilet moet schrobben.'

'Denk je dat het echt zover gaat komen? Dat je hem kunt overhalen om hulp te accepteren?'

Sam schudde zijn hoofd. 'Ik denk dat Alex goed genoeg blijft functioneren om dat te voorkomen.' Hij bestudeerde zijn wijn-glas en liet het donkerrode vocht rondwervelen. 'Hij zal het nooit toegeven, maar hij is boos op de hele wereld omdat onze familie zo'n enorme mislukking was.'

'Maar jij zit heel anders in elkaar,' zei Lucy stilletjes. 'Jij bent niet boos op de wereld, bedoel ik.'

Sam haalde zijn schouders op en dacht even na. 'Het was voor mij iets gemakkelijker. Iets verderop in de straat woonde een ouder echtpaar. Zij waren mijn redding. Ze hadden zelf geen kinderen en ik was er vaak.' Hij glimlachte. 'Fred en ik haalden de ene keer een oude wekker uit elkaar om hem dan weer in elkaar te zetten, en een andere keer liet hij me zien hoe je een verstopte afvoer kon repareren. Mary was leerkracht. Zij gaf me boeken om te lezen en hielp me soms met mijn huiswerk.'

'Leven ze nog?'

'Nee, beiden niet meer. Mary heeft me wat geld nagelaten, dat we hebben gebruikt als aanbetaling voor dit huis. Ze vond het idee om een wijngaard te beginnen geweldig. Ze maakte zelf altijd bramenwijn in een grote ton. Vreselijk zoet spul.' Sam zweeg, zijn ogen schoten vol bij de herinnering.

Lucy realiseerde zich dat hij haar probeerde uit te leggen hoe hij in elkaar stak, hoe hij zo was geworden als hij was. Hij was niet iemand die zich daarvoor verontschuldigde of excuses zocht. Maar tegelijkertijd wilde hij wel dat ze begreep hoe hij was gevormd onder invloed van de desastreuze relatie van zijn ouders.

'Op mijn twaalfde verjaardag,' ging Sam na een tijdje verder, 'kwam ik thuis uit school. Vick en Alex waren ergens naartoe en Mark was ook weg. Mijn moeder lag knock-out op de bank. Mijn vader zat met een fles in de hand. Rond etenstijd kreeg ik hon-ger, maar er was geen eten in huis. Ik zocht pap, en vond hem uiteindelijk in de auto, waar hij begon te raaskallen over dat hij zelfmoord wilde plegen. Dus ging ik naar Fred en Mary. Ik ben er drie dagen gebleven.'

'Ze waren zo te horen erg belangrijk voor je.'

'Ze hebben mijn leven gered.'

'Heb je ze dat ooit verteld?'

'Nee. Dat wisten ze wel.' Sam was weer terug in het heden en keek Lucy achterdochtig aan. Ze wist dat hij haar meer had verteld dan hij van plan was geweest. Hij wist niet meer waarom en had er spijt van. 'Ik ben zo terug,' zei hij, waarna hij met het vlees naar buiten liep om het op de barbecue te leggen.

Terwijl de biefstukken op de grillplaat lagen en een blik met rode aardappeltjes in de oven stond, vertelde Lucy Sam over haar ouders, en de recente ontdekking dat haar vader al eerder getrouwd was geweest.

'Ga je hem daar nog naar vragen?'

'Ik ben best benieuwd,' gaf Lucy toe, 'maar ik weet niet of ik de antwoorden wel wil horen. Ik weet dat hij van mam houdt. Maar ik wil niet dat hij me vertelt dat hij meer van iemand anders heeft gehouden dan van haar.' Ze streek met haar vingers over het gebutste werkblad. 'Pap was altijd heel afstandelijk. Terughoudend. Ik denk dat zijn eerste vrouw een stukje van zijn hart mee heeft genomen het graf in. Hij was voor altijd beschadigd, maar toch wilde mam haar leven met hem delen.'

'Het was vast moeilijk om te concurreren met een geest,' zei Sam.

'Ja, arme mam.' Lucy keek hem aan. 'Het spijt me dat je ze gaat ontmoeten. Het is niet eerlijk. Eerst mij bedienen en dan komen mijn ouders ook nog eens op visite.'

'Geen probleem.'

'Je kunt het vast wel vinden met mijn vader. Hij vertelt altijd scheikundegrappen die niemand snapt.'

'Zoals?'

'Zoals "Waarom stak de kip de weg over? Omdat een kip die niet beweegt gewoonlijk blijft zitten. Kippen die bewegen steken daarentegen de weg over."' Lucy rolde met haar ogen toen hij begon te lachen. 'Ik wist wel dat jij hem grappig zou vinden. Waar gaan we eten?'

'Bouillon,' zei Sam. Het was een van de beste restaurants op het eiland, met druivenranken aan de muur en gerechten waarvoor ze zelfgekweekte groenten en kruiden en dagverse vis gebruikten. Bij de ingang hing een gek portret van Groucho Marx.

'O, dat is een geweldig restaurant,' zei Lucy. 'Maar Kevin en ik zijn er een paar keer met ze naartoe geweest.'

'Dat maakt toch niet uit?'

Lucy haalde haar schouders op en vroeg zich af waarom ze het had gezegd.

Sam keek haar aan. 'Ik ben niet bang dat ze me met Kevin gaan vergelijken.'

Lucy kreeg een kleur. 'Dat bedoelde ik er niet mee,' zei ze ietwat geprikkeld.

Nadat hij meer wijn in had geschonken, hief Sam opnieuw het glas: 'Tijd heelt alle wonden.'

Lucy glimlachte onbewust, het citaat van Groucho Marx herkennend. 'Daar drink ik op,' zei ze, om daarna haar eigen glas te heffen.

Tijdens het eten praatten ze over oude films, om erachter te komen dat ze allebei gek waren op oude zwartwitfilms. Toen Lucy moest bekennen dat ze *The Philadelphia Story* met Cary Grant en Katharine Hepburn nooit had gezien, drukte Sam haar op het hart dat ze hem echt moest gaan kijken. 'Het is een klassieker. Je kunt niet zeggen dat je van oude films houdt zonder die te hebben gezien.'

'Het is jammer dat we hem vanavond niet kunnen kijken,' zei Lucy.

'Waarom niet?'

'Heb je de film dan op dvd?'

'Nee, maar ik kan hem wel downloaden.'

'Maar dat duurt zo lang.'

Sam keek haar geheimzinnig aan. 'Ik heb een speciaal programmaatje dat sneller bestanden kan downloaden omdat het contact maakt met meerdere servers tegelijk. Hoogstens vijf minuten.'

'Je kunt die inwendige nerd heel goed onderdrukken,' grapte Lucy bewonderend. 'Maar zo nu en dan komt hij als een duveltje uit een doosje tevoorschijn.'

Na het eten gingen ze naar de woonkamer om de film te kijken. Lucy zat direct in het verhaal, met de stekelige, kille erfgename, haar galante ex-man en de cynische krantenverslaggever, gespeeld door Jimmy Stewart. De dialoog zat vol snelle grappen en de stiltes en reacties waren perfect getimed.

Terwijl de zwartwitbeelden over het scherm flikkerden, nestelde Lucy zich tegen Sam aan, half verwachtend dat hij zou tegenstribbelen. De gezellige avond samen, de geheimen die ze elkaar hadden toevertrouwd – het had een intieme sfeer gecreëerd die Sam misschien niet nog verder wilde aanmoedigen. Maar hij sloeg een arm om haar heen en liet haar hoofd op zijn schouder rusten. Ze zuchtte, genoot van de warmte van zijn lichaam, het troostende gewicht van zijn arm. Langzaam laaide het vuurtje in haar op en ze vond het moeilijk om hem niet aan te raken, te strelen.

'Je kijkt niet naar de film,' zei Sam.

'Jij ook niet.'

'Waar zit je aan te denken?'

De filmdialoog dreef als champagneschuim op de stilte die tussen hen in hing.

'Het moet wel liefde zijn, toch?'

'Nee, nee, dat kan niet.'

'Zou het niet vreselijk ongepast zijn?'

'Vreselijk.'

'Ik zat me te bedenken,' zei Lucy, 'dat ik nog nooit een relatie heb gehad zonder beloften. Ik vind dat een prima regel. Als je niets belooft, kun je die beloften ook niet breken.'

'Er is nog een regel,' zei Sam voorzichtig. Ze voelde zijn adem over haar haar strijken.

'En die luidt?'

'Weten wanneer je moet stoppen. Als een van ons zegt dat het voorbij is, stemt de ander ermee in. Geen geruzie, geen discussie.'

Lucy was stil. Haar maag maakte een sprongetje toen hij even anders ging zitten.

Sam draaide zich om en keek haar aan; zijn gezicht was een silhouette tegen een achtergrond van flikkerende schaduwen. Zijn zachte stem was maar net boven de film uit te horen. 'Van alle mensen die ik geen pijn wil doen, Lucy... sta jij bovenaan.'

'Ik denk dat jij de eerste man bent die zich daar ooit zorgen over heeft gemaakt.' Lucy stak haar hand uit en streelde de zijkant van zijn gezicht. Ze legde haar hand tegen zijn wang. Ze voelde hoe hij zijn kaken spande, hoe zijn hartslag pulseerde tegen haar vingertoppen. 'Laten we het er gewoon op wagen,' fluisterde ze. 'Je gaat mij geen pijn doen, Sam. Daar zorg ik wel voor.'

Langzaam pakte Sam de afstandsbediening, drukte een paar keer en zette het geluid van de televisie uit. De film ging verder, licht en schaduw zonder klanken. Zijn mond vond de hare in een lange, sensuele kus. Warmte werd uitgewisseld voor warmte, smaak voor smaak. Een van zijn handen gleed naar haar nek en begon haar te masseren. De opwinding veranderde in een diep gevoel, een sensatie die haar als een langzame vloed overspoelde, vanuit haar tenen tot aan haar hoofd. Het ging verder dan een verlangen... het was een hunkering zo sterk dat ze alles had gedaan om hem te vervullen.

Sam schoof haar T-shirt omhoog en trok hem over haar hoofd. Zijn vingers streken over de elastische bandjes van haar bh en rolden deze over haar schouders om de bh daarna los te haken. Ze voelde een rilling over haar rug lopen toen hij de kleine haakjes opende. Sam gooide het kledingstuk aan de kant en gleed met zijn handen langs haar ribben omhoog om daarna haar ontblote borsten te omvatten. Hij boog voorover en nam tergend traag het puntje van haar tepel in zijn mond, tussen zijn tanden, terwijl hij er met zijn tong overheen schoot. Ze moest op haar lippen bijten om hem niet te smeken haar daar, direct te nemen. Heel voorzichtig trok hij aan de tepel, om daarna afwisselend en ritmisch te likken en te bijten.

Kreunend greep Lucy zijn T-shirt beet. Ze probeerde het los te rukken, wilde zijn lichaam tegen het hare voelen. Hij ging even rechtop zitten om het uit te trekken en legde haar daarna voorzichtig languit op haar rug op de bank. Haar pijnlijke been lag op een kussen, het andere bungelde over de rand.

Sam boog zich over haar heen en kuste haar opnieuw, dit keer ruw, zoet en sensueel. Ze verloor zichzelf helemaal, had totaal geen controle meer. Ze beantwoordde zijn aanrakingen, liet zich vangen als een gevallen ster, van binnenuit helemaal opbrandend.

Ze hoorde hem mompelen dat ze even moesten stoppen, dat ze iets van bescherming nodig hadden. Met horten en stoten probeerde ze te zeggen dat het niet nodig was, dat ze aan de pil was, en hij zei dat hij haar mee naar boven zou nemen omdat hij niet wilde dat hun eerste keer op de bank was. Maar ze bleven elkaar kussen, hongerig, gulzig, en Sam reikte zijn hand omlaag om haar broek los te maken. Hij trok hem over haar heupen, haar slipje in één ruk meetrekkend, de lucht koel tegen haar gloeiende huid.

Lucy voelde zich zwak worden van verlangen, wilde dat hij haar aanraakte, kuste, *wat dan ook maar* deed, maar haar onderbroek en korte broek waren achter de luchtspalk blijven hangen, en hij moest even stoppen om ze te ontwarren. 'Laat maar,' hijgde ze. 'Ga door.' Ze gromde een keer toen hij bleef proberen het elastiek van haar slip uit het klittenband te wurmen. '*Sam...*'

Hij moest stilletjes grinniken om haar ongeduld. Hij pakte haar beet en schoof zijn arm onder haar nek. Hij bracht zijn mond weer naar de hare, smekend om een kus. Hij stak zijn tong naar binnen, beet zachtjes op haar bovenlip en daarna haar onderlip. 'Is dit wat je wilt?' vroeg hij, terwijl hij zijn hand tussen haar trillende bovenbenen duwde. Hij ontvouwde haar kloppende vlees, masseerde in een rondgaande beweging tot ze helemaal nat was. Ze liet haar hoofd op zijn arm vallen en hij kuste haar nek, blies zijn hete adem over haar huid terwijl hij zijn vingers naar binnen bracht.

Ze kronkelde en probeerde zichzelf onhandig wat omhoog te duwen, haar been zwaar door de spalk. Hij mompelde zachtjes in haar oor... *blijf maar stil liggen, laat mij het werk doen, rustig maar...* Maar ze kon er niets aan doen dat ze mee wilde bewegen op haar verlangen.

Huiverend trok ze hem tegen zich aan, woordeloos smekend om meer, haar handen over de gladde, harde spieren van zijn rug trekkend. Zijn huid was glad, stevig en glanzend, de kromming van zijn schouders zo aanlokkelijk dat ze haar tanden zachtjes in zijn stevige spieren zette, waardoor hij begon te sidderen.

Hij stak zijn hand naar beneden en probeerde zijn spijkerbroek open te krijgen. Ze kon niet bewegen, kon niets anders doen dan hulpeloos wachten terwijl hij naar binnen drong, langzaam, duwend. Ze voelde haar spieren aanspannen, ontspannen en weer aanspannen. Hij ging nog dieper. Onverstaanbare klanken vormden zich in haar keel. Het waren geen woorden om te beschrijven wat ze nodig had, wat er gebeurde. Zijn hand trok zich terug en gleed naar boven naar haar borsten; zijn vochtige vingertoppen streelden haar harde tepels.

Door het bonken van haar hart heen hoorde ze hem fluisteren of ze hem wilde, of ze hem in zich wilde. Terwijl ze zich aanspande en hem vastgreep, voelde ze zijn hand onder haar billen schuiven om haar iets op te tillen. Hij duwde zich tegen haar aan, kwam weer bij haar binnen, en door de glad-warme frictie riep ze het uit, alsof ze pijn had.

Sam stopte, keek haar aan, zijn ogen onaards blauw in de donkere kamer. 'Heb ik je pijn gedaan?' fluisterde hij.

'Nee. Nee...' Overspoeld door verlangens, gloeiend warm, greep Lucy zijn heupen vast, hem smekend zich dichter tegen haar aan te drukken. 'Ga alsjeblieft door.'

Omzichtig en ritmisch ging Sam verder, en deed haar kronkelen en kreunen alsof ze werd gemarteld.

Ze schommelde op en neer, woordeloos smekend om meer, maar hij ging in hetzelfde langzame, meedogenloze tempo door. De spanning nam toe als een uurwerk dat werd opgewonden, en ze klemde zich inwendig om zijn verrukkelijke hardheid die in haar heen en weer schoof.

Hij stootte dieper en dieper en elke keer wanneer hij verder binnendrong, kermde ze van genot. Het was allemaal te veel; zijn grote, indrukwekkende lichaam boven het hare, de plagerige manier waarop zijn borsthaar langs haar tepels streek, de sterke hand die bij elke stoot haar heupen omhoog trok. Ze voelde de sensatie exploderen in wilde, extatische krampen. Sam ving haar snikken op met zijn mond en stootte diep door, terwijl hij haar sidderende lichaam hem liet bewerken, hem liet klaarkomen.

Eventjes zei of deed geen van hen beiden iets, en was alleen hun zware ademhaling te horen.

Ze sloeg haar armen op zijn nek, kuste zijn kaak, zijn kin, zijn mondhoek. 'Sam,' zei ze suf, haar stem vermoeid maar voldaan. 'Dank je wel.'

'Ja.' Hij klonk verdoofd.

'Dat was fantastisch.'

'Ja.'

Dicht tegen zijn oor fluisterde ze. 'En om het nog even te benadrukken... ik houd niet van je.'

Afgaand op het ruisende gelach in zijn borst was dat precies wat hij wilde horen. Sam boog zich over haar heen en streelde met zijn lippen haar glimlachende mond. 'Ik houd ook niet van jou.'

Toen hij zich eindelijk weer kon bewegen, zocht hij hun kleren bij elkaar en tilde Lucy naar boven. Ze gingen naast elkaar in het brede bed liggen, hun gesprek even op pauze gezet, als kolen die met een laagje as zijn bedekt.

Sam kreeg een wat ongemakkelijk gevoel, alsof zijn lichaam wist dat hij een fout had gemaakt, ook al bleef zijn brein maar met tegenargumenten komen. Lucy was een volwassen vrouw, kon haar eigen beslissingen nemen. Hij had haar niet misleid, zichzelf niet anders voorgedaan dan hij was. Ze leek ermee te kunnen leven en zag er voldaan, verzadigd, uit.

Misschien was dat het probleem. Het was te goed geweest. Het was *anders* geweest. De vraag *waarom* het met Lucy zo voelde, was iets waar hij later over na moest denken. Later.

De contouren van haar lichaam in het halfdonker leken vervaagd, als het penumbra in een schilderij. Het maanlicht dat door het raam naar binnen viel, gaf haar huid een transparantie waardoor ze eruitzag als een magisch sprookjeswezen. Sam lag gefascineerd naar haar te kijken en streek gedachteloos met zijn hand over haar heup en middel.

'Wat gebeurt er aan het eind?' fluisterde Lucy.

'Het eind van wat?'

'De film. Met wie trouwt Katharine Hepburn uiteindelijk?'

'Dat ga ik niet verklappen.'

'Ik hou van spoilers.'

Sam speelde met haar haar, liet de zachte, donkere lokken als water tussen zijn vingers door sijpelen. 'Wat denk jij?'

'Ik denk dat ze kiest voor Jimmy Stewart.'

'Waarom?'

'Nou, zij en Cary Grant waren al een keer getrouwd en zijn daarna gescheiden. Gedoemd om te mislukken.'

Sam glimlachte om haar uitleg. 'Een beetje cynisch.'

'Een tweede huwelijk loopt zelden goed af. Kijk maar naar Liz Taylor en Richard Burton. Of Melanie Griffith en Don Johnson. En *jij* noemt *mij* cynisch, terwijl jij niet eens één keer wilt trouwen.'

'Ik geloof best dat het huwelijk bij sommige mensen past.' Hij bleef door haar haar strijken. 'Maar het is veel romantischer om niet te trouwen.'

Lucy duwde zich iets omhoog tot ze op haar elleboog steunde en keek hem aan. 'Waarom denk je dat?'

'Zonder huwelijk ben je er alleen in goede tijden voor elkaar. Dat is het beste deel van de relatie. Als het verkeerd gaat, kun je de trossen doorhakken en alleen verdergaan. Geen pijnlijke herinneringen, geen slepende scheiding.'

Lucy zweeg, dacht na. 'En toch klopt er iets niet aan jouw redenering.'

'Wat dan?'

'Ik weet het niet. Dat heb ik nog niet uitgevogeld.'

Sam glimlachte en trok haar onder zich. Hij boog zich over haar borst, likte aan de harde tepel en gebruikte zijn duim om het vocht uit te wrijven. Haar huid was wit als zijde, ongelooflijk glad tegen zijn vingertoppen. De texturen van haar lichaam fascineerden hem, alles zacht en glad. En haar geur – fruitig, wollig, met een erotische ondertoon van zout en muskus – verwarmde zijn bloed. Hij trok langzaam met zijn mond een spoor over haar lichaam, haar in zich opnemend. Naarmate hij lager kwam, begonnen haar ledematen sterker onder zijn handen te trillen. Hij voelde haar handen door zijn haar strijken, langs zijn nek, de aanraking van haar koele vingers gaven hem direct een erectie. Hij volgde de vrouwelijke geur tot diep in haar kern, en Lucy kreunde en spreidde haar benen.

Ze kermde even terwijl hij zijn neus tussen haar zachte dijen duwde, het zweet en de hitte oplikkend, bedwelmd door haar sensuele geur. Hij speelde met haar, streelde haar, likte en zoog aan haar lippen tot ze zichzelf snikkend tegen hem aan duwde.

Hij voelde elke trilling en pulsatie, haar aanmoedigend tot ze week werd, zich ontspande en stil onder hem bleef liggen.

Hij bedekte haar met zijn lichaam en zonk weg in haar weelderige, vochtige diepten, langzaam stotend om haar volledig te kunnen voelen en ervaren. Haar nagels krasten over zijn rug, een teer en opwindend gevoel dat hem nog dieper, harder deed gaan. De ontlading kwam zo onverwacht, zo hevig en volledig, en verspreidde zich over zijn hele lichaam, van zijn kruin tot zijn voetzolen.

Sam liet zich buiten adem op zijn zij vallen. Lucy kroop tegen hem aan. Hij sloot zijn ogen en had moeite om rustiger te gaan ademen. Zijn armen en benen voelden zo zwaar. Hij had eerder genot gevoeld, maar nog nooit zo intens, zo overvloedig. Hij was uitgeput en wilde niets anders doen dan slapen. Net als nu... in zijn eigen bed... met Lucy naast zich.

Met die laatste gedachte schoten zijn ogen weer open.

Hij bleef nooit slapen na seks, wat een van de redenen was waarom hij er de voorkeur aan gaf om bij het meisje thuis te slapen. Het was veel gemakkelijker om zelf weg te gaan. In het verleden had Sam zelfs al eens een hevig protesterende vrouw in zijn auto geduwd en haar naar huis gebracht. Het idee dat hij een hele nacht naast iemand lag met wie hij had gevreeën, had hem altijd vervuld met een afkeer die tegen paniek aan schurkte.

Hij dwong zichzelf om uit bed te stappen en nam een douche. Nadat hij zijn badjas aan had getrokken, maakte hij een washandje nat met warm water en waste hij Lucy. Daarna trok hij de dekens om haar heen tot aan haar schouders. 'Ik zie je morgenochtend,' mompelde hij, waarna hij zachtjes een kus op haar lippen drukte.

'Waar ga je naartoe?'

'Het logeerbed.'

'Blijf bij mij.' Lucy sloeg het dekbed een stukje terug.

Sam schudde zijn hoofd. 'Ik ben bang dat ik je been pijn doe... boven op je rol ofzo...'

'Maak je een grapje?' Ze glimlachte slaperig. 'Deze spalk is onbreekbaar. Je kunt er met een vrachtwagen overheen rijden.'

Sam dacht even na over een antwoord, geschrokken van zijn diepe verlangen om weer bij haar in bed te kruipen. 'Ik slaap het liefst alleen.'

'O.' Lucy zei het bewust heel nonchalant. 'Je brengt nooit de nacht door met een vrouw.'

'Nee.'

'Dat is prima,' zei ze.

'Goed.' Sam schraapte zijn keel. Hij voelde zich dom, klunzig. 'Je weet dat het niets met jou te maken heeft, toch?'

Haar tinkelende glimlach sneed door de lucht. 'Slaap lekker, Sam. Het was geweldig. Dank je.'

Volgens Sam was dit de eerste keer dat een vrouw hem ooit voor seks had bedankt. 'Het genoegen was geheel wederzijds.' Daarna liep hij naar de andere slaapkamer, met hetzelfde onprettige gevoel in zijn maag als eerder.

Er was iets in hem veranderd, en hij wilde echt niet weten wat het was.

❦ Negentien ❦

Lucy's moeder was – natuurlijk – direct gek op Sam. Haar vader reageerde wat terughoudender, in elk geval in het begin. Tot het etentje in Bouillon, toen Sam vroeg naar de ruimtesonde die haar vader had helpen ontwikkelen. Lucy's anders zo stille vader veranderde in een echte kletskous toen hij erachter kwam dat de gespierde Sam diep vanbinnen een echte nerd was.

'… Wat we dus hadden verwacht,' zei Phillip, 'was dat kometen zouden bestaan uit een combinatie van presolaire deeltjes en ijs gevormd aan de rand van het zonnestelsel bij het absolute nulpunt.' Hij zweeg even. 'Als je de term niet kent, het absolute nulpunt is…'

'De theoretisch laagst mogelijke temperatuur,' onderbrak Sam hem.

'Precies.' Haar vader had hem bijna trots aangekeken. 'In tegenstelling tot wat we dachten, was het grootste deel van de steenmassa in de komeet gevormd in het zonnestelsel, bij extreem hoge temperaturen. Dus worden kometen gevormd onder condities van extreme hitte en ijs.'

'Fascinerend,' zei Sam, en hij meende het ook nog.

Terwijl de mannen bleven doorkletsen, boog Lucy's moeder opzij en fluisterde haar iets in het oor. 'Hij is *fantastisch*. Zo knap en charmant, en je vader vindt hem *geweldig*. Dit is een blijvertje, lieverd.'

'Dat blijven is nou net het probleem,' fluisterde Lucy terug. 'Dat heb ik je al gezegd. Hij is een verstokte vrijgezel.'

Haar moeder zag het meer als een uitdaging. 'Je kunt hem op andere gedachten brengen. Zo'n man mag gewoon niet alleen blijven. Dat zou zonde zijn.'

'Ik ga die aardige jongen echt niet martelen om hem over te halen iets te doen wat hij niet wil.'

'Lucy,' fluisterde haar moeder wat ongeduldig, '*waarom* denk je dat het huwelijk ooit is uitgevonden?'

Na het eten gingen ze naar het huis aan Rainshadow Road voor een kopje koffie. Dat was niet het oorspronkelijke plan geweest, maar nadat Lucy's moeder Sam had horen praten over de wijngaard en het gerestaureerde victoriaanse landhuis, had ze erop gestaan om het te kunnen zien.

Mark en Holly waren het weekend weg; ze waren met Maggie op bezoek bij Maggie's ouders in Bellingham. Sam had Cherise ietwat tegen zijn zin gevraagd of ze het huis wilde bekijken.

'Ik blijf wel in de keuken en zet even koffie,' zei Lucy. 'Mam, geen moeilijke vragen tijdens de rondleiding.'

Haar moeder keek haar met grote ogen aan. 'Ik stel nooit moeilijke vragen.'

'Je moet weten dat ik alleen vragen beantwoord die van tevoren zijn ingediend en goedgekeurd,' zei Sam. 'Maar voor jou, Cherise, maak ik een uitzondering.'

Haar moeder begon te giechelen.

'Ik help Lucy wel even met de koffie,' zei haar vader. 'Ik snap niks van renovaties en restauraties; ik weet niet eens het verschil tussen een hamer en een boormachine.'

Nadat Lucy koffiebonen had gemalen, mat ze het juiste aantal schepjes koffie af voor het apparaat, terwijl haar vader een kan met water vulde onder de kraan. 'Wat vind je van Sam?' vroeg Lucy.

'Hij is echt aardig. Een slimme jongen. Hij lijkt gezond en financieel solide, en lachte om mijn grap over Heisenberg. Ik vraag me af waarom een vent met zulke goede hersenen ze vergooit in een wijngaard.'

'Hij vergooit zijn hersenen niet.'

'Er zijn duizenden mensen overal ter wereld die wijn maken. Het heeft weinig zin om een nieuwe wijn te bedenken, er zijn er al genoeg.'

'Dat is hetzelfde als zeggen dat moderne kunst onnodig is, omdat er al genoeg kunst bestaat.'

'Kunst, wijn… lang niet zo nuttig als de wetenschap.'

'Sam zou precies het tegenovergestelde zeggen.' Ze keek hoe haar vader het water in het koffieapparaat schonk.

Het apparaat begon te borrelen en stomen terwijl het water doorliep. 'Belangrijk is,' merkte haar vader op, 'wat jij van hem vindt.'

'Ik vind hem geweldig. Maar ik heb weinig kans dat het iets wordt. Hij en ik hebben toekomstplannen waar de ander geen rol in speelt.'

Haar vader haalde zijn schouders op. 'Als je van zijn gezelschap geniet, is er niets op tegen om wat meer tijd met hem door te brengen.'

Het bleef even stil, terwijl ze stonden te luisteren naar het geborrel van het koffieapparaat.

'Gaan jullie morgen naar Alice en Kevin?' vroeg Lucy.

Haar vader knikte en zijn glimlach verdween. 'Je weet dat dat huwelijk – als het er al van komt – geen schijn van kans heeft.'

'Je weet het nooit,' zei Lucy, ook al was ze het stiekem met hem eens. 'Mensen kunnen je altijd verrassen.'

'Ja, dat kan,' gaf hij toe. 'Maar op mijn leeftijd gebeurt dat niet zo vaak. Waar staan de koffiekopjes?'

Samen zochten ze in de keukenkastjes tot ze de kopjes vonden.

'Je moeder en ik hebben laatst gepraat,' zei haar vader. Verrassend genoeg ging hij verder. 'Ik begreep dat ze je heeft verteld dat ik eerder getrouwd ben geweest.'

'Ja,' wist Lucy nog net te zeggen. 'Dat was nogal een schok.'

'Al dat gedoe met jou en Alice en Kevin heeft heel wat gevoelens losgemaakt die je moeder en ik lang geleden in een doosje hadden gestopt.'

'Is dat slecht?' vroeg Lucy voorzichtig.

'Ik weet het niet. Ik ben altijd van mening geweest dat je in een relatie niet overal over hoeft te praten. Sommige dingen zijn met praten niet op te lossen.'

'Ik neem aan dat deze gevoelens te maken hebben met... haar?' Om de een of andere reden kon ze de woorden 'je eerste echtgenote' niet over haar lippen krijgen.

'Ja. Ik houd van je moeder. Ik zou ze niet willen vergelijken. De andere relatie was...' Hij zweeg even, met een peinzende blik op zijn gezicht die ze nog nooit had gezien. 'Die was heel anders.'

'Hoe heette ze?' vroeg Lucy zachtjes.

Hij deed zijn mond open om te antwoorden, maar schudde zijn hoofd en bleef stil.

Wat voor soort vrouw was ze geweest, vroeg Lucy zich af, dat hij een paar decennia na haar dood haar naam nog niet kon uitspreken?

'Zo'n intense emotie...,' zei hij na een tijdje, meer tegen zichzelf dan tegen haar. 'Dat gevoel van twee mensen die zo bij elkaar horen, die samen één geheel vormen. Het was... bijzonder.'

'Dus je hebt er geen spijt van,' zei Lucy.

'Ik heb wel spijt.' Haar vader keek haar direct aan, met glinsterende ogen. Met een brok in zijn keel ging hij verder. 'Het is beter om het niet te weten. Maar zo ben ik. Anderen zouden zeggen dat het veel waard is om die paar momenten te hebben meegemaakt die wij samen hebben gehad.' Hij draaide zich om en schonk de koffie in.

Totaal overdonderd door deze zeldzame emotionele bekentenis, hinkte Lucy naar de bestekla om wat koffielepeltjes te pakken. Was hij een gevoelsmens geweest, dan had ze hem een knuffel gegeven. Maar hij had zich altijd verscholen achter zijn extreme beleefdheid en afstandelijkheid, en had een hekel aan mensen die openlijk hun genegenheid toonden.

Ze begreep haar vader nu beter dan voorheen; zijn kalmte, zijn eindeloze zelfbeheersing, ze hadden niets te maken met innerlijke vrede.

Nadat de Marinns weer waren teruggevlogen naar Californië, belde Lucy's moeder op om haar te vertellen dat het gesprek met Alice en Kevin zo goed was verlopen als ze hadden kunnen verwachten. Volgens Cherise was het jonge stel gelaten, en vooral Kevin was erg stil geweest. 'Maar ik kreeg wel het gevoel,' zei haar moeder, 'dat ze allebei hebben besloten door te zetten, hoe dan ook. Ik denk dat Kevin door zijn ouders onder druk is gezet, zij willen heel graag dat hij trouwt.'

Lucy glimlachte meesmuilend. Kevins ouders waren oudere mensen die hun enige zoon enorm hadden verwend en daarna waren geschrokken van zijn onvolwassenheid en egoïsme. Maar het was te laat voor hen om zich af te vragen hoe dit was gebeurd, wat ze anders hadden kunnen doen. Misschien dachten ze dat trouwen goed voor hem zou zijn, dat hij er volwassen door zou worden.

'We zijn uit eten geweest,' zei Cherise, 'en iedereen heeft zich netjes gedragen.'

'Zelfs pap?' vroeg Lucy cynisch.

'Zelfs pap. Het enige lastige momentje was toen Kevin mij vroeg hoe het met jou ging.'

'Echt?' Lucy voelde een steek in haar maag. 'Waar iedereen bij was?'

'Ja. Hij wilde weten hoe het was met je been, hoe je je voelde en daarna vroeg hij hoe serieus het was tussen jou en Sam.'

'Mijn God. Ik durf te wedden dat Alice hem wel iets kon aandoen.'

'De timing was niet echt goed, nee,' zei haar moeder.

'En wat heb je gezegd?'

'De waarheid. Dat je er goed uitziet, gelukkig, en dat jij en Sam het goed lijken te kunnen vinden. En dat ik daar erg blij over ben.'

'Mam. Ik heb je al verteld waarom er geen serieuze relatie in zit met Sam. Dus ga alsjeblieft geen onrealistische toekomstplannen maken.'

'Zeg nooit nooit,' zei haar moeder met een irritant optimisme in haar stem. 'Zeker niet als het al gebeurt.'

Twee dagen na het bezoek van haar ouders verhuisde Lucy naar de flat in Friday Harbor. Tot haar grote verbazing had Sam geprotesteerd toen ze zei dat ze weg wilde uit Rainshadow Road, omdat ze volgens hem meer tijd nodig had om te rusten en herstellen. 'Trouwens,' zei hij, 'ik denk dat je nog lang niet met die krukken overweg kunt.'

'Ik kan er prima op lopen,' zei Lucy. 'Ik kan zelfs al trucjes doen. Je zou me eens moeten zien freestylen.'

'Al die trappen. En al dat lopen. En je kunt niet autorijden. Hoe ga je boodschappen doen?'

'Ik heb een hele lijst met telefoonnummers van Zwijnenhemel-bikers om me te helpen.'

'Ik ga je toch niet overleveren aan een stelletje wilde motorrijders?'

'Ik word niet overgeleverd,' zei Lucy lachend. 'Maar ze hebben heel lief aangeboden me te helpen waar en wanneer ik hulp nodig heb.'

Hoewel Sam duidelijk nog lang niet uitgediscussieerd was, mompelde hij: 'Het is jouw leven.'

Lucy keek hem schaapachtig aan. 'Maak je geen zorgen,' zei ze, 'je mag zo nu en dan best langskomen voor een vluggertje.'

Hij keek haar met vlammende ogen aan. 'Geweldig. Omdat seks inderdaad is waar ik nu aan zit te denken.'

Hoewel Lucy het spijtig vond om het huis aan Rainshadow Road te moeten verlaten, wist ze zeker dat het voor hen allebei het beste was. Nog een paar dagen op elkaars lip, en Sam zou echt helemaal gek van haar worden. En belangrijker nog, Lucy wilde graag weer aan het werk.

Ze miste haar glas ontzettend, kon het bijna horen roepen.

De eerste ochtend dat ze weer in *Schommelen tussen de sterren* was, voelde Lucy de creativiteit als een warm vuur door haar lichaam stromen. Ze ging aan de slag met het uittekenen van het raam voor het huis aan Rainshadow Road. Met een combinatie van schetsen en computersoftware werkte ze uit welke stukken glas ze moest snijden en hoe de kleuren moesten overlopen. Toen ze tevreden was over het ontwerp, maakte ze drie kopieën; een ter referentie, een om te knippen en een om de raamdelen op te leggen en te monteren. Daarna zou ze beginnen met het inkrassen en snijden van het glas, om daarna de randen van de stukken waar nodig wat bij te werken.

Lucy was nog druk bezig met de tekening toen Sam haar lunch kwam brengen. Hij had twee krakende witte papieren zakken van Market Chef bij zich, die er erg zwaar en vol uitzagen. 'Sandwiches,' zei hij.

'Jou had ik niet verwacht,' riep Lucy uit. Ze glimlachte van oor tot oor. 'Je kunt gewoon niet bij me wegblijven.'

Sam keek naar de stapel schetsen op tafel. 'Is dit beter dan het luxe leventje dat je bij mij had?'

Lucy moest lachen. 'Nou, het was fijn omdat alles voor me werd gedaan... maar het is ook fijn om zelf weer iets te doen.'

Sam zette de zakken op tafel en bekeek de tekening. Hij tuurde lang naar het ontwerp. 'Het is prachtig.'

'Het wordt fantastisch,' zei Lucy. 'Je hebt geen idee wat glas kan doen.'

Hij grinnikte even. 'Jou kennende, kan ik mijn borst natmaken.' Nadat hij weer even de tekening had zitten bekijken, zei hij: 'Ik heb ook een cadeautje meegenomen voor je nieuwe huis. Ik dacht dat je het misschien wel hier zou willen bewaren.'

'Dat had je niet hoeven doen.'

'Je zult alleen nog even moeten wachten voor je het kunt gebruiken...'

'Wat is het?'

'Wacht. Ik haal het even.'

Lucy zat vol spanning te wachten terwijl Sam naar buiten liep. Ze kreeg grote ogen toen hij een fiets naar binnen duwde met een grote strik op het stuur. 'Ik geloof mijn ogen niet! O, Sam. Jij bent de aller, allerliefste...' Ze kon de zin niet afmaken en slaakte een gilletje van plezier bij de aanblik van de prachtige antieke fiets, diep donkergroen gespoten met witte spatborden.

'Het is een Schwinn Hornet uit 1954,' zei Sam terwijl hij de fiets naar haar toe rolde.

Lucy liet haar vingers over de glanzende lak glijden, over de dikke zwarte banden, het witleren zadel. 'Perfect,' zei ze, verrast over hoe hees ze klonk. Ze voelde de tranen prikken. Alleen iemand die haar echt begreep, die haar kende, zou een cadeau als dit kunnen kopen. En het was een teken dat Sam echt iets voor haar voelde, of hij het nu wilde of niet. Ze was verbaasd over hoe emotioneel ze was, hoe graag ze diep vanbinnen wilde dat hij van haar zou houden.

'Dank je. Ik...' Ze stond op en sloeg haar armen om hem heen, drukte haar gezicht tegen zijn schouder.

'Het is niets.' Sam wreef wat ongemakkelijk over haar rug. 'Je hoeft niet zo raar te doen.'

Zonder dat ze begreep waarom ze zo emotioneel en gespannen was, zei Lucy zachtjes: 'Het is zo lief, en waarschijnlijk het mooiste cadeau dat ik ooit van iemand heb gekregen.' Ze glimlachte zwakjes en gaf hem een kus op zijn wang. 'Rustig maar. Ik houd nog steeds niet van je.'

'Godzijdank.' Hij lachte en de spanning verdween van zijn gezicht.

De twee maanden erna was Lucy druk met haar werk. Sam kwam regelmatig langs, met het excuus dat hij haar een beetje in de gaten wilde houden, maar zijn bezoekjes liepen gewoonlijk uit op een gezellig etentje. Hoewel ze daarna nog heel wat romantische uurtjes in de flat doorbrachten, was seks niet iets waar Sam om vroeg of wat hij automatisch verwachtte. Hij leek te genieten van hun gesprekken, haar aanwezigheid, of ze nu wel of niet in bed belandden. Op een middag nam hij Holly mee naar Lucy's atelier, en hielp Lucy haar met het maken van een eenvoudige zonnevanger van glas en koperfolie. Een tijdje later gingen ze samen met Holly naar het beeldenpark, waar Sam al snel werd omringd door een handvol kinderen die enorm moesten lachen om zijn pogingen om de standbeelden na te doen.

Lucy was in verwarring gebracht door Sams gedrag. Hoewel hij had aangegeven dat hij zich niet wilde binden, was hij enorm teder en intiem. Hun gesprekken waren vaak heel persoonlijk en gingen over hun diepste gedachten en jeugdherinneringen. Hoe meer Lucy te weten kwam over de achtergrond van de Nolans, hoe meer medelijden ze met hem kreeg. Kinderen van alcoholisten kregen vaak emotionele problemen. Ze zochten het isolement op, om zichzelf te beschermen tegen nog meer pijn, tegen mensen die hen probeerden te manipuleren of, nog erger, weer in de steek zouden laten. Als gevolg daarvan was intimiteit iets waar ze zich het liefst verre van hielden. En toch voelde Sam zich tot haar aangetrokken, en leerde hij haar te vertrouwen, zonder dat hij zich ervan bewust was.

Je bent meer dan je denkt, wilde Lucy hem vertellen. Het was niet onmogelijk om te denken dat Sam op een dag zelfs van iemand zou kunnen houden. Anderzijds zou het nog heel lang kunnen duren tot dat omslagmoment kwam, misschien wel een mensenleven lang. Of misschien zou het nooit gebeuren. Een vrouw die al haar hoop op Sam vestigde, liep een groot risico op een gebroken hart.

Lucy durfde alleen aan zichzelf toe te geven dat zij op die vrouw begon te lijken. Het zou zo gemakkelijk zijn om verliefd te worden op Sam. Ze voelde zich zo tot hem aangetrokken, was zo gelukkig als ze bij hem was, dat ze heel goed begreep dat de uiterste houdbaarheidsdatum van hun relatie gevaarlijk dichtbij kwam. Als ze te lang wachtte om er een streep onder te zetten, zou het wel eens erg veel pijn kunnen doen. Veel meer pijn zelfs, dan toen Kevin haar verliet.

Ondertussen, zo had ze besloten, zou ze genieten van elke seconde die ze met Sam had. Gestolen momenten, gevuld met het bitterzoete besef dat geluk even vluchtig was als het licht van de maan.

Hoewel Lucy zelf geen contact had met Alice, hield haar moeder haar op de hoogte van de bruiloft. De ceremonie zou worden voltrokken in de Onze-Lieve-Vrouwekerk in Roche Harbor, aan de westkant van het eiland. Het kleine witte kapelletje, dat meer dan een eeuw oud was, stond aan het water en keek uit over de baai. Daarna volgde de receptie bij McMillin's, een restaurant aan de historische kade.

Het stoorde Lucy nogal dat, ook al zag haar moeder Kevin niet zitten, ze wel enorm enthousiast was over de bruiloft zelf. Opnieuw leek het of Alice alles kon doen wat ze wilde, en er nog mee weg kon komen ook.

Toen de uitnodiging op de mat viel, legde Lucy hem op de hoek van de keukentafel. Elke keer als ze hem zag liggen, voelde ze zich verbitterd en kwaad.

Toen Sam op een dag bij haar kwam eten, zag hij direct de envelop liggen.

'Wat is dat?'

Lucy trok een vies gezicht. 'De uitnodiging.'

'Ga je hem niet openmaken?'

'Ik hoop dat als ik hem gewoon laat liggen en negeer, hij vanzelf verdwijnt.' Ze rommelde wat bij de gootsteen, scheurde blaadjes sla in stukken en deed ze in een vergiet om ze te wassen.

Sam liep naar haar toe. Hij legde zijn handen op haar heupen en trok haar tegen zich aan. Hij wachtte geduldig. Na een tijdje legde hij zijn hoofd op haar schouder en streek met zijn lippen langs haar oorlel.

Lucy draaide de kraan dicht en droogde haar handen aan een vaatdoek. 'Ik weet niet of ik wel ga,' zei ze boos. 'Ik wil helemaal niet. Maar het moet. Ik zie geen andere uitweg.'

Sam draaide haar om zodat hij haar aan kon kijken, en liet zijn handen aan weerszijden van haar heupen op het aanrecht rusten. 'Denk je echt dat het pijn gaat doen, om Kevin en Alice voor het altaar te zien staan?'

'Een beetje. Maar niet om Kevin. Omdat het mijn zusje is. Ik ben nog steeds razend op haar, omdat ze me heeft verraden en heeft gelogen, en nu zijn mijn ouders weer in hun oude patroon vervallen, betalen ze gewoon alles, wat betekent dat Alice nooit zal veranderen, en nooit zal leren...'

'Even ademhalen,' zei Sam.

Lucy haalde een diepe hap lucht en ademde luid weer uit. 'Hoe vreselijk ik het ook vind om naar die bruiloft te moeten, ik kan hier niet gewoon thuis blijven zitten. Dan lijkt het net alsof ik nog gevoelens heb voor Kevin, dat ik jaloers ben ofzo.'

'Zal ik je meenemen ergens naartoe?' vroeg Sam.

Ze fronste haar wenkbrauwen, lichtelijk verward. 'Wat bedoel je... als zij gaan trouwen?'

'Ik kan je meenemen naar een leuk hotelletje in Mexico. Je kunt je onmogelijk opwinden over hun bruiloft als jij heerlijk ontspannen op een wit zandstrand ligt met een mojito in je hand.'

Ze keek hem met grote ogen aan. 'Zou je dat voor mij doen?'

Sam glimlachte. 'Het is voor mij ook geen straf, hoor. Ten eerste zie ik jou eens in bikini. Vertel maar waar je naartoe wilt. Los Cabos? Baja? Of misschien Belize of Costa Rica...'

'Sam.' Lucy tikte even op zijn borst. 'Dank je. Ik vind het echt geweldig van je dat je dit voorstelt. Maar er zijn niet genoeg mojito's op de wereld om hun bruiloft ongedaan te maken. Ik moet gewoon gaan. Ik neem aan dat jij niet...' Ze liet de rest van de zin in de lucht hangen, omdat ze het hem niet durfde te vragen.

'Jij hebt al toegestemd om mij te vergezellen naar Mark en Maggie's bruiloft,' zei Sam. 'Het is niet meer dan eerlijk dat ik dan met jou naar die van je zus ga.'

'Dank je.'

'Geen dank.'

'Nee, echt,' zei ze met een serieus gezicht. 'Ik voel me al een stuk beter, nu ik weet dat jij erbij bent.' Zodra ze de woorden had uitgesproken, wilde ze ze alweer inslikken, omdat ze bang was dat ze te veel had prijsgegeven. Als ze Sam liet merken dat ze hem nodig had, dat ze emotioneel van hem afhankelijk was, zou ze hem misschien afschrikken.

Maar hij nam haar gezicht in zijn handen en kuste haar. Hij streelde haar over haar rug tot op haar heupen en drukte haar tegen zich aan. Haar ogen verwijdden zich terwijl ze zijn erectie tegen zich aan voelde. Sam wist al veel te veel over haar, haar gevoeligste plekjes, waar ze opgewonden van raakte. Hij kuste haar tot ze haar ogen sloot en tegen hem aan leunde. Haar hart klopte als een bezetene. Langzaam kusten zijn gloeiende lippen haar mond, onttrokken al haar kracht en vulden haar met lust.

Lucy keerde haar gezicht af om even te kunnen ademen. 'Boven.' En hij nam haar in zijn armen.

Het weekend erop trouwden Mark en Maggie op de oude veer-boot in Seattle. Het was een warme, prachtige dag en het water van Lake Union leek net een saffierblauwe spiegel. De bruiloft was gemoedelijk en sereen. Geen teken van zenuwen of onze-kerheid, geen spanningen of gedoe, alleen maar geluk en blijd-schap bij en voor de bruid en de bruidegom.

Maggie zag er prachtig uit in een kort jurkje van ivoorkleurige zijde, met langs de v-hals bandjes smalle ruches van doorzichtige chiffon. Ze had haar haar opgestoken, versierd met een paar witte roosjes. Holly droeg ook een roomwit jurkje, met een tule onderrok waarmee ze heerlijk rond kon zwieren. Lucy kreeg een brok in haar keel toen Mark en Maggie Holly naar voren wenkten, om naast hen te komen staan bij het uitwisselen van de huwelijksgeloften. Nadat Mark zijn bruid had gekust, boog hij voorover en gaf hij Holly ook een kus.

Vervolgens stond de gasten een spectaculair buffet te wachten: alle mogelijke soorten fruit, kleurige salades, pasta- en rijstgerechten, verse vis en zeevruchten, brioches met kaas, bacon en chutney, en een hele tafel vol pasteitjes en quiches. In plaats van de traditionele bruidstaart hadden ze allerlei cupcakes laten maken die op een etagère van plexiglas waren uitgestald. Een live jazzkwartet speelde 'Embraceable You'.

'Jammer dat deze bruiloft voor die van Alice is, in plaats van erna,' zei Lucy tegen Sam.

'Waarom?'

'Omdat iedereen zo gelukkig is, en omdat Mark en Maggie zo duidelijk van elkaar houden. Dat maakt de bruiloft van mijn zusje straks nog erger.'

Sam lachte en overhandigde haar een glas champagne. Hij was adembenemend knap in zijn donkere pak en kleurrijke stropdas, hoewel hij eruitzag alsof hij het liefst direct het pak uit zou willen trekken om in een spijkerbroek en T-shirt te schieten. 'Het aanbod van Mexico staat nog steeds,' zei hij.

'Het is wel heel verleidelijk.'

Nadat de gasten hun borden hadden volgeschept en waren gaan zitten, liep Sam naar voren om een toost uit te brengen. Mark stond tussen Maggie en Holly in, zijn armen om hen heen geslagen.

'Als het openbaar vervoer er niet was geweest,' zei Sam, 'zou mijn broer vandaag niet zijn getrouwd. Hij en Maggie werden verliefd op de veerboot van Bellingham naar Anacortes... wat maar weer bewijst dat het leven inderdaad een grote reis is.

Sommige mensen hebben een ingebouwd richtinggevoel. Je kunt ze midden in een vreemde stad neerzetten en ze vinden blindelings hun weg. Mijn broer is niet zo iemand.' Sam zweeg even omdat een paar gasten begonnen te lachen, en zijn oudere broer hem quasi-boos aankeek. 'Dus, als Mark wonder boven wonder aankomt op de plek waar hij moet zijn, is dat voor iedereen een verrassing, ook voor Mark.' Nog meer gelach uit de zaal. 'Op de een of andere manier heeft Mark, ondanks alle struikelbrokken, afzettingen en omleidingen, de weg naar Maggie gevonden.' Sam hief zijn glas. 'Op Mark en Maggie's reis samen. En op Holly, het gelukkigste meisje op de hele wereld.'

Iedereen begon te klappen, fluiten en juichen, en de band begon langzaam een romantische versie van 'Fly Me to the Moon' te spelen. Mark nam Maggie in zijn armen en de twee zwierden over de dansvloer.

'Dat was perfect,' fluisterde Lucy tegen Sam.

'Dank je.' Hij keek haar glimlachend aan. 'Blijf hier. Ik ben zo terug.'

Sam gaf zijn lege champagneglas aan een voorbijlopende serveerster, liep naar Holly en nam haar mee naar de dansvloer. Hij draaide pirouettes met haar, zette haar op zijn voeten om samen te dansen en ving haar op in zijn armen.

Lucy's glimlach veranderde in een peinzende, nadenkende blik terwijl ze naar hen zat te kijken. Ze moest denken aan de e-mail die ze die ochtend had ontvangen van Alan Spellman, haar vroegere professor. Ze had er nog met niemand over gepraat, omdat ze enorm in tweestrijd stond, terwijl ze eigenlijk super blij zou moeten zijn.

Alan had geschreven dat de commissie van het Mitchell Art Center had besloten haar een beurs aan te bieden om een jaar aan de universiteit te komen werken. Hij had haar gefeliciteerd. Ze hoefde alleen maar haar handtekening te zetten onder een contract en de voorwaarden van de beurs; daarna zou haar aanstelling openbaar worden gemaakt. '*Ik ben zo blij,*' had hij geschreven. '*Jij en het Mitchell Art Center passen perfect bij elkaar.*'

Lucy had een beetje moeten gniffelen om die zin. Na al haar mislukte relaties was het wel toepasselijk dat een kunstprogramma perfect bij haar zou passen. Ze ging een jaar naar New York. Ze zou nationale erkenning krijgen. Ze zou gaan werken met andere kunstenaars, experimenteren met nieuwe technieken, publieksdemonstraties geven in het glaslab van het centrum. Het was de kans waar Lucy altijd van had gedroomd. Er stond haar niets in de weg.

Behalve Sam.

Ze had niks beloofd. Hij ook niet. De hele kern van hun afspraak was dat ze allebei de relatie konden verbreken en zonder om te kijken konden vertrekken. Zo'n aanbod als dat van het Mitchell Art Center kwam niet vaak voorbij, misschien wel nooit meer. En ze wist dat Sam nooit zou willen dat ze dit opgaf omwille van hem.

Waarom dus, was ze zo verdrietig?

Omdat ze meer tijd wilde met Sam. Omdat hun relatie, met al hun beperkingen, zoveel voor haar had betekend.

Te veel.

Terwijl ze toekeek hoe Maggie's vader zijn dochter ten dans vroeg en Mark Sam aftikte om met Holly te dansen, keerden Lucy's gedachten weer terug naar het heden. Andere stellen liepen ook naar de dansvloer.

Sam kwam weer terug bij Lucy en stak zijn hand uit.

'Ik kan niet dansen,' protesteerde Lucy. Ze wees naar de luchtspalk om haar been.

Er verscheen een glimlach om zijn lippen. 'We doen net alsof.'

Ze liet zich door Sam meenemen. Ze ademde zijn geur in, de zoete geur van cederhout en gebruinde mannenhuid, met accenten van dunne wol en gesteven katoen. Aangezien Lucy met haar spalk niet kon dansen, wiegden ze heen en weer, met hun hoofden tegen elkaar.

Ze voelde iets in haar opborrelen, een diep verlangen met daarop een laagje paniek. Zodra ze hem verliet, zo wist ze, kon ze nooit meer terugkomen. Het zou te veel pijn doen om hem met andere vrouwen te zien, toe te kijken hoe zijn toekomst een andere weg volgde dan de hare... en te worden herinnerd aan de zomer waarin zij geliefden waren geweest. Ze waren zo dichtbij geweest, deelden iets wat verder ging dan alleen een fysieke relatie. En toch hadden ze allebei een hoge muur om hun hart proberen op te trekken, waren autonoom gebleven, hadden nooit echt die mate van intimiteit bereikt waar Lucy zo naar snakte. Misschien was dit voor haar wel het hoogst haalbare.

'Het is beter om het niet te weten,' had haar vader gezegd. Ze begon nu te begrijpen wat hij bedoelde.

'Wat is er?' fluisterde Sam.

Ze glimlachte even. 'Niets.' Maar Sam liet zich niet zo gemakkelijk afschepen. 'Waar maak je je zorgen over?'

'Mijn... mijn been doet zeer,' loog ze.

Hij pakte haar stevig beet. 'Kom, we gaan even zitten,' zei hij, en leidde haar van de dansvloer.

De volgende ochtend werd Lucy later wakker dan gebruikelijk. Fel zonlicht viel door de ramen van haar slaapkamer naar binnen. Ze rekte zich uit, gaapte en draaide zich op haar zij. Ze knipperde een paar keer met haar ogen en zag tot haar grote verbazing dat Sam naast haar lag te slapen.

Ze groef even in haar herinneringen van de vorige avond, en wist nog dat Sam haar thuis had gebracht. Ze was een beetje aangeschoten geweest na net dat ene glaasje champagne te veel. Hij had haar uitgekleed en in bed gelegd, en had zachtjes gelachen toen ze hem probeerde te versieren.

'Het is laat, Lucy. Je moet gaan slapen.'

'Je wilt me,' had ze kirrend gezegd. 'Echt. Ik zie het aan je.'

Ze had de knoop van zijn zijden stropdas losgemaakt en aan de das getrokken tot zijn hoofd bij het hare was. Na een lange kus had ze de stropdas helemaal los kunnen maken en hem triomfantelijk aan hem overhandigd. 'Doe eens iets stouts,' had ze gezegd. 'Bind me eens vast. Durf je dat?' Ze had haar goede been om hem heen geslagen. 'Of ben je te moe?'

'Ik ben nog eerder dood dan te moe,' had Sam gezegd en hij had haar tot diep in de nacht beziggehouden.

Na die plezierige inspanning was Sam blijkbaar zo vermoeid geweest dat hij zijn regel over logeerpartijtjes was vergeten.

Lucy liet haar blik over de lange, sterke ledematen dwalen, zijn gladde rug en schouders, zijn heerlijke, warrige haar. Hij zag er jonger uit als hij sliep; zijn mond was ontspannen, de dikke wimpers fladderden op en neer terwijl droombeelden achter zijn ogen voorbij vlogen. Ze zag een klein groefje tussen zijn wenkbrauwen verschijnen, en kon het niet weerstaan om er even met haar vingertoppen langs te strijken.

Sam werd wakker, gedesoriënteerd en slaapdronken. 'Lucy,' zei hij met hese stem, haar in een reflex tegen zich aan trekkend. Ze nestelde zich tegen hem aan, met haar neus langs zijn zachte borsthaar strijkend.

Maar het volgende moment voelde ze de schrik die door hem heen schoot.

'Wat... waar...' Sam ging rechtop zitten en zijn adem stokte in zijn keel toen hij zag waar hij was. 'Jezus,' hoorde ze hem mompelen. Hij sprong uit bed alsof dat in brand stond.

'Wat is er?' vroeg Lucy, verbaasd door zijn reactie. Sam staarde haar aan met een blik van afgrijzen die hem erg lelijk stond. 'Ik ben niet naar huis gegaan gisteren. Ik heb hier geslapen.'

'Het is al goed. Renfield is in de kennel. Holly is bij Mark en Maggie. Maak je maar geen zorgen.'

Maar Sam griste zijn kleren al van de grond. 'Waarom heb je me in slaap laten vallen?'

'Ik ben zelf ook in slaap gevallen,' zei Lucy verdedigend. 'En ik zou je toch niet hebben gewekt. Je was uitgeput, en ik vond het niet erg dat je bleef, dus...'

'*Ik* vind het erg,' zei Sam geïrriteerd. 'Ik doe dit nooit. Ik blijf nooit tot de volgende ochtend.'

'Wat ben je, een vampier? Het is niet erg, Sam. Het betekent helemaal niks.'

Maar hij luisterde al niet meer. Met een handvol kleren beende hij naar de badkamer en nog geen minuut later hoorde ze de douche.

'... en toen ging hij gewoon weg,' zei Lucy tegen Justine en Zoë, later die ochtend. 'Als een hond die zijn poot heeft gebrand. Hij vertrok zonder iets te zeggen. Ik weet niet of hij nu boos was of bang, of allebei. Waarschijnlijk allebei.'

Nadat Sam was vertrokken, was Lucy naar het pension gegaan om met haar vriendinnen te praten. Ze zaten gedrieën in de keuken koffie te drinken. Lucy was niet de enige met problemen. Zoë's eeuwige optimisme had een deuk opgelopen omdat ze zich zorgen maakte over haar oma, die ziek was. Justine had het net uitgemaakt met Duane en hoewel ze altijd heel nuchter was, was het haar duidelijk niet in de koude kleren gaan zitten.

Toen Lucy vroeg waar het mis was gegaan, had Justine wat afwijkend gezegd: 'Ik... ik eh... ik heb hem per ongeluk laten schrikken.'

'Hoe? Moest je een zwangerschapstest doen ofzo?'

'God, nee.' Justine wuifde het ongeduldig weg. 'En ik wil het nu niet over mij hebben. Jouw problemen zijn veel interessanter.'

Nadat ze verteld had hoe Sam had gereageerd, legde Lucy haar hoofd verslagen in haar handen en vroeg: 'Waarom zou iemand zo overdreven reageren omdat hij een keer is blijven slapen?

Waarom heeft Sam er geen problemen mee om met me te vrijen, maar maakt het idee dat hij ook blijft *slapen* hem helemaal gek?'

'Denk eens aan wat een bed vertegenwoordigt,' zei Justine. 'De plek waar je slaapt, is de plek waar je het kwetsbaarst bent. Je bent hulpeloos. Je bent bewusteloos. Dus, als twee mensen in één bed slapen, is dat het summum van kwetsbaarheid, van vertrouwen. Het is veel intiemer dan seks, maar even krachtig.'

'En Sam wil niet dat iemand te dichtbij komt,' zei Lucy, de brok in haar keel wegslikkend. 'Dat vindt hij te gevaarlijk, omdat hij en zijn broers en zus herhaaldelijk werden gekwetst door de mensen die het meest van hen hadden moeten houden.'

Justine knikte. 'Wij leren van onze ouders hoe je een relatie moet onderhouden. Ze doen het ons voor. Het is heel lastig om je beeld later nog bij te stellen.'

'Misschien kun je met Sam praten,' stelde Zoë voor. Ze legde haar hand op Lucy's gespannen arm. 'Soms helpt het om het gewoon op tafel te leggen...'

'Nee. Ik heb mezelf beloofd dat ik zou proberen om hem niet te veranderen of te "repareren". Sam is verantwoordelijk voor zijn eigen problemen. Ik heb genoeg aan de mijne.' Lucy had niet gemerkt dat de tranen al over haar wangen liepen. Justine gaf haar een servetje. Sniffend snoot ze haar neus, en vertelde haar vriendinnen vervolgens dat ze een beurs had gekregen.

'En je gaat het doen, toch?' vroeg Justine.

'Ja. Ik vertrek een paar dagen na Alice's bruiloft.'

'Wanneer ga je het aan Sam vertellen?'

'Zo laat mogelijk. Ik wil optimaal genieten van de tijd die we nog samen hebben. En als ik het hem vertel, zegt hij vast dat hij wil dat ik ga, dat hij me zal missen... maar vanbinnen is hij vast enorm opgelucht. Want hij voelt het ook, dat dit... dat onze relatie uit de hand loopt. We komen te dichtbij. En dat moeten we koste wat kost voorkomen.'

'Waarom?' vroeg Zoë zachtjes.

'Sam en ik weten allebei dat hij me zal kwetsen. Hij zal nooit "ik hou van je" kunnen zeggen, of zijn hart aan iemand geven.' Ze snoot nog een keer haar neus. 'Dat laatste zou een wonder zijn. Want dat gaat in tegen alles wat hij wil.'

'Het spijt me, Lucy,' mompelde Justine. 'Ik had je nooit aangemoedigd om het met Sam aan te leggen als ik had geweten dat je er ongelukkig van zou worden. Ik gunde je alleen maar een pleziertje.'

'Het was ook erg plezierig,' zei Lucy, terwijl ze haar ogen depte.

'Dat kan ik wel zien, ja,' schamperde Justine. Lucy giechelde door de tranen heen.

Toen Lucy die middag in haar atelier aan het werk was, werd ze onderbroken door geklop op de deur. Ze legde haar gereedschap weg en trok haar paardenstaart strakker voordat ze ging kijken wie het was.

Sam stond voor de deur met een groot boeket bloemen met oranje rozen, gele lelies, roze asters en gerbera's.

Lucy keek van zijn ondoorgrondelijke gezicht omlaag naar het kleurige boeket. 'Excuusbloemetje?' vroeg ze, wanhopig een glimlach onderdrukkend.

'En excuuslekkers.' Sam overhandigde haar een doos met een satijnen lint erom, waar, als ze op het gewicht af moest gaan, minimaal een kilo chocolade in zat. 'En daarnaast ook mijn nederige excuses.' Hij zag wel dat ze niet boos was en durfde daarom verder te gaan. 'Het was niet jouw schuld dat ik bij je ben blijven slapen. En nu ik erover nadenk, was het ook helemaal niet erg. Ik ben eigenlijk wel blij, want ik weet nu pas hoe mooi jij 's ochtendsvroeg bent.'

Lucy lachte en kreeg een kleur. 'Jij mag vaker je excuses aan komen bieden, Sam.'

'Mag ik je mee uit eten nemen?'

'Graag, maar…'

'Maar?'

'Ik heb nagedacht. En ik vroeg me af of we misschien gewoon *gewoon* vrienden zouden kunnen zijn. In elk geval een paar dagen.'

'Natuurlijk,' zei Sam. Hij keek haar vragend aan. Stilletjes voegde hij eraan toe: 'Mag ik vragen waarom?'

Lucy legde de bloemen en chocola op tafel. 'Ik moet even over wat dingen nadenken. Ik heb wat ruimte nodig. Als je nu niet meer met me uit eten wilt, snap ik dat helemaal.'

Om een of andere reden leek hem dat te irriteren. 'Nee, ik wil nog steeds met je uit eten. Ik...' Hij zweeg even, zoekend naar de juiste woorden. 'Ik wil meer dingen met je doen dan alleen maar vrijen.'

Lucy glimlachte. 'Dank je.'

Ze stonden tegenover elkaar, elkaar net niet aanrakend. Lucy vermoedde dat ze allebei worstelden met het ondoorgrondelijk tegenstrijdige gevoel dat er iets mis was, maar tegelijkertijd ook helemaal niks mis was.

Sam bleef haar intens aanstaren, waardoor de haren in haar nek rechtop gingen staan. Hij keek ernstig, sereen, vertrok geen spier. De stilte werd drukkend en Lucy begon wat heen en weer te wiebelen omdat ze niet wist wat ze moest zeggen.

'Ik wil je vasthouden,' zei Sam zachtjes.

Lucy begon te blozen, en voelde hoe haar rozige wangen vuurrood werden. Ze lachte wat nerveus. Maar Sam lachte niet.

Ze hadden de meest intieme seksuele ervaringen gedeeld, elkaar gezien in amper en helemaal geen kleren... maar op dit moment was een eenvoudige omhelzing ongelooflijk eng. Ze deed een stap naar voren. Hij wikkelde langzaam zijn armen om haar lichaam, alsof elke plotselinge beweging haar zou kunnen laten schrikken. Langzaam werden ze naar elkaar toe getrokken, zacht vlees tegen harde botten, ledematen met elkaar verstrengeld, haar hoofd rustend op zijn schouder.

Lucy ontspande zich volledig en voelde hoe elke ademtocht, gedachte, hartslag zich op hem instelde, en hoe ze samen bijna een kringloop vormden. Als het mogelijk was om liefde op deze manier te uiten, niet door het seksueel samenkomen maar door elkaar volledig te voelen, dan gebeurde dat nu. Hier. Op dit moment.

Ze had totaal geen gevoel van tijd meer, stond daar maar, met hem. Het leek zelfs alsof ze volledig buiten de tijd stonden, verdwaald in elkaar, in deze mysterieuze kwintessens samensmolten. Maar uiteindelijk maakte Sam zich los en zei iets over dat hij haar rond etenstijd zou ophalen. Lucy knikte blindelings, moest zich aan de deur vasthouden om niet te vallen. Sam vertrok zonder om te kijken, liep het pad af, voorzichtig, als een man die niet erg stevig op zijn voeten stond.

Toen Lucy Alan Spellman belde om hem te vertellen dat ze de beurs accepteerde, vroeg ze hem of de aankondiging kon worden uitgesteld tot eind augustus. Tegen die tijd waren Alice en Kevin getrouwd en zou Lucy al haar huidige projecten hebben afgerond.

Ze werkte elke dag een tijd aan het glas-in-loodraam voor het huis aan Rainshadow Road. Het was een ingewikkeld en ambitieus project, waarvoor ze al haar technische kennis en vaardigheden moest aanspreken. Lucy voelde een noodzaak om alle details helemaal goed te krijgen. Haar gevoelens voor Sam leken bij het snijden en plaatsen van elk stukje glas vorm te krijgen, als een visueel gedicht. De kleuren waren alle natuurlijke tinten van de aarde, de bomen, de lucht en de maan, waarbij het glas werd gelaagd en versmolten om het geheel een driedimensionale kwaliteit te geven.

Toen het ontwerp klaar was, ging Lucy aan de slag met het uitrekken van het lood, met een klemschroef en buigtang. Ze zette het raam voorzichtig in elkaar, plaatste de stukjes glas in de loodgootjes, om daarna het lood te knippen en eromheen te vouwen. Nadat alle tussengootjes klaar waren, gebruikte ze de U-gootjes om de buitenste rand toe te voegen. Daarna was het tijd om alles te solderen en de kit aan te brengen, om het raam waterdicht te maken.

Terwijl het raam op haar werktafel vorm kreeg, voelde Lucy hoe het glas een bepaalde warmte uitstraalde, een gloed die niets te maken had met de hitte van het soldeer. Op een avond toen Lucy het atelier wilde afsluiten, keek ze achterom naar het nog onvoltooide raam, dat plat op de werktafel lag. Het glinsterde alsof het een inwendige lichtbron herbergde.

Haar relatie met Sam was platonisch gebleven sinds de nacht die hij bij haar had doorgebracht. Platonisch, maar niet zonder sensualiteit. Sam had zijn uiterste best gedaan om haar te verleiden, met verzengende kussen en gepassioneerd voorspel dat hen beiden liet smachten naar meer. Maar Lucy was bang dat als ze nu met hem de liefde zou bedrijven, ze ging zeggen hoeveel ze van hem hield. De woorden waren er al, in haar hoofd, op haar lippen, en ze wilde het zo graag zeggen. Haar gevoel voor zelfbehoud was wat haar de kracht gaf om Sam te weerstaan. En hoewel hij haar afwijzingen in het begin galant had geaccepteerd, vond hij het steeds moeilijker om te stoppen.

'Wanneer?' had Sam de laatste keer gevraagd, zijn adem heet tegen haar mond, een gevaarlijke flakkering in zijn ogen.

'Ik weet het niet,' had Lucy zwakjes geantwoord, rillend terwijl zijn handen over haar rug en heupen streken. 'Niet voordat ik zeker ben van mezelf.'

'Ik wil je beminnen,' had hij gefluisterd, zijn voorhoofd rustend tegen het hare. 'Ik wil de hele nacht de liefde met je bedrijven. Ik wil weer naast je wakker worden. Vertel me wat je nodig hebt, Lucy, en ik doe het voor je.'

Liefde. Dat woord had hij nog nooit gebruikt. Het woordje had haar hart als in een bankschroef vastgegrepen. Dit was precies waarom haar liefde voor Sam zoveel pijn deed; hij wilde zo dichtbij komen, maar niet dichtbij genoeg.

En omdat hij haar onmogelijk kon geven wat ze nodig had – zijn liefde – wees ze hem opnieuw af.

Twee dagen voor Alice's bruiloft legde Lucy de laatste hand aan het raam. Er was al een aantal gasten gearriveerd, en de meeste verbleven in huisjes in het Roche Harbor Resort of in Hotel de Haro. Lucy's ouders waren die ochtend ook aangekomen en hadden de dag doorgebracht met Alice en haar weddingplanner. Morgen zou Lucy met ze lunchen, maar vanavond zou ze eerst met Sam gaan eten. En ze zou hem vertellen dat ze Friday Harbor ging verlaten.

Haar gedachten werden onderbroken toen iemand op de deur van het atelier klopte. 'Kom binnen,' riep ze. 'De deur is open.'

Tot haar grote verrassing was het Kevin.

Haar voormalige vriendje keek haar schaapachtig aan. 'Lucy. Heb je een paar minuutjes?'

Lucy's hart stond stil. Ze hoopte dat dit geen poging was om het goed te maken, om te praten over hun gezamenlijke verleden en alles weg te poetsen, zodat zijn huwelijksdag gladjes zou kunnen verlopen. Dat was totaal niet nodig. Lucy was over hem heen, gelukkig, en ze wilde best vergeven en vergeten. Het laatste wat ze wilde, was hun verleden ontleden.

'Ik heb wel een paar minuutjes,' zei ze behoedzaam, 'maar ik heb het druk. En ik weet zeker dat jij ook het nodige te doen hebt, voor de bruiloft enzo.'

'Eigenlijk heeft de bruidegom niet zoveel te doen. Ik moet gewoon op tijd komen opdraven en op de juiste plek gaan staan.' Kevin was nog even knap, maar hij zag er toch wat vreemd uit. Zijn blik was leeg, verdwaasd, als van een man die net ergens over is gestruikeld en zich omdraait om te kijken waar hij precies achter is blijven haken.

Terwijl hij dichterbij kwam, legde Lucy een paar vellen papier over het raam, omdat ze niet wilde dat hij het zag. Ze liep naar de hoek van de tafel en gebruikte die als steun.

'De spalk is eraf,' merkte Kevin op. 'Hoe gaat het met je been?'

'Fantastisch,' zei ze op luchtige toon. 'Ik moet nog wel een beetje voorzichtig doen. Nog geen extreme sporten.'

Hij bleef iets dichter bij haar staan dan ze had gewild, maar ze wilde ook niet achteruit stappen.

Ze keek hem aan en vroeg zich af hoe een man die ze zo had bemind nu niets meer was dan een vreemde. Ze was zo zeker geweest van haar gevoelens voor hem… en het had ook op echte liefde geleken, net zoals zijden bloemen bijna echt lijken, of zirkonium net zo kan glinsteren als echte diamanten. Maar hun versie van liefde was toneelspel geweest. Al hun woorden en rituelen waren een manier geweest om de leegte die eronder verborgen lag, te bedekken. Ze hoopte dat hij met Alice een diepere, echtere relatie had. Maar ze betwijfelde het. Ze had medelijden met hem.

'Hoe gaat het?' vroeg ze.

Iets in haar toon zorgde ervoor dat Kevin zijn schouders liet zakken. Hij zuchtte diep. 'Het is alsof ik in een wervelstorm gevangen zit. De kleur van de bloemen, de cadeautjes voor de gasten, corsages, de fotograaf, cameraman en nog meer van dat gedoe… dit is veel complexer en idioter dan ik had gedacht. Het is maar een bruiloft.'

Lucy begon te glimlachen. 'Het is bijna voorbij. Dan kun je weer ontspannen.'

Kevin begon te ijsberen in het atelier, voor hem natuurlijk bekend terrein. Hij was er talloze keren geweest in de jaren dat ze samenwoonden. Hij had haar zelfs geholpen met het installeren van de rekken voor het glas. Maar toch voelde Lucy zich ongemakkelijk toen hij verder de ruimte in liep. Kevin hoorde hier niet meer thuis. Hij had niet langer het recht om zo achteloos door haar atelier te banjeren.

'Het gekste is,' zei hij, terwijl hij een plank met half afgemaakte lampenkappen inspecteerde, 'dat hoe dichterbij de grote dag komt, hoe vaker ik mezelf afvraag wat er tussen ons is gebeurd.'

Lucy knipperde een paar keer met haar ogen. 'Wat bedoel je... tussen jou en mij?'

'Ja.'

'Jij hebt me bedrogen.'

'Dat weet ik. Maar ik moet weten waarom.'

'Het waarom is niet belangrijk. Het is voorbij. Jij gaat overmorgen trouwen.'

'Ik denk dat als je me iets meer ruimte had gegeven,' zei Kevin, 'ik nooit mijn heil bij Alice had gezocht. Ik denk dat ik iets met haar begon om jou te laten zien dat ik meer ruimte nodig had.'

Ze keek hem met grote ogen aan. 'Kevin, ik wil het er niet over hebben.'

Hij kwam weer op haar af, en kwam nog dichterbij staan. 'Het voelde alsof er iets miste tussen jou en mij,' zei hij, 'en ik dacht dat ik het bij Alice zou vinden. Maar ik heb ontdekt... dat ik het met jou eigenlijk al had. Ik zag het alleen niet.'

'Niet doen,' zei Lucy. 'Ik meen het, Kevin. Het heeft geen zin.'

'Ik dacht dat jij en ik in een sleur zaten, dat het leven saai was. Ik dacht dat ik spanning zocht. Ik heb me als een idioot gedragen, Lucy. Ik was gelukkig met jou, en ik heb het allemaal weggegooid. Ik mis wat we hadden. Ik...'

'Ben je gek geworden?' vroeg ze. 'Je bent gaan twijfelen of je wel wilt trouwen? *Nu*, nu alles al is geregeld en de eerste gasten al op het eiland zijn?'

'Ik houd niet genoeg van Alice om met haar te trouwen. Ik kan het niet.'

'Je hebt het haar beloofd. Je kunt nu niet meer terug! Vind je het leuk ofzo, om vrouwen verliefd op je te laten worden en ze dan als een baksteen te laten vallen?'

'Ik ben gedwongen. Niemand heeft mij gevraagd wat ik wilde. Mag ik niet beslissen over mijn eigen geluk?'

'Mijn God, Kevin. Je klinkt net als Alice. "Ik wil alleen maar gelukkig zijn." Jullie denken allebei dat geluk een *doel* is dat je moet nastreven, alsof het een nieuwe gadget is. Je vindt het pas als je probeert om voor andere mensen te zorgen, in plaats van alleen maar aan jezelf te denken. Ga weg, Kevin. Houd je aan de belofte die je Alice hebt gedaan. Neem je verantwoordelijkheid. En *dan* word je misschien gelukkig.'

Afgaand op Kevins woeste blik, was hij niet echt blij met haar advies. Zijn stem klonk gemeen, rauw. 'En hoe weet jij alles van geluk? Jij, die uitgaat met die poseur, Sam Nolan. Meneer de wijnexpert, afstammend van een familie van zuiplappen, die heel waarschijnlijk net zo zal eindigen...'

'Het is tijd om te gaan,' zei Lucy. Ze liep om de werktafel heen, zodat deze tussen hen in stond. Op de schaal van zelfmedelijden tot woede was hij van het ene extreem in het andere geschoten.

'Ik heb hem overgehaald om je mee uit te nemen. Het is allemaal *nep*, Lucy... Ik heb dit geregeld. Hij was me nog iets schuldig. Ik liet hem je foto op mijn mobiel zien en vroeg of hij eens met je uit eten kon gaan. Het was Alice's idee.' Kevin glimlachte om zijn eigen zieke grap. 'Om te voorkomen dat je de zielepoot uit ging hangen. Zodra jij iemand anders had, zouden je ouders ook weer met ons willen praten.'

'Ben je daarom hier gekomen?' Lucy schudde haar hoofd. 'Dat weet ik al, Kevin. Sam heeft me dat direct aan het begin verteld.' Ze liet haar handen over het werkblad glijden tot haar vingers het rustgevende koele glas raakten.

'Maar waarom ben je dan...'

'Dat maakt niet uit. Als je wilt stoken tussen mij en Sam, doe dan geen moeite. Ik vertrek direct na de bruiloft. Ik ga naar New York.'

Kevin keek haar met grote ogen aan. 'Waarom?'

'Omdat ik een kunstbeurs heb gekregen. Ik ga een nieuwe start maken.'

Terwijl Kevin dit nieuws verwerkte, kreeg hij ineens een ingeving en hij keek haar enthousiast aan. 'Ik ga met je mee.'

Lucy keek hem niet-begrijpend aan.

'Er is niets wat me hier houdt,' zei hij. 'Ik kan mijn bedrijf verhuizen. Ik kan overal wel tuinen aanleggen. God, Lucy, dit is de oplossing! Ik weet dat ik je heb gekwetst, dat ik er een puinzooi van heb gemaakt, maar ik maak het weer goed. Ik zweer het. We beginnen weer opnieuw. We laten al deze shit achter ons.'

'Je bent niet goed snik,' siste Lucy, zo verbaasd door zijn gedrag dat ze amper uit haar woorden kon komen. 'Jij... Kevin, je gaat trouwen met mijn zus...'

'Ik houd niet van haar. Ik houd van jou. Ik ben altijd van je blijven houden. En ik weet dat jij ook van mij houdt, zo lang is het niet geleden. We hadden het goed samen. Ik overtuig je snel dat je bij mij moet...' Hij liep op haar af en pakte haar armen vast.

'Kevin, stop!'

'Ik ben met Alice naar bed geweest, jij met Sam, het is niet anders. Dat is verleden tijd. Lucy, luister naar me...'

'*Laat me los.*' Ondanks haar woede was ze zich ineens bewust van het glas om hen heen, grote glasplaten, scherven, kralen, stukjes tegel en frit. Ze begreep ook dat ze, met haar wilskracht, het glas kon vormen. Ervan kon maken wat ze wilde. Ze zag een beeld en concentreerde zich erop.

Kevin greep haar steviger vast en siste in haar oor. 'Ik ben het, Lucy. *Ik* ben het. Ik wil je terug. Ik wil je...'

Hij vloekte en liet Lucy plotseling los.

Er was een angstaanjagend gekrijs te horen en rond Kevins hoofd vloog en flapte iets donkers heen en weer. Een vleermuis. 'Wat in *hemelsnaam*...' Kevin zwiepte met zijn armen naar het agressieve gevleugelde diertje. 'Waar komt dat beest vandaan?'

Lucy keek naar haar soldeertafel. Twee van de hoekstukjes die ze nog niet aan de rest van het raam had vastgemaakt, stukjes zwart obsidiaanglas, waren gaan krullen en rimpelen. 'Toe maar,' zei ze, en direct schoten de glasdeeltjes omhoog, om als kleine vleermuizen de aanval op Kevin te openen.

De drie vleermuizen sneden met hun scherpe vleugeltjes door de lucht en bleven op Kevin af duiken tot hij naar de deur rende. Strompelend en vloekend holde hij naar buiten. Twee van de vleermuizen volgden hem. De derde vloog naar de hoek van de kamer en viel op de grond, krabbelend over het cement.

Lucy ademde diep in en opende het raam. De zon was bijna onder, het schemerde buiten, en de lucht was nog warm na een verzengende dag.

'Dank je,' zei Lucy, terwijl ze een stapje achteruit deed. 'Ga maar.' Ecn paar tellen later vloog de vleermuis weer omhoog, scheerde door het open raam en verdween aan de donkere hemel.

Twintig

'Je moet bijna weg,' zei Sam. Hij ging op zijn hurken zitten om tegen Alex te praten, die onder een klein trapje zat dat van de eerste verdieping naar de centrale koepel op het huis leidde. Alex had alle hoekjes onder de gammele trap uitgekrabd, en was bezig om pluggen tussen de treden en stootborden te hameren. Tegen de tijd dat zijn broer klaar was met de trap, zou die sterk genoeg zijn om een olifant te dragen.

'Waarom?' vroeg Alex, die even stopte met hameren.

'Lucy komt vanavond eten.'

'Tien minuutjes, dan ben ik hier klaar.'

'Dank je.' Sam keek nog even bezorgd naar zijn broer. Hij vroeg zich af wat hij moest zeggen, hoe hij hem kon helpen.

Alex gedroeg zich momenteel raar, sloop als een zenuwachtige kat door het huis. Sam en Mark hadden gehoopt dat de scheiding een opluchting zou zijn voor Alex, maar in plaats daarvan ging het alleen maar verder bergaf. Hij was dun en zag er onverzorgd uit, met donkere kringen onder zijn ogen. Alex had het aan zijn genen te danken dat hij, hoewel hij amper at en oververmoeid was, er toch nog aantrekkelijk uitzag. Op Marks bruiloft had hij in een hoek zitten drinken en had hij de vrouwen bijna van zich af moeten slaan.

'Al,' zei Sam, 'je zit toch niet in de problemen, hè?'

De hamer stopte weer. 'Ik ben niet aan de drugs, als je dat bedoelt.'

'Je ziet er vreselijk uit.'

'Ik voel me prima. Beter dan ooit.'

Sam keek hem aarzelend aan. 'Dat is goed om te horen.'

Sam hoorde de deurbel en ging naar beneden om te kijken wie het was.

Hij opende de deur en zag dat Lucy eerder was gekomen. Hij zag direct dat er iets mis was; ze keek alsof er iemand was overleden.

'Lucy?' Hij wilde haar hand pakken, maar ze duwde zijn hand weg. Deed een stap achteruit.

Sam was perplex en keek haar aan.

Lucy's lippen zagen er droog en rood uit, alsof ze erop had zitten bijten. Ze glimlachte geforceerd. 'Ik moet je iets vertellen. Onderbreek me niet, anders lukt het niet. Het is eigenlijk best goed nieuws.'

Sam vond Lucy's geforceerde vrolijkheid zo vreemd, omdat hij voelde hoeveel pijn eronder verborgen zat, dat hij amper hoorde wat ze zei. Iets over een beurs of kunstprogramma... iets over een centrum in New York. Het Mitchell Art Center. Ze ging ja zeggen. Het was een fantastische beurs, hier had ze haar hele leven naartoe gewerkt. Ze zou niet meer terugkomen naar het eiland.

Toen was het stil. Ze keek hem aan, wachtend op een reactie.

Sam zocht naar woorden. 'Dat is geweldig nieuws,' wist hij uit te brengen. 'Gefeliciteerd.'

Lucy knikte, opnieuw glimlachend alsof iemand haar mondhoeken met haken omhoog trok. Hij deed een stap naar voren om haar te omhelzen en ze liet het even toe, maar haar lichaam was star en stram. Het was alsof hij een koud, marmeren beeld omarmde.

'Ik kon niet nee zeggen,' zei ze tegen zijn schouder. 'Een kans als deze...'

'Ja.' Sam liet haar los. 'Je moet gaan. Heus.'

Hij bleef haar aankijken en probeerde de informatie te verwerken dat Lucy hem verliet. De woorden veroorzaakten een dof, leeg gevoel dat hij interpreteerde als opluchting.

Ja. Het was tijd. Hun relatie werd te ingewikkeld. Het was beter om er een eind aan te maken nu het nog goed was.

'Als je wil dat ik je help wat dingen op te slaan...,' begon hij.

'Nee, dat wordt geregeld.' Lucy had tranen in haar ogen, ook al bleef ze glimlachen. Ze verbaasde hem door te zeggen: 'Het is beter als ik je vanaf nu niet meer zie of spreek. Het is beter als het nu over is.'

'En de bruiloft...'

'Ik denk niet dat er een bruiloft komt. En dat is maar goed ook, voor Alice. Het huwelijk is al zwaar genoeg voor mensen die van elkaar houden. Ik denk niet dat het ooit iets zou zijn geworden tussen haar en Kevin. Ik denk niet...' Ze maakte de zin niet af, maar zuchtte gekweld.

Terwijl Lucy daar stond, met glinsterende tranen in haar ogen, bekroop Sam een vreemd gevoel, het naarste gevoel dat hij als volwassene ooit had gekend. Het was scherper dan angst, pijnlijker dan verdriet, leger dan eenzaamheid. Het voelde alsof iemand een ijspriem in zijn hart had gestoken.

'Ik houd niet van je,' verzuchtte Lucy met een trillend glimlachje. Hij bleef stil, en ze vroeg: 'Zeg me dat je ook niet van mij houdt.'

Hun ritueel. Sam schraapte zijn keel voor hij iets kon zeggen. 'Ik houd ook niet van jou.'

Lucy knikte even en glimlachte. 'Ik heb me aan mijn belofte gehouden. Niemand gekwetst. Dag, Sam.' Ze draaide zich om en liep het trapje af, hinkend op haar rechterbeen.

Sam bleef op de veranda staan en keek hoe Lucy wegreed. Hij werd vervuld met paniek en boosheid.

Wat was er in hemelsnaam net gebeurd?

Langzaam liep hij weer naar binnen. Alex zat onder aan de trap en aaide Renfield, die bij zijn voeten lag.

'Wat is er?' vroeg Alex.

Sam ging naast hem zitten en vertelde hem alles; het was net alsof hij iemand anders hoorde praten. 'Ik heb geen idee wat ik nu moet doen,' zei hij korzelig.

'Vergeten en doorgaan,' zei Alex nuchter. 'Zo doe je dat toch altijd?'

'Ja. Maar het voelde nog nooit zoals nu.' Sam haalde zijn hand door zijn haar, waardoor het wild rechtop ging staan. Hij voelde zich niet goed, misselijk. Alsof er gif door zijn aderen werd gepompt. Al zijn spieren deden pijn. 'Ik denk dat ik iets onder de leden heb.'

'Misschien moet je iets drinken.'

'Als ik daar nu mee begin,' zei Sam droogjes, 'stop ik niet. Dus doe me een lol en zeg dat nooit weer.'

Het bleef even stil. 'Aangezien je toch al in een rotbui bent,' begon Alex, 'moet ik je iets vertellen.'

'Wat?' vroeg Sam geïrriteerd.

'Ik trek volgende week bij je in.'

'*Wat?*' vroeg Sam opnieuw, dit keer op heel andere toon.

'Een paar maanden maar. Ik heb geen geld meer en Darcy heeft het huis toegewezen gekregen. Ze wil dat ik mijn spullen pak, zodat ze het te koop kan zetten.'

'Jezus,' mompelde Sam, 'ik was net van Mark af.'

Alex keek hem even zijdelings aan, en er gleed een schaduw over zijn ogen. 'Ik moet hier een tijdje wonen, Sam. Ik denk niet dat het lang gaat duren. Ik kan niet uitleggen waarom.' Hij aarzelde, en sprak een woord uit dat hij in zijn hele leven nog maar een handvol keren had gebruikt: 'Alsjeblieft.'

Sam knikte, bedenkend dat de laatste keer dat hij die blik in iemands ogen had gezien – de pupillen zo zwart als de nacht, de grote kilte van een verloren ziel – was geweest net voordat zijn vader overleed.

Lucy kon niet slapen en werkte tot laat die avond door in haar atelier, om het glas-in-loodraam af te maken. Ze merkte amper hoe laat het was, en zag het pas toen het buiten weer licht begon te worden en Friday Harbor tot leven kwam. Het raam met de boom lag te glinsteren op tafel, maar elke keer als ze het met haar vingertoppen aanraakte, voelde ze dat het glas leefde.

Uitgeput maar vastberaden liep ze naar haar flat en nam een lange, hete douche. Het was de dag voor de bruiloft. Vanavond was het oefendiner. Ze vroeg zich af of Kevin al met Alice had gepraat en haar het slechte nieuws had verteld, of dat hij zijn twijfels voor zich had gehouden.

Lucy was te moe om zich er druk over te maken. Ze wikkelde haar natte haar in een handdoek, trok een oude flanellen pyjamabroek en een hemdje aan en kroop in bed.

Net toen ze bijna in slaap viel, ging de telefoon.

Lucy graaide naar haar mobiel. 'Hallo?'

'Lucy.' Het was haar moeder. Ze klonk opgewonden. 'Slaap je nog? Ik had gehoopt dat Alice bij jou was?'

'Waarom zou ze bij mij zijn?' vroeg Lucy gapend. Ze wreef in haar vermoeide ogen.

'Niemand weet waar ze is. Ze belde een tijdje geleden. Kevin is ervandoor.'

'Ervandoor,' herhaalde Lucy warrig.

'Hij heeft de eerste ochtendvlucht gepakt. Die hufter heeft de vliegtickets die we voor hun huwelijksreis hadden geboekt omgeruild. Hij is in zijn eentje naar West Palm vertrokken. Alice was buiten zinnen. Ze is niet thuis en ze neemt haar telefoon niet op. Ik heb geen idee waar ze kan zijn, of waar ik moet gaan zoeken. Er zijn al veel gasten en er komen steeds meer aan. Het is te laat om de bloemen en het eten af te zeggen. De klootzak. Waarom heeft hij tot op het allerlaatste moment gewacht? Maar Alice is nu even het belangrijkste. Ik wil niet dat ze iets... dramatisch doet.'

Met een pijnlijke blik op haar gezicht ging Lucy rechtop zitten. Ze strompelde uit bed. 'Ik ga haar wel zoeken.'

'Moet pap met je mee? Hij zit op hete kolen.'

'Nee, nee... ik red me wel. Ik bel je zodra ik iets weet.'

Nadat ze had opgehangen, bond Lucy haar haar in een paardenstaart, schoot een spijkerbroek en T-shirt aan en rommelde met het koffieapparaat tot ze een pot inktzwart vocht had. Het was te sterk, ze had te veel schepjes koffie erin gedaan. Zelfs een scheut heet water erbij hielp niet. Ze trok een vies gezicht en dronk het op alsof het levertraan was.

Ze pakte de telefoon en belde Alice's nummer om een bericht in te spreken. Ze was verbaasd dat Alice opnam.

'Hoi.'

Lucy deed haar mond open en weer dicht, en wilde wel tien dingen tegelijk zeggen. Ze koos voor een kort 'waar ben je?'

'Het McMillin-mausoleum.' Alice's stem klonk gepijnigd.

'Blijf waar je bent.'

'Kom je alleen?'

'Natuurlijk. Blijf waar je bent.'

'Oké.'

'Beloofd?'

'Beloofd.'

Het mausoleum was een van de mooiste plekjes op het eiland. Het lag in de bossen ten noorden van Roche Harbor. John McMillin, de oprichter van een succesvol kalk- en cement-bedrijf, had het monument zelf ontworpen. Het was een massief gebouw met allemaal zuilen, met veel vrijmetselaarssymbolen. Rondom een stenen tafel en zeven stenen stoelen waren hoge zuilen opgetrokken. Een van de zuilen was met opzet niet afgemaakt, naast de lege ruimte waar een achtste stoel had moeten staan.

Volgens de verhalen hadden mensen hier 's nachts geesten aan tafel zien zitten, die vanuit graven in de buurt hiernaartoe waren gezweefd.

Lucy had de pech dat het vanaf het parkeerterrein nog bijna een kilometer lopen was door het bos naar het mausoleum. Ze hobbelde heel voorzichtig over het pad en hoopte maar dat ze haar net geheelde pezen niet weer verstuikte. Nadat ze een kleine begraafplaats was gepasseerd waar de meeste grafstenen werden omsloten door kleine hekjes, zag ze het mausoleum.

Alice zat op de trappen, gekleed in een spijkerbroek en T-shirt met knoopjes. In haar armen lag een hoop witte stof – een soort tule of chiffon.

Lucy wilde geen medelijden hebben met haar zus. Maar Alice zag er radeloos uit, niet ouder dan een jaar of twaalf.

Lucy hinkte naar haar toe – haar been begon nu pijn te doen – en ging naast Alice op de koude traptreden zitten. Het bos was stil, maar toch was er nog genoeg te horen: ruisende bladeren, tjilpende vogels, gefladder van vleugels en zoemende insecten.

'Wat is dat?' vroeg Lucy na een tijdje, wijzend naar de stof op Alice's schoot.

'Sluier.' Alice liet haar de tiara met pareltjes zien waar de tule aan was vastgemaakt.

'Mooi.'

Alice keek haar aan, haalde haar neus op en greep met beide handen, als een klein kind, de mouw van Lucy's T-shirt beet. 'Kevin houdt niet van me,' fluisterde ze.

'Hij houdt van niemand,' antwoordde Lucy. Ze legde een arm om haar heen.

Opnieuw fluisterde ze: 'Je denkt vast dat ik dit heb verdiend.'

'Nee.'

'Je haat me.'

'Nee.' Lucy draaide zich net ver genoeg om, om haar voorhoofd tegen dat van haar zus te kunnen leggen.

'Ik zit in de shit.'

'Het komt allemaal wel goed.'

'Ik weet niet waarom ik het heb gedaan. Alles. Ik had hem nooit van je af moeten pakken.'

'Dat heb je niet gedaan. Als hij echt van mij was geweest, had niemand hem kunnen afpakken.'

'Het spijt me zo.'

'Het is al goed.'

Alice bleef lange tijd stil. Haar tranen lekten door Lucy's

mouw. 'Ik kon niets doen. Pap, mam... ze laten me nooit iets proberen. Ik voelde me zo stom. Een mislukkeling.'

'Toen we nog thuis woonden.'

Alice knikte. 'En toen raakte ik eraan gewend dat alles voor me werd gedaan. Als iets moeilijk werd, gaf ik het gewoon op en dan maakte iemand anders het wel voor me af.'

Lucy realiseerde zich dat elke keer dat zij en haar ouders Alice hadden gered, ze haar impliciet hadden gezegd dat ze het niet zelf kon.

'Ik was altijd zo jaloers op jou,' ging Alice verder. 'Jij kon alles doen wat je wilde. Je was nergens bang voor. Jij had niemand nodig.'

'Alice,' zei Lucy, 'je hebt paps en mams toestemming niet nodig om je eigen leven te leiden. Zoek iets wat je wil doen en geef niet op. Je kunt morgen opnieuw beginnen.'

'En dan weer op mijn bek gaan,' verzuchtte Alice verslagen.

'Ja. En als je valt, ga je weer staan, zelf, zonder dat iemand je omhoog trekt... en dan weet je dat je het ook zelf kunt.'

'O, shit,' zei Alice. Lucy grinnikte en omarmde haar.

❦ Eenentwintig ❦

Iedereen op het eiland, zelfs de mannen die bij Sam in de wijngaard werkten, hadden gehoord dat het huwelijk van Kevin en Alice was afgeblazen en wat er daarna was gebeurd. Iedereen had het erover. De enige reden waarom Sam naar het geroddel had geluisterd, was omdat hij hoopte iets te weten te komen over Lucy. Haar naam werd amper genoemd. Hij had gehoord dat de Marinns toch gewoon het oefendiner door hadden laten gaan en dat de receptie, die voor na de huwelijksvoltrekking was gepland, ook gewoon was doorgegaan. Er was muziek geweest, en eten en drinken. Sam had ook gehoord dat de Marinns van plan waren een deel van de kosten op Kevin te verhalen, inclusief het vliegticket dat hij had gebruikt om op vakantie te gaan.

Er waren drie dagen verstreken sinds Lucy's bezoek aan Rainshadow Road. Mark, Maggie en Holly waren weer terug van de huwelijksreis en Sam en Alex hadden hen geholpen bij de verhuizing naar hun nieuwe huis, een boerderij met drie slaapkamers en een visvijver.

Toen Sam het niet meer uithield, belde hij Lucy en sprak een kort berichtje in. Hij wilde graag met haar praten. Ze belde niet terug.

Sam was ten einde raad. Hij kon niet eten of slapen. Niet aan Lucy denken, kostte nog meer energie dan wel aan haar denken.

Mark had een lang gesprek met hem gevoerd. 'Die Mitchell Art Center-beurs klinkt best belangrijk.'

'Heel prestigieus.'

'Dus je wilt haar niet vragen om het af te zeggen.'

'Nee. Ik zou nooit willen dat Lucy zoiets voor mij opgeeft. Ik ben juist blij dat ze gaat. Het is goed voor ons allebei.'

Mark had hem cynisch aangekeken. 'En op wat voor manier is het goed voor jou?'

'Ik doe niet aan relaties.'

'Waarom niet?'

'Omdat ik het niet *kan*,' had Sam hem toegebeten. 'Ik ben niet zoals jij.'

'Je bent precies zoals ik, stommeling. Je probeert uit alle macht te voorkomen dat de geschiedenis zich herhaalt. Denk je dat het voor mij gemakkelijk was om toe te geven dat ik van Maggie hield? Om haar te vragen of ze met mij wilde trouwen?'

'Nee.'

'Nou, eigenlijk was het wel gemakkelijk.' Mark moest lachen om Sams verbaasde gezicht. 'Als je de juiste persoon hebt gevonden, Sam, dan wordt het lastigste probleem ineens heel eenvoudig. Ik had dezelfde problemen als jij. Daar kunnen we niet aan ontsnappen, dat hoort bij de Nolans. Maar laat ik je dit zeggen: ik had Maggie echt niet kunnen laten gaan zonder haar te zeggen dat ik van haar hield. En toen ik dat deed... kon ik niet anders dan mijn adem inhouden en springen.'

Ongeveer vijfentachtig en een half uur nadat Sam Lucy voor het laatst had gezien – niet dat hij het bijhield – werd er iets bezorgd bij het huis aan Rainshadow Road. Een paar mannen met een vrachtwagen laadden een plat object uit en tilden het de trap op. Sam was in de wijngaard en kwam net aanlopen toen de heren weer wegreden. Alex stond in de hal te kijken naar het half uitgepakte object.

Het was het raam.

'Zat er een briefje bij?' vroeg Sam.

'Nee.'

'Zeiden ze verder nog iets?'

'Alleen dat het enorm lastig was om te vervoeren.' Alex zakte door zijn knieën om het raam goed te kunnen bekijken. 'Kijk nou eens. Ik had iets met bloemetjes verwacht. Niet zoiets als dit.'

Het raam was sterk, robuust en fragiel tegelijk; de kleuren en texturen van de verschillende lagen glas vloeiden prachtig in elkaar over. De boomstam en de takken, gemaakt van lood, waren in het raam verwerkt op een manier die Sam nog nergens anders had gezien. De maan leek wel te stralen.

Alex stond op en haalde zijn mobieltje uit zijn achterzak. 'Ik ga even wat maten bellen om me te helpen om het raam te plaatsen. Vandaag, als het nog kan.'

'Ik weet het niet,' zei Sam.

'Wat weet je niet?'

'Ik weet niet of ik het raam wil plaatsen.'

Alex keek hem ongeduldig aan. 'Wat een onzin. Dit raam hoort in dit huis. Het huis heeft het nodig. Hier zat ooit ook zo'n raam.'

Sam keek hem verbaasd aan. 'Hoe weet jij dat nou?'

Alex keek hem uitdrukkingsloos aan. 'Ik bedoelde alleen maar dat het hier gewoon zo goed lijkt te passen.' Hij liep weg met zijn telefoon in zijn handen. 'Ik regel het wel.'

Lucy had heel nauwkeurig de maten opgenomen en dus konden Alex en zijn vrienden het glas-in-loodraam tegen het bestaande paneel plaatsen, en de naden dichtkitten met heldere siliconenkit. Aan het eind van de middag zat het raam op zijn plek. Als de kit na vierentwintig uur was uitgehard, zouden ze rond de randen nog raamlatjes vastspijkeren.

'Net het raam geplaatst,' schreef Sam in een sms aan Lucy. *Je moet echt komen kijken.'*

Geen antwoord.

Sam vond het altijd heerlijk om nog even te doezelen, maar vanochtend schoten zijn ogen open en zat hij plots rechtop in bed. Hij was geïrriteerd, geprikkeld, alsof hij werd achtervolgd door een zwerm bijen. Hij sjokte naar de badkamer, scheerde zich en nam een douche. Toen hij in de spiegel keek, zag hij een strak, bitter kijkend gezicht dat niet bij hem leek te passen, maar hem toch bekend voorkwam. Plotseling realiseerde hij zich dat Alex altijd zo keek.

Hij trok een spijkerbroek en een zwart T-shirt aan en liep naar de keuken voor koffie en een boterham. Op weg ernaartoe zag hij het glas-in-loodraam op de overloop en bleef als aan de grond genageld staan.

Het raam was veranderd. De glazen lucht had de kleur van een roze en abrikooskleurige zonsopgang, en de donkere takken waren bedekt met een dicht groen bladerdak. De ingetogen tinten van het raam hadden plaatsgemaakt voor felle kleuren. Het glas was doordrenkt van stralende kleuren, en overdonderde als muziek voor de ogen al zijn zintuigen, reikend tot in zijn diepste diepten. Het effect was meer dan alleen maar mooi. Het was een waarheid waar hij niet omheen kon. Een waarheid die hem totaal overdonderde, en waarbij hij stond te knipperen alsof hij net vanuit een donkere kamer het felle zonlicht in was gestapt.

Langzaam liep Sam naar buiten, waar de wijngaard stilletjes wakker werd, om te zien wat voor magie Lucy voor hem had gecreëerd. De geur van groei hing in de lucht, met een snufje zout van de zee. Met al zijn zintuigen ervoer Sam dat de ranken groener waren dan normaal, de grond rijker aan voedingsstoffen. Voor zijn ogen was de lucht veranderd in een blauwtint zo stralend dat hij zijn ogen tot spleetjes moest knijpen. De omgeving zag eruit als een olieverfschilderij, maar dit was echt, een kunstwerk waar je doorheen kon wandelen en waarin je alles kon aanraken en proeven.

Er gebeurde iets in de wijngaard... een natuurkracht, betovering, een woordeloze taal die de druivenstokken met een fantastische lofzang opriep tot fantastische prestaties.

Als in een droom liep Sam naar de getransplanteerde wijn-stok die niemand nog had weten te identificeren. Hij voelde de energie van de plant voor hij hem aanraakte, de stengel en ranken vibreerden, floreerden, waren vol van leven. Hij voelde hoe diep de wortelstok zich had ingegraven, zich zo stevig had verankerd dat niets of niemand hem nu nog kon weghalen. Terwijl hij met zijn handen over de bladeren streek, voelde hij dat ze tegen hem fluisterden, voelde hij hoe zijn huid het ge-heim van de wijnstok absorbeerde. Hij plukte een van de blauwzwarte druiven, stopte hem in zijn mond en beet erop. De smaak was rijk en complex, vervuld van een bitterzoet ver-leden, gevolgd door een donker mysterie van dingen die nog in het verschiet lagen.

Hij hoorde een auto en draaide zich om. Alex' BMW draaide de oprijlaan op. Alex was nooit zo vroeg. Langzaam liet Alex het raampje zakken en vroeg: 'Wil je een lift?'

In trance schudde Sam zijn hoofd en wuifde hem weg. Hij kon niet uitleggen wat er was gebeurd, hij had er geen woorden voor... en Alex zou het snel genoeg zelf zien.

Tegen de tijd dat Sam weer bij het huis was, was Alex al naar boven gelopen.

Sam liep de trap op en zag zijn broer gefixeerd naar het raam staren. Hij keek niet verwonderd maar verbijsterd, omdat dit niet paste in de manier waarop hij de wereld zag. Alex zocht een verklaring, en die was er duidelijk niet. Of in elk geval geen ver-klaring die hij zou accepteren.

'Wat heb je gedaan?' vroeg Alex.

'Niets.'

'Hoe kan...'

'Ik weet het niet.'

Ze bleven naast elkaar staan en staarden naar het raam, dat alweer was veranderd in de tijd dat Sam buiten was geweest... de granieten maan was verdwenen en de glazen lucht kleurde nu goud en blauw, met een verzengende zon. De takken waren nog voller, en de bladeren lagen als wolkjes van smaragd over de taken heen.

'Wat is dit allemaal?' vroeg Alex zich hardop af.

Emotie zichtbaar maken, had Lucy een keer over haar glaswerk gezegd.

Dit, dacht Sam, was liefde zichtbaar gemaakt. Liefde voor alles. De wijngaard, het huis, het raam, de wijnstok.

Het was zo simpel dat veel mensen het idee zouden verwerpen, omdat het te gemakkelijk was. Alleen mensen die nog een vonkje magie in zich hadden, zouden het begrijpen. Liefde was het geheim van alles... Liefde was wat de wijnstokken deed groeien, de ruimte tussen de sterren vulde, de grond onder zijn voeten ondersteunde. Het maakte niet uit of je het erkende of niet. Je kon de beweging van de aarde, de getijden van de zee niet tegenhouden of de aantrekkingskracht van de maan afzwakken. Je kon de regen niet stoppen of een schaduw voor de zon trekken. En de kracht van een menselijk hart werd niet zwakker door wat anderen deden.

Het verleden had hem altijd omgeven als de tralies van een cel en hij had nooit begrepen dat hij zelf op elk gewenst moment naar buiten kon lopen. Hij had niet alleen geleden onder de zonden van zijn ouders, hij was ze uit vrije wil jarenlang met zich mee blijven dragen. Maar waarom zou hij de rest van zijn leven gebukt gaan onder angst, pijn, geheimen, als hij alles gewoon los kon laten, vrij kon zijn om zijn diepste verlangens na te streven? Hij kon Lucy hebben. Hij kon eindeloos van haar houden, zonder beperkingen.

Het enige wat hij hoefde te doen, was zijn adem inhouden en springen.

Zonder nog iets tegen zijn broer te zeggen, rende Sam de trap af en griste de sleutels van zijn truck van het dressoir.

Zowel in haar flat als in Lucy's atelier was het onheilspellend stil en donker, alsof ze al langere tijd leegstonden.

Een kil gevoel bekroop Sam en hij voelde een rilling over zijn rug lopen. De haast die hem naar de stad had gedreven, zat nu als een strakke band om zijn hart.

Lucy kon niet al weg zijn. Het was nog te vroeg.

In een opwelling besloot Sam naar Vergezicht te gaan, op zoek naar Justine. Toen hij het pension binnenliep, dreven troostende ontbijtgeuren hem tegemoet: warme toast, verse broodjes, gerookte bacon en gebakken eieren.

Justine stond in de eetzaal, met een stapel vuile borden in haar handen. Ze glimlachte toen ze hem zag. 'Hi, Sam.'

'Kan ik je even spreken?'

'Natuurlijk.' Nadat ze de borden naar de keuken had gebracht, kwam Justine terug en voerde hem mee naar een hoekje bij de receptie. 'Hoe gaat het?'

Sam schudde zijn hoofd, ongeduldig. 'Ik zoek Lucy. Ze is niet in haar flat of in het atelier. Ik vroeg me af of jij weet waar ze is.'

'New York,' zei Justine.

'Maar het is nog te vroeg,' zei Sam kortaf. 'Ze zou pas morgen gaan.'

'Ik weet het, maar haar professor belde, en ze vroegen of ze kon komen voor een vergadering en een of ander feest...'

'Wanneer is ze vertrokken?'

'Ik heb haar net naar het vliegveld gebracht. Haar vlucht vertrekt om acht uur.'

Sam pakte zijn telefoon om te kijken hoe laat het was. Tien voor. 'Dank je.'

'Sam, het is te laat om...'

Hij stond alweer buiten voor Justine haar zin af kon maken.

Hij sprong in de wagen, scheurde naar het vliegveld en belde Lucy op zijn mobiel. Hij werd doorgeschakeld naar de voicemail. Vloekend stopte Sam aan de kant van de weg en stuurde haar een sms:

Hij reed weer verder, trapte het gaspedaal bijna door de vloer en bleef het maar in zijn hoofd herhalen.

Blijf. Blijf.

Roy Franklin Airport, genoemd naar de gevechtspiloot uit de Tweede Wereldoorlog die het had laten aanleggen, lag ten westen van Friday Harbor. De luchthaven had één baan, waarvandaan zowel lijnvluchten als charters vertrokken. Passagiers en bezoekers die wat langer moesten wachten, waren gewoonlijk te vinden in Ernie's café, een blauw geschilderd koffiehuis naast het vliegveld.

Sam parkeerde naast de terminal en rende naar de deur. Maar nog voordat hij binnen was, hoorde hij de motor van een Cessna brullen. Hij hield zijn hand boven zijn ogen en keek naar het geel met witte vliegtuigje dat snel opsteeg, op weg naar Seattle.

Lucy was weg.

Het deed nog meer pijn dan hij had verwacht om het vliegtuig met haar erin weg te zien vliegen. De pijn was zo hevig dat hij in een donker hoekje wilde gaan zitten, niet meer denken, praten of bewegen.

Sam leunde tegen de deuropening. Hij probeerde helder te denken, te bedenken wat hij nu moest doen. Zijn ogen prikten. Hij sloot ze eventjes, zodat het oogvocht de prikkeling weg kon nemen.

De deur van de terminal ging open, gevolgd door het geratel van een koffer op wieltjes. Als in een waas zag hij het kleine silhouet van een vrouw, en zijn hart stond even stil. Haar naam vloeide van zijn lippen.

Lucy keek hem aan.

Even dacht Sam dat hij het zich had ingebeeld, dat zijn diepste wens als droombeeld voor hem was verschenen. De afgelopen paar minuten had hij meerdere levens geleefd.

Binnen drie stappen was Sam bij haar, trok haar tegen zich aan, draaide met haar rond. Voordat Lucy ook maar een woord kon uitbrengen, kuste hij haar, elk woord en elke ademtocht in zich opnemend tot de koffer uit haar handen glipte en op de grond kletterde.

Haar mond gaf zich over en versmolt met de zijne, haar armen schoten om zijn nek. Ze drukte zich tegen hem aan, in de ruimte die als het ware voor haar was gemaakt. Zo dichtbij, maar toch zichzelf. Hij wilde haar bijna naar binnen trekken, met haar één worden. Hij kuste haar harder, bijna woest, tot ze hijgend haar hoofd afwendde. Haar vingers vonden zijn nek, streelden hem alsof ze een huilend kind wilde troosten.

Sam pakte haar gezicht in zijn trillende handen. Haar wangen waren koortsig rood, haar ogen wazig van verbazing. 'Waarom zit je niet in het vliegtuig?' vroeg hij met hese stem.

Lucy knipperde. 'Je berichtje…'

'En dat was genoeg?' Hij omarmde haar weer en vroeg schor: 'Je bent uitgestapt vanwege één woordje?'

Ze keek hem aan zoals ze hem nog nooit aan had gekeken, met ogen vol tederheid. 'Het was het juiste woord.'

'Ik houd van je,' zei Sam, en weer kuste hij haar, alleen stoppend omdat hij het opnieuw wilde zeggen. 'Ik houd van jou.'

Lucy legde haar trillende vingers tegen zijn lippen, streelde ze zacht. 'Weet je het zeker? Hoe weet je dat het niet alleen maar lust is?'

'Het is lust… ik wil je geest, je ziel, je ogen, de geur van je huid. Ik wil in jouw bed slapen. Ik wil dat jij het eerste bent dat ik elke ochtend en het laatste dat ik elke avond zie. Ik houd van je zoals ik nooit van iemand dacht te kunnen houden.'

Haar ogen liepen vol. 'Ik houd ook van jou, Sam. Ik wilde niet weggaan, maar…'

'Wacht. Laat mij eerst iets zeggen... ik wacht op je. Dat staat buiten kijf. Ik kan eeuwig wachten. Je hoeft New York niet voor me op te geven. Ik doe wat ik moet doen om er iets van te maken. Bellen, chatten, cyberdingesen. Ik wil dat jij je droom verwezenlijkt. Ik wil niet dat je om mij je droom opgeeft of met minder genoegen neemt.'

Ze glimlachte door haar tranen heen. 'Maar jij speelt een rol in mijn droom.'

Sam nam haar weer in zijn armen en legde zijn wang tegen haar haar. 'Het maakt niet uit waar je naartoe gaat,' mompelde hij. 'We zijn samen. Een binaire ster kan een verre omloop hebben, zolang de zwaartekracht maar sterk genoeg is.'

Lucy grinnikte. 'Romantiek à la nerd.'

'Wen er maar aan,' zei hij. Hij kuste haar opnieuw en keek naar de terminal. 'Wil je je vlucht nog omboeken?'

Lucy schudde resoluut haar hoofd. 'Ik blijf hier. Ik ga de beurs teruggeven. Ik kan hier net zo goed werken als daar.'

'Echt niet. Jij gaat naar New York, om de kunstenaar te worden die je moet zijn. En ik ga een fortuin uitgeven aan vliegtickets om je zo vaak mogelijk te kunnen zien. En na dit jaar kom je terug en gaan we trouwen.'

Lucy keek hem met grote ogen aan. 'Trouwen,' zei ze zachtjes.

'Het officiële aanzoek volgt nog,' zei Sam. 'Maar ik wilde je alvast laten weten dat ik het goed met je voor heb.'

'Maar... jij gelooft niet in het huwelijk.'

'Ik ben van mening veranderd. Ik heb de fout in mijn theorie gevonden. Ik zei dat het romantischer was om niet te trouwen, omdat je dan alleen in goede tijden bij elkaar blijft. Maar het betekent pas echt iets als je ook in slechte tijden bij elkaar blijft. In goede en in slechte tijden.'

Lucy trok zijn hoofd naar zich toe en kuste hem. Het was een kus vol vertrouwen en overgave... een kus vol wijn, sterren en magie... een kus die hem liet weten dat hij veilig wakker zou worden in de armen van zijn geliefde, terwijl de ochtendstond langzaam langs de hemel omhoog klom, langs de vlucht van de adelaars, tot de zon haar zilveren vlechten uitrolde over False Bay.

'We praten later nog wel over New York,' zei Lucy nadat hun lippen elkaar weer loslieten. 'Ik weet nog niet zeker of ik wel ga. Ik weet niet eens of ik het nu wel nodig heb. Kunst kan overal.' Haar ogen glinsterden, vol van een groot geheim. 'En nu... kun je me nu naar Rainshadow Road brengen?'

Sam antwoordde niet, maar pakte haar koffer en sloeg zijn arm om haar heen. 'Er is iets gebeurd met het raam dat jij voor me hebt gemaakt,' zei hij. 'De wijngaard verandert. Alles verandert.'

Lucy glimlachte, maar leek totaal niet verbaasd. 'Vertel eens.'

'Je moet het straks zelf maar zien.'

En hij nam haar mee naar huis, op de eerste reis van hun leven samen.

Nawoord

Het hart van een kolibrie zou niet sneller hebben kunnen kloppen dan Lucy's hart toen de taxi False Bay Drive op draaide, richting Rainshadow Road.

Het afgelopen jaar had ze de reis tussen New York en Friday Harbor al talloze keren gemaakt, en Sam was al even vaak bij haar geweest. Maar deze reis zou, in tegenstelling tot de vorige keren, niet in een afscheid eindigen.

Lucy was twee dagen eerder teruggekomen dan ze oorspronkelijk had gepland. Na een jaar apart wilde ze zo snel mogelijk weer bij Sam zijn.

Ze waren heel bedreven geraakt in het onderhouden van een langeafstandsrelatie. Ze hadden volgens de kalender geleefd, planden telefoontjes en vluchten. Ze hadden kaartjes, sms'jes en e-mails gestuurd en veel geskypet. 'Denk je dat we elkaar zo vaak zullen spreken als we weer samenwonen?' had Lucy gevraagd. Sam had wellustig geantwoord: 'Nee.'

Als er zoiets bestond als samen veranderen als je apart woont, dan hadden ze dat volgens Lucy gedaan. En de moeite die ervoor nodig was om een relatie op afstand te onderhouden, had haar doen beseffen dat te veel mensen de tijd die ze met hun geliefde doorbrengen voor lief nemen. Elke kostbare minuut samen hadden ze verdiend.

In de periode dat ze bij het Mitchell Art Center werkte, had Lucy met andere kunstenaars conceptuele installaties gemaakt en technieken toegepast als glasschilderen – een mengsel van gemalen glas en pigment op glas aanbrengen – en het over elkaar leggen van mixed-media en glasfragmenten. Ze had zich voornamelijk beziggehouden met glas-in-loodramen, waarbij ze natuurlijke motieven gebruikte en experimenteerde met het manipuleren van kleur, licht en refractie. Een gerespecteerde kunstrecensent had Lucy's glas-in-loodwerk beschreven als 'een openbaring van licht, waarbij de spannende kleuren en tastbare energie de glazen beelden tot leven brengen'. Toen haar jaar er bijna op zat, kreeg Lucy meerdere opdrachten binnen om glas-in-loodramen te maken voor openbare gebouwen en kerken, en was er zelfs een verzoek binnengekomen om theatersets en kostuums te ontwerpen voor een productie van het Pacific Northwest Ballet.

Ondertussen had Sams wijngaard gefloreerd; hij had een jaar eerder dan verwacht zijn doel van vijf ton druiven per hectare gehaald. De kwaliteit van het fruit, zo had hij Lucy verteld, was ook veelbelovend en beter dan gehoopt. Later die zomer zou Rainshadow Vineyard zelf de eerste flessen gaan bottelen.

'Mooie plek,' zei de taxichauffeur toen ze Rainshadow Road op draaiden en naar de wijngaard reden, die prachtig oranje-rood glinsterde.

'Nou,' mompelde Lucy, terwijl ze verrukt zat te kijken naar het huis, badend in het licht van de zonsondergang, met glinsterende gevelspitsen en balustrades, rozenstruiken en witte hortensia's die uitbundig bloeiden. De wijnranken bogen door van het fruit. Het briesje dat door de open ramen naar binnen waaide, rook zoet en koel, de zeelucht gefilterd door de gezonde jonge wijnstokken.

Hoewel Lucy Justine of Zoë had kunnen vragen om haar van het vliegveld te halen, had ze met niemand willen praten – ze wilde zo snel mogelijk naar Sam.

Natuurlijk, dacht ze grinnikend, kon het zijn dat Sam haar nog niet verwachtte, dat hij niet thuis was. Maar toen ze bij het huis kwamen, zag ze Sam net met een aantal medewerkers van de wijngaard naar het huis lopen. Er verscheen een glimlach op haar lippen toen ze zag dat Sam bleef staan toen hij de taxi opmerkte.

Tegen de tijd dat de auto was gestopt, was Sam er al en trok hij de deur open. Voordat Lucy ook maar een woord kon zeggen, had hij haar al uit de taxi getrokken. Hij zweette van het harde werken en was een en al testosteron en mannelijke hitte toen hij haar gepassioneerd kuste. De afgelopen weken had hij wat extra spierbundels gekweekt, en zijn zongebruinde huid was zo donker dat zijn blauwgroene ogen bijna uit zijn gezicht spatten.

'Je bent vroeg,' zei Sam, waarna hij haar wangen, haar kin en het puntje van haar neus kuste.

'Jij prikt,' antwoordde Lucy buiten adem, terwijl ze over zijn stoppelige gezicht streek.

'Ik wilde me net mooi gaan maken voor jou,' zei Sam.

'Ik help je wel bij het douchen.' Lucy ging op haar tenen staan en fluisterde in zijn oor. 'Ik kan die lastige plekjes voor je wassen.'

Sam liet haar even los om de taxichauffeur te betalen. Een paar minuten later had hij zijn grinnikende medewerkers naar huis gestuurd met de boodschap dat ze niet voor de lunch de volgende dag terug hoefden te komen.

Nadat hij Lucy's koffer naar binnen had gedragen, pakte Sam haar bij de hand en nam hij haar mee naar boven. 'Is er een bepaalde reden waarom je twee dagen eerder dan gepland thuiskomt?'

'Ik was wat eerder klaar met het afronden van de projecten en met inpakken. En toen ik de luchtvaartmaatschappij belde om te vragen of ik de vlucht kon verzetten, mocht dat gratis, omdat ik zei dat het een spoedgeval was.'

'Spoedgeval?'

'Ik zei dat mijn vriend mij had beloofd me een aanzoek te doen zodra ik weer in Friday Harbor was.'

'Dat is geen spoedgeval,' zei hij.

'Een spoedgeval is een situatie waarin haast is geboden,' legde ze uit.

Sam bleef even staan op de overloop en kuste haar opnieuw.

'Nou, ga je het nog doen?' drong Lucy aan

'Jou ten huwelijk vragen?' Hij drukte zijn lippen op de hare. 'Misschien. Maar eerst douchen.'

De volgende ochtend vroeg werd Lucy wakker met haar hoofd tegen een harde mannenschouder. Er kriebelde borsthaar tegen haar neus en ze voelde Sams warme hand over haar lichaam, waardoor ze kippenvel kreeg.

'Lucy,' fluisterde hij, 'ik denk niet dat ik je nog een keer kan laten gaan. Je moet me met je meenemen.'

'Ik ga niet weg,' fluisterde ze. Ze liet haar hand over zijn borst glijden. Het ochtendlicht werd weerkaatst in haar verlovings-ring, waardoor de schitteringen over de muur dansten. 'Ik weet waar ik thuishoor.' Terwijl ze tegen Sam aan kroop en zijn ge-ruststellende en sterke hartslag onder haar hand voelde, be-dacht ze dat ze twee sterren waren, gevangen in elkaars omloop, aangetrokken door een kracht die sterker was dan geluk, het lot of zelfs de liefde. Er waren geen woorden voor dit gevoel... maar die hadden er wel moeten zijn.

Terwijl Lucy lag te genieten en er allerlei prachtige gedach-ten door haar heen gingen, maakten de panelen van een raam in de buurt zich langzaam los uit hun houten kozijn. De randen krulden om en het glas kleurde lichtgevend blauw.

En als een voorbijganger die op dat vroege uur langs de baai liep toevallig naar het huis had gekeken, had hij een zwerm vlin-ders zien dansen in de lucht, boven het witte victoriaanse huis aan het eind van Rainshadow Road.

Medio augustus 2014 verschijnen ook de volgende delen in de *Friday Harbor*-trilogie:

Bij haar geboorte sprak haar moeder een toverspreuk over Justine Hoffman uit, om haar te beschermen tegen de pijn van een gebroken hart. Met als resultaat dat Justine niet in staat is verliefd te worden. Uiteindelijk neemt haar niet te onderdrukken nieuwsgierigheid – en haar vurige wens een normaal leven te kunnen leiden – de overhand en lukt het haar de betovering tijdelijk te blokkeren. Maar dan ontmoet ze de mysterieuze Jason Black en ontketent ze een storm van verlangen en gevaar. Ze ontdekt de magische kracht van liefde en tegelijk de bedreiging voor alles wat haar lief is...

ISBN: 9789077462850

(Crystal Cove)

ISBN: 9789077462867

(Dream Lake)

De broers Sam en Mark Nolan geloven in de liefde; het risico van de pijn is de kans op geluk meer dan waard. De derde Nolan-broer in Friday Harbor is Alex, cynisch en verbitterd; hij bestrijdt zijn demonen met whisky en leeft in zijn eigen vorm van hel. En dan verschijnt er een geest die alleen hij kan zien. Is hij nu daadwerkelijk gek aan het worden?

Zoë Hoffman is de vriendelijkheid en romantiek zelve. Als ze de knappe Alex Nolan ontmoet wil ze instinctief eerst hard wegrennen. Maar de aantrekkingskracht is sterker...

Ze zijn als olie en water, ijs en vuur, zon en schaduw. Zoë dwingt hem zijn leven met een heldere blik te bezien en leert hem dat de liefde niet alleen voor dwazen is.

De geest weet niet wie hij is en waart al jaren rond in het Victoriaanse huis van de Nolans. Hij weet alleen dat hij ooit een meisje liefhad en dat Alex en Zoë de sleutel hebben tot het mysterie dat hem gevangenhoudt.

Reserveer deze delen nu alvast bij de betere boekhandel of bij bol.com.

Ook verschenen bij Bloemendal Uitgevers:

ISBN: 9789077462744

Stel je voor dat je wakker wordt in een sneeuwbol. Zo voelt reisjournaliste Krista zich als ze aankomt in het magische Quebec om een artikel te schrijven over de stad en de gezellige Winterkermis. Gedurende tien ijskoude dagen begint Krista's bevroren hart langzaam te smelten, terwijl ze een feeërieke wereld vol ijspaleizen, sledehonden en ahornsiroop ontdekt. En dan leert ze Jacques kennen, een man die even knap als mysterieus is. De twee delen een geheim dat hen voor eeuwig aan elkaar zou kunnen verbinden.

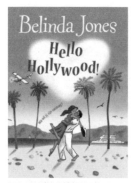

ISBN: 9789077462706

Zou jij je leven ook niet eens radicaal willen omgooien? Visagist Stella weet precies hoe ze anderen kan transformeren, maar als het op haarzelf aankomt, weet ze niet half waar ze moet beginnen. Wanneer haar nieuwe vriendin, de elegante Hollywood-ster Marina Ray, haar vraagt naar Californië te komen om haar make-up te doen voor een nieuwe film, kan Stella deze kans om opnieuw te beginnen natuurlijk niet weigeren. Dit is het land van zon en nieuwe kansen! Maar zijn ze wel echt vriendinnen? Of heeft Marina heel andere motieven? Wat is het geheim dat deze twee vrouwen verbergen over de stoere (maar aardige) zeebonken in hun leven? En wat is ervoor nodig om voor allebei de Californische droom te doen uitkomen? Een reis langs de Amerikaanse westkust, van Los Angeles via de meest romantische ranch ter wereld, naar een echt kasteel in de wolken. Een verhaal over vriendschap, liefde op afstand en zoenen (en het weer goed maken) – een verhaal waar je heerlijk bij kunt wegdromen.

ISBN: 9789077462683

Carmen heeft al veel te lang het gevoel dat ze in een sleur zit. Wanneer haar even gefrustreerde vriendin Beth de ultieme uitweg voorstelt – op danstoernee door een aantal zinderend hete landen – kan ze de verleiding dan ook niet weerstaan. Er is echter één maar; dit avontuur is alleen maar mogelijk als ze meedoen aan een reality tv-show, waarbij ze de melancholieke tango in Argentinië, de hartstochtelijke flamenco in Spanje en de uitdagende salsa in Cuba leren. Terwijl ze van Buenos Aires naar Sevilla en uiteindelijk naar het sensuele Havana reizen, merken de meisjes dat de verschillende dansen hun sporen nalaten in hun hart – net als de sexy gaucho's, matadors en dirty dancers waarmee ze op de dansvloer staan. Een vleugje Dirty Dancing gecombineerd met een snufje So You Think You Can Dance!